Les gadoues

Philippe Delepierre

Les gadoues

Liana Levi

Remerciements à Étienne Dejonghe et Yves Le Maner
pour leur indispensable ouvrage de référence:
Le Nord-Pas-de-Calais dans la main allemande. 1940-1944.

Pour Marthe, Louis, Gérard et les autres…

Avanie et Framboise
Sont les mamelles du destin…

Boby Lapointe

1

Maman a ses nerfs. Un chamboulement échevelé, une danse de Saint-Guy ravageuse, une tornade tropicale aux sanglots longs et hurlements force dix. Ces grandes gesticulations de désespoir éclatent tout à trac, en *Blitz Krieg* brutales et sournoises pour se finir dans un chaos de vaisselle fracassée, de repassage éparpillé, de bocaux renversés vomissant leurs nuées de poivre, de farine et de café moulu.

Je cours aux abris, jamais plus loin que la cour car je dois surveiller l'évolution de la crise. Dans ces moments-là, d'après le docteur Verdier, il n'y a rien d'autre à faire que de laisser passer l'ouragan tout en surveillant la malade au cas où elle avalerait sa langue. La première fois que j'ai entendu cette expression étrange, j'étais encore gamin et ça m'a fait rire. J'ai demandé au médecin comment on pouvait *avaler sa langue* puisque c'est précisément l'organe qui sert à ingurgiter, mais il était de mauvais poil et m'a envoyé bouler.

À l'intérieur, ça barde. Pas besoin de boule de cristal pour deviner l'avenir proche.

Les vitres de la cuisine sont extralucides, maman qui ne supporte ni la crasse ni les chiures de mouches les récure tous les samedis avec de l'alcool à brûler et du papier journal. Le verre en ressort aussi propre que l'écran de notre télé toute neuve et j'assiste en direct au drame domestique, net et clair comme le grand spectacle du monde commenté par Léon Zitrone ou Claude Darget au journal télévisé. De mon poste d'observation situé entre les clapiers et le tonneau d'eau de pluie, je ne quitte pas Marie-Rose des yeux. Depuis que je suis passé en sixième j'ai pris la liberté d'appeler mes parents par leurs prénoms, Fernand et Marie-Rose. Pas quand je leur adresse la parole bien sûr, seulement quand je suis seul avec moi-même. J'estime qu'à treize ans, c'est un signe de maturité précoce qui ne gâche rien à l'amour sincère que je leur porte.

Marie-Rose. Je ne vous raconte pas le choc quand j'ai découvert que ma mère avait le même nom qu'une lotion contre les poux ! Marque déposée d'un insecticide redoutable pour les parasites, inoffensif pour les cheveux. Dans la vitrine de la pharmacie, un carton publicitaire montrait deux trois bestioles terrassées par le produit miracle et une petite fille sautillant tresses au vent, heureuse d'avoir échappé à la tondeuse. Ce jour-là, je devais acheter des sinapismes à la farine de moutarde censés guérir mes bronchites à répétition, des espèces de buvards qu'une fois bien imbibés de vapeur on te claque sur la poitrine à cent degrés Celsius et qui te brûlent pendant des heures à t'en décoller la peau. «Rigolo» qu'ils s'appellent ces cataplasmes, je n'invente rien. Si on me demande mon avis, je choisis sans hésiter les ventouses parce que c'est indolore et quand on les enlève, elles font un joyeux bruit de bouteille qu'on débouche, blop ! En cas de migraine, j'ai droit à une vessie de glace qui ressemble à un béret de chasseur alpin ou à des compresses au menthol, maman préfère ce genre de thérapie externe aux cachets d'aspirine qui, selon elle, perforent l'estomac et rendent hémophile.

Malheureusement pour elle, ces remèdes ne lui sont d'aucune utilité parce que ses crises ne sont dues ni aux microbes ni aux virus. Son mal provient de l'âme, d'un imbroglio de frayeurs secrètes si profondément enracinées que personne ne peut en sonder les causes. Elles se manifestent par des vertiges fulgurants comme si le chemin de sa vie lui semblait soudain une étroite passerelle suspendue au-dessus du précipice où elle n'ose pas s'aventurer. J'en ai parlé à un gars de ma classe dont le père est infirmier psychiatrique, d'après lui, il s'agirait d'hallucinations aiguës, de troubles du comportement qu'il faut soigner avec des douches froides ou des électrochocs. Je lui ai fichu mon poing sur la gueule, non mais! Marie-Rose n'est pas folle, qu'on se le dise, et quiconque prétendra le contraire aura affaire à moi.

En tout cas ce n'est pas encore aujourd'hui que maman sombrera dans la grande déglingue. Elle se défend comme une lionne et j'ai bien l'impression que le combat contre les démons est en train de tourner en sa faveur. «Nerfs fragiles mais solide constitution», assure le docteur. Peut-être bien, mais ce n'est pas une raison pour baisser la garde, il suffirait d'une attaque un peu plus sournoise que d'habitude, comme ça, un coup en traître, et elle serait bonne pour le grand plongeon cataleptique à perpète.

Parfois, au lycée, je tremble à l'idée que la crise fatale se déclare en mon absence. Dans ces moments-là, plus moyen de me concentrer. Les profs disent que je suis dans la lune mais ils parlent sans savoir, comme toujours. Je suis bien là au contraire, les deux pieds sur terre, sur le qui-vive et en pleine réalité. Dès que j'entends les pompiers ou une ambulance en urgence, je me dis que cette fois, ça y est, l'apocalypse vient de nous tomber dessus ! Le cerveau malade de maman a mis le feu aux poudres et sa conscience a décollé en chandelle comme la fusée qui a mis Telstar sur orbite. Fernand ne me le pardonnera jamais, il m'enrôlera chez les enfants de troupe où les officiers instructeurs m'accuseront d'abandon de poste et de désertion, délits passibles de cour martiale et de peloton d'exécution.

L'an dernier en pleine récré du matin, juste avant la composition d'anglais, une pointe de feu m'a harponné l'estomac. Cette douleur aiguë n'avait rien de commun avec une banale colique précédant les épreuves perdues d'avance, c'était une torture prémonitoire, une angoisse insupportable déclenchée par la sirène qui s'était mise à mugir comme dans les films de guerre, juste avant l'attaque aérienne. Mon copain Fred, le fils du boucher, avait beau me répéter qu'il s'agissait d'un banal incendie, je n'en croyais rien. Un grand malheur venait d'arriver, maman avait besoin de moi. Alors je me suis esquivé en douce par la cour des poubelles et j'ai foncé à travers tout.

Bourdain n'est pas vraiment une ville, ce n'est qu'un agglomérat d'usines traversé par un canal et des voies de chemin de fer avec des maisons autour et quelques fermes éparpillées, mais quand même, du lycée jusqu'à chez nous, il y a bien quatre bornes. Comme le passage à niveau était fermé, je me suis faufilé sous les barrières sans me soucier des écriteaux émaillés rappelant en grosses lettres rouges qu'un train peut en cacher un autre et qu'il est interdit de toucher aux câbles électriques même tombés à terre. Le danger de mort rôdait ailleurs! Le voltage qui te caramélise, ce n'était pas dans les caténaires qu'il circulait, mais dans les nerfs sous haute tension de ma mère. Même que, si je la retrouvais grillée, il me faudrait m'isoler avec des gants et des bottes de caoutchouc avant de lui faire la respiration artificielle. Il pleuvait à seaux, je suis arrivé trempé, à bout de souffle, et là, fausse alerte! Marie-Rose chantait *Rose-Marie*, sa chanson fétiche. Le moral au beau fixe, elle écossait des petits pois. Je lui en ai un peu voulu, surtout que le lendemain, la prof d'anglais, une épouvantable pimbêche surnommée «Folcoche» qui se croit supérieure et fait sa crâneuse parce qu'elle est la femme du proviseur, n'a rien voulu savoir quand j'ai tenté d'expliquer les bonnes raisons de mon absence au contrôle. Catho comme elle est, pourtant, elle aurait dû rendre grâce à mon sens du dévouement.

Mais que se passe-t-il?

On dirait que les harpies ont repris du poil de la bête. Je les croyais matées et voilà qu'elles se rebiffent. Houspillant leur proie, elles la secouent de la tête aux pieds pour la précipiter dans les ravins grouillant de serpents. Marie-Rose résiste, se laisse choir sur une marche d'escalier et se cramponne aux balustres. Tendue par l'effort, elle s'aspire les lèvres à les bouffer, son cou bat la chamade et son cœur la déroute. Trop vite, trop fort. Un souffle féroce enfle sa poitrine soudain à l'étroit sous le petit chemisier dont elle fait sauter les boutons d'un geste rageur. Dans un berceau de dentelle, j'aperçois un éclat de chair blanche sur lequel mes yeux n'ont pas le droit de s'attarder. Puis elle déchire son tablier et retrousse très haut sa jupe. Nouvelle lisière de dentelle interdite, je détourne la tête, je devrais appeler au secours!

15

Qui, mon père?

Il est parti depuis ce matin au club hippique de Phalempin. Les chevaux, c'est toute sa vie. Et son travail aussi. Il ferre, soigne et prévient les pépins mieux qu'un vétérinaire. «La maréchalerie, fiston, c'est surtout une question de *savoir fer*!» En attendant, j'aimerais bien en avoir moi aussi, du savoir-faire, rien qu'un tout petit peu pour sortir Marie-Rose de cette démence sévère.

Qui d'autre, la voisine?

Je pourrais m'époumoner que la vieille Victorine, quasi impotente d'obésité, ne bougerait pas ses grosses fesses du fauteuil en osier où elle passe ses journées à tricoter de la layette.

Avant il y avait Cafougnette, le ferrailleur, mais il est parti l'an passé sans laisser d'adresse avec ses chiens et son cheval, Bakounine, que papa ferrait gratos. C'était un chic type, celui-là, quelqu'un sur qui on pouvait compter. Enfin n'en parlons plus. Reste Paulo, l'ouvrier agricole de Clovis, qui vit dans son blockhaus sommairement aménagé au milieu des champs de patates, mais à cette heure-ci, il doit être occupé à la ferme. Et puis je n'aimerais pas qu'il voie ma mère dans cette tenue débraillée. Parce qu'elle continue à déchiqueter ses vêtements, Marie-Rose, faut voir comme elle s'en donne! Si je ne me décide pas à intervenir, elle va bientôt se retrouver toute nue. Jambes tendues à l'avant, buste en tour de Pise, chignon en bataille, elle recommence à hurler les mots du malheur, ceux qui donnent un mauvais goût à la bouche.

Je ne bouge pas d'un orteil, fidèle au poste, petite sentinelle prête à encaisser l'insupportable. Marie-Rose s'échauffe, laisse grimper la pression, la soupape de sécurité s'affole. Dans une ratatouille de syllabes éraillées, elle insulte le temps destructeur, les injustices, la routine et tout le reste. Elle en a sa claque des soucis et de son rôle de ménagère exemplaire. La fée du logis métamorphosée Carabosse vaticine l'interminable litanie de son cahier de doléances archiplein. Elle accuse en vrac les hommes et l'univers, les gosses et les cigognes qui les amènent sans qu'on les ait sonnées. Elle s'en foutrait des baffes à la volée, tiens, d'avoir été si conne, oie blanche et cœur d'artichaut, gamine fleur bleue qui s'est laissé piéger par ce type à gueule d'amour. *T'as de beaux yeux tu sais,* et patatras, le scénario qui dérape ! Époque difficile, circonstances atténuantes qui n'atténuent rien du tout. Serments trahis, noces de chiffon et lune de fiel ! Elle est punie, damnée, une seconde vie ne lui suffirait même pas à expier la faute commise au début de la première. Et faudra tenir jusqu'au finish parce que le bon Dieu interdit les raccourcis.

Je connais sa litanie sur le bout des ongles, si elle avait des trous de mémoire, je pourrais lui souffler la suite. Toujours la même rengaine, le sort qui s'acharne, dur, noir et teigneux comme dans les chansons réalistes de la Belle Époque que chantait un vieil oncle aux repas du dimanche. Ses chapelets d'amertume, voilà des années qu'elle essaie de les vomir. Les crises à répétition sont des nausées mentales qu'elle provoque pour extirper de sa cervelle les blessures morales qui ne cicatrisent pas.

Quand j'étais petit, blotti contre mon père, je regardais ces flambées de désespoir qui nous brûlaient le cœur à tous les deux et m'arrachaient des larmes de terreur. Je ne comprenais rien. Fernand connaissait toute l'histoire, lui, il était dans le secret mais ça l'avançait à quoi ? Il ne m'a jamais rien expliqué, une tombe ! Cadenassé à triple tour. Le peu que j'ai appris, je l'ai deviné par moi-même en recollant ici et là les petits morceaux de l'histoire, très embrouillée, souvent contradictoire. Les clés de l'intrigue s'ancraient dans le temps très flou d'avant ma naissance. Il était question de lieux, de situations, de gens que je n'avais pas connus. Et puis, c'étaient des histoires de grandes personnes, des affaires obscures dont les enfants ne doivent pas se mêler. Mis bout à bout cependant, assemblés au hasard des crises, ces vestiges d'autrefois commençaient à esquisser quelque chose d'à peu près cohérent. Pas aussi nettement qu'avec les pièces d'un puzzle qui, une fois emboîtées, restituent une image impeccable, mais plutôt comme des morceaux de chiffons de textures différentes et aux couleurs délavées qu'on peut coudre ensemble pour fabriquer un habit d'Arlequin.

2

Rien de bien sorcier, en fait, tellement simple que même un gosse de trois ans aurait été capable de comprendre si on avait pris la peine de lui expliquer avec des mots à lui.

Avant de rencontrer papa, Marie-Rose avait connu quelqu'un avec qui ça n'avait pas collé. Je manque totalement d'informations sur les circonstances exactes du fiasco mais enfin bref, ils ne s'étaient pas mariés. En revanche il lui avait laissé Marcel, leur gosse illégitime, mon demi-frère donc, mais pour moi il n'y a pas de différence avec un frère entier. Pourtant on ne se ressemble pas vraiment, Marcel ne ressemble à personne, c'est un spécimen unique, un *nonoche*, comme on dit dans le quartier où le chti est plus volontiers parlé que le français télévisuel de la rue Cognac-Jay. Mongolien, quoi, trisomique vingt et un en appellation savante, et puis après... C'est pas une honte ! Il ne l'a pas fait exprès, Marcel, d'éclore dans cet état-là, et je ne pige toujours pas pourquoi maman en fait un tel fromage ! Mon père non plus d'ailleurs, parce qu'il n'en avait rien à faire, lui, qu'il était mongol, le gosse de Marie-Rose, parce qu'il était tombé transi amoureux de cette jeune femme si mince, si douce, si jolie avec ses grands yeux tristes et ses fines mains de couturière. Elle avait tout juste dix-huit ans, son bébé une dizaine de mois, Fernand rentrait de captivité, cinq années de barbelés et de misère, c'est dire s'il avait accueilli toute cette vie comme un cadeau du ciel qu'il n'espérait plus. Il s'était débrouillé pour faire coïncider le jour de la noce avec son anniversaire. Au dessert, une pièce montée caramélisée de nougatine avec deux petits mariés en massepain au milieu des vingt-sept bougies: «Dans vingt-sept, il y a un sept, fiston, c'est un chiffre porte-bonheur!»

Je l'ai vue, cette photo, avec mes parents tout jeunes qui sourient aux anges et à l'objectif, la félicité aussi dégoulinante que la crème des profiteroles en pyramide, presque des inconnus. Surtout Fernand avec ses joues creuses et le visage encore allongé par le régime alimentaire stalag, en train de faire guili-guili sous le menton miniature du frangin aux yeux bridés. L'enfant d'un autre, pourquoi pas, c'était un bébé tout fait comme on en trouve dans les choux, et ça prouvait au moins qu'elle savait comment s'y prendre, Marie-Rose, et qu'elle lui en ferait d'autres, des petits, une ribambelle! Il avait bien l'intention de mettre fin à une longue lignée de fils uniques et d'obéir à son héros, le général De Gaulle, qui recommandait de se reproduire sur une grande échelle. Il se sentait un cœur à aimer une tribu entière, Fernand, et un courage de taille à la nourrir à satiété. Tout ce qui viendrait de Marie-Rose ne pouvait qu'être une fleur de la Providence. Quant à Marcel, pas de jaloux, on s'en occuperait comme des autres.

L'ennui, c'est que, terrorisée à l'idée de mettre au monde un nouvel enfant handicapé, maman avait pas mal hésité avant de me mettre en chantier, ça aussi je l'ai appris en écoutant aux portes et en rivant mon œil aux trous de serrures. Pour cet homme qui l'aimait à la folie au point de lui pardonner ses erreurs passées et de reconnaître son fils naturel, elle s'est laissée attendrir une fois. Pas deux. Je suis arrivé entier, intact, rien à redire. Modestie mise à part, une réussite complète, ouf! Et cela, malgré les terreurs et les cauchemars d'une grossesse hantée de visions apocalyptiques qu'alimentait la presse de l'époque avec force photos ignobles montrant en couleurs des bébés fripés, brûlés, rognés. Des gosses nés sous le signe d'Hiroshima, ville champignon d'un pays lointain certes, mais dont les spores radioactifs pouvaient voyager au caprice des vents et bien au-delà des continents. Quelques années plus tard, les journaux publièrent d'autres séries d'image calamiteuses, il s'agissait cette fois de petits Français difformes, affublés de moignons de bras ou de jambes parce que leurs mères avaient pris de la Thalidomide, un médicament diabolique recommandé pour je ne sais quelle raison. J'étais hors de danger mais qu'importe, rétrospectivement Marie-Rose en avait des palpitations et des bouffées d'épouvante.

Avait-elle absorbé elle aussi, lorsqu'elle était jeune fille, sous forme de pilules, de gouttes ou de piqûres, voire en cataplasmes, des poisons, délivrés ou non sur ordonnance, qui auraient saccagé mon frère dans l'œuf? Elle ne révélera jamais rien, parce qu'elle a tourné la page et qu'elle préfère exorciser une ou deux fois par mois, parfois plus, les vampires qui lui sucent la raison à petit feu, quitte à leur sacrifier aussi sa peau.

Elle hurle le nom de Marcel.

Toujours lui. L'aîné, son boulet, le fruit gâté de ses entrailles. À coups de poing vengeurs elle se martèle le ventre comme si le frangin se trouvait encore à l'intérieur et qu'elle cherchait à lui rectifier le portrait. Une façon de remettre le compteur à zéro, de tout reprendre depuis le début afin d'éviter la somme des complications à venir, la honte, les crises, l'épilepsie, l'hystérie et la haine de soi. Ou alors le buter, carrément, la manière forte, l'euthanasie directe comme solution finale avant de commencer.

Soudain, je sens une présence, une respiration forte, il est là. Lui, le vilain petit canard, le péché originel. Il se tient derrière moi, face de lune hilare, petits cheveux noirs et raides, pommettes hautes et luisantes, descendant de Gengis Khan, prince des steppes, frère des Huns pourfendeurs des Romains, Trisomic-Marcel, mon pote, mon grand frère. Il crache à un mètre une giclée de jus de chique, sa dernière lubie, et se cale sous la joue une boulette de tabac, cadeau de Yolande, la patronne de *La Civette*, qui ne peut rien lui refuser. Il mâche en se marrant, de l'extase plein les mirettes, la lippe jubilatoire, taquin comme jamais, parfaitement conscient que cette friandise est interdite par le règlement intérieur.

– L'est pas là Fernand ! Tabac pour Marcel, uhmmm, c'est bon-on-on ! Pas pour Gilbert, p'tit frère trop p'tit, pas bon, rien dire, chut... cracher jurer !

Il crache preums, noir épais. Moi, deuze, pour lui faire plaisir et prouver que je ne suis pas plus cafteur aujourd'hui qu'hier. Presque rien, deux gouttes à peine. Marie-Rose n'a pas sa pareille pour me transmettre ses fièvres tropicales. J'en ai la bouche et le gosier complètement à sec. Je parviens à articuler :

– Arrête de m'appeler Gilbert !

Je n'aime pas ce prénom, tout le monde m'appelle Gill, mais justement, Marcel ne fait rien comme les autres.

Débordant d'affection, câlin farceur, il m'attrape par les épaules, se colle à moi, niche sa tête contre ma poitrine et bave un mince filet de salive nicotine sur ma chemise.

– Ouais, Gilbert mon copain p'tit frère, toc-toc, j'entends ton cœur.

Et dire que dans la famille on prétend que l'espiègle de service, c'est moi ! Gill l'espiègle, un sobriquet dont je suis assez fier, ma foi, depuis que j'ai lu les aventures de Till Eulenspiegel. Traduction littérale, *miroir aux hiboux*, une chouette étiquette. En plus, c'est vrai que j'ai une bonne vue, même la nuit quand tous les chats sont gris.

Trêve d'effusions fraternelles, Marcel me considère avec solennité. Attiré par les cris de Marie-Rose et le tintamarre des casseroles malmenées, il est venu aux nouvelles, la mine grave, les incisives en avant mâchurant sa lèvre inférieure, un air à Bugs Bunny s'enquérant d'un *kouad'neuf docteur ?*

– Oulala… l'est très malade, maman !

Je confirme d'un hochement de tête.

– Boum, boum, son cœur… badaboum !

Ses paupières s'agitent sous la poussée des larmes. Les yeux ne sont plus que deux fentes humides. Les doigts écartés de sa main droite agitent l'éventail du sauve-qui-peut.

– Oulala, oulala, badaboum maman, grave !

Il glaviote son jus noir et postillonne sa chique, se racle la gorge, récure les derniers brins de tabac, fini de rire. Envolée, la jovialité frondeuse ! Ses antennes ne l'ont pas trompé. Inutile de lui raconter des histoires, il sait tout, Marcel, toujours. Petit nez retroussé, mais un flair de limier, un instinct de chaman. Son esprit voyage avec le

23

vent dont il décode tous les signes. Je suis certain que si une catastrophe naturelle menaçait, tremblement de terre, raz-de-marée ou météorite surprise, il prévoirait le coup avant tout le monde et prendrait de vitesse tous les appareils de détection. Où qu'il aille traîner ses guêtres, et Dieu sait que son territoire est vaste, il ne rompt jamais le contact avec le port d'attache, la forge, la maison, la bulle familiale hantée par le fantôme destructeur qui tourmente la pauvre tête fragile de sa mère. Marcel veille sur nous, traque les mauvais esprits et attend le moment propice pour leur faire la peau. Parce qu'il est costaud, mon frangin! Petit, trapu, tout en biscoteaux, une puissance de bûcheron.

L'an dernier, j'ai bien cru qu'il allait tuer Vanderschnick, le caïd du quartier. J'étais avec Frédéric, dit Fred Hamster à cause de ses joues rebondies, mon meilleur copain depuis que nous sommes au lycée. Bien que nous soyons presque voisins, avant on ne se fréquentait pas, sa mère ne voulait jamais qu'il sorte, elle trouvait que les gosses du P'tit Belgique n'étaient pas assez bien pour son fils. Depuis qu'il est entré au lycée, elle a mis deux gouttes d'eau dans son vin et lui lâche un peu la grappe.

Donc on pêchait des grenouilles dans l'étang situé derrière le parc du Château blanc. C'est comme ça qu'on appelle la maison du docteur Verdier, un homme très important qui fait même de la politique. Je vais souvent rôder autour de sa propriété parce que je suis secrètement amoureux de sa fille. Il n'y a encore rien de sérieux puisque nous n'avons pas encore eu l'occasion d'échanger deux mots. Je ne connais même pas son petit nom. Elle est interne à Bourdain, au pensionnat de la Sagesse, un établissement pour jeunes filles de bonnes familles.

À quoi ça rime d'être interne si près de chez soi? Elle pourrait très bien rentrer le soir, mais il paraît que c'est mieux pour l'éducation distinguée, le suivi scolaire, la moralité et les bonnes manières. Je tiens ça de Léon, leur jardinier, qui vient taper le carton de temps en temps au bistrot du coin, *Chez Florisse*. Alors, je ne l'aperçois que de loin en loin, le jeudi, parfois, et le week-end, à condition de m'embusquer assez longtemps dans les roseaux pour la surprendre quand elle joue au diabolo sur la grande pelouse qui descend en pente douce jusqu'à l'étang.

Toutes les occasions sont bonnes pour aller fouiner par là. Si je suis seul, je n'ai pas besoin de prétexte. Avec Fred c'est différent, il ne comprendrait pas que je l'invite à rester immobile des heures entières comme les chasseurs d'images qui traquent les grands fauves pour *La Vie des animaux* de Frédéric Rossif. Alors j'ai organisé ces parties de pêche. On s'est fabriqué des épuisettes avec de vieux bas nylon qui, une fois amidonnés, peuvent aussi servir à attraper les papillons. Mais pour les grenouilles, ce n'est pas très efficace. Rien de tel que la vieille méthode, un chiffon rouge accroché au bout d'un fil sans oublier l'indispensable petit bout de bidoche. La couleur attire la bébête, elle aperçoit la viande, saute, s'y agrippe, et on n'a plus qu'à l'amener délicatement dans son panier.

En vérité, on ne les tue pas. J'en suis incapable, Fred pareil. Pourtant avec un père boucher il devrait être habitué, je sais qu'on lui en a fait voir de sévères pour l'endurcir, mais ça n'a jamais fonctionné. Alors, les grenouilles, on les attrape juste pour s'amuser, après on les relâche.

Donc un beau jour, voilà Vanderschnick qui se pointe avec ses hommes, bien décidé à faire main basse sur notre pêche miraculeuse, une bonne trentaine de batraciens sans compter les deux salamandres et une gamelle pleine d'épinoches. Il arrive en roulant les mécaniques, son rictus tordu ne présage rien de joyeux. Direct, il se lance à l'abordage, plonge la main dans notre bourriche en osier, en sort une rainette et, sans même l'assommer, lui arrache les pattes.

– Y a qu'ça d'bon dans ces bestioles! qu'il grogne.

Décortiquée à vif, comme ça, crac!

Fallait l'entendre, la pauvre bestiole! Et plus elle coassait, plus l'autre salopard se bidonnait. Fred a failli tomber dans les pommes. Moi, plié en deux, tête en avant, j'ai foncé comme un jeune bouc vu que je suis du signe du capricorne, mais Vanderschnick, qui m'avait vu venir, esquiva le coup de boule et d'une bourrade, m'expédia direct dans la vase. Manque de bol pour lui, Marcel se baladait dans les parages. Tout mongol qu'il est, il pige au quart de tour. Sans hésiter, d'une seule main, devant les voyous médusés, il chope leur chef à la glotte, lui écrase la pomme d'Adam et commence à le soulever, très lentement. Les yeux déjà exorbités, Vanderschnick vire au rouge, puis au bleu. En vain, ses mains cherchent à desserrer l'étreinte tandis que ses jambes arquées battent l'air désespérément. Moi, je me dis qu'il a plus de chance que la grenouille parce que Marcel aurait pu lui faire subir le même sort et le démembrer idem, sans anesthésie.

Bon, je ne pouvais quand même pas laisser mon frère achever le travail, même proprement et sans effusion de sang, alors je lui ai crié d'arrêter et il a obéi. Marcel ne discute jamais mes ordres. J'étais couvert de boue des pieds à la tête mais fier comme Artaban. Depuis ce jour-là, quand Vanderschnick me croise, il change de trottoir.

– Wou-ou-ouh! Wou-ou-ouh!

C'est le cri de Marcel, le hululement du sorcier des toundras qui annonce l'imminence du rituel médecine. La tonalité vibre dans l'air printanier et fait trembler les pétales des pommiers qui s'envolent comme nuées de papillons. Marcel esquisse le premier pas de la danse sacrée. Il se cambre, son pied gauche écrase le sol, une fois, deux fois, en rythme: pam, pam-pam, pam, pam-pam... Puis il pivote, exécute un demi-tour et reprend la longue mélopée du loup.

– Wou-ou-ou! Wou-ou-ou!

Bras tendus à l'horizontale, il tournoie, toupille et tourbillonne, les couleurs de ses vêtements se mélangent, son visage est un nuage. Sur les murs de la forge, les briques se fondent dans les oscillations du lierre, les tuiles du toit scintillent comme les clapotis d'une eau qui s'éveille. Tout tourne et se confond. Derrière le grillage des clapiers transformé en alvéoles de cire, les lapins courtisent les abeilles. Les branches fleuries du vieux pommier sèment leur neige sur la treille et le lilas. Ivre de vitesse, le sorcier a changé de dimension. Il a quitté le monde ordinaire pour rejoindre le territoire parallèle des puissances occultes.

– Wou-ou-ou!

Hurlement du chef de meute. Hululement de chouette.

– Tourne, Marcel, tourne!

Unissons nos forces car nous ne serons pas trop de deux pour affoler les puissances infernales qui torturent Marie-Rose. De toutes les facettes de nos corps giratoires, laissons se refléter la lumière qui les piégera. C'est le miroir aux alouettes. Je suis Gill l'espiègle. *Eulenspiegel,* le miroir aux chouettes. Et l'oiseau de la nuit nous entraîne dans la spirale magique qui neutralisera les envoûtements maléfiques.

– Chante Marcel, chante!

Silence. Le calme règne de nouveau dans la cuisine, les clameurs se sont tues. À tâtons, nous retrouvons un peu d'équilibre, l'exorcisme a réussi. Marie-Rose est délivrée, je l'entends fredonner comme si rien ne s'était passé. C'est fini, elle a tout oublié, jusqu'à la prochaine attaque. Je reconnais les premiers vers de sa chanson:

Pour toi Rose-Marie, les roses de la prairie
Se courbent devant toi lorsque tu passes…

Marcel trépigne, éructe, applaudit de toutes ses paluches, dans ses yeux bridés pétille la joie du soleil tout neuf.

– Ouais… elle chante, maman! Bravo, Gilbert, p'tit frère!

T'as raison, frangin, nous avons gagné. Nous sommes en mai, c'est le mois de Marie, le mois le plus beau.

3

– Ah te voilà toi !

C'est à l'aîné que Marie-Rose s'adresse mais rien ne laisse présager que le cadet ne soit pas visé, lui aussi, par cette apostrophe aussi brusque que déroutante. Elle a la bouche pincée et le sourcil droit froncé, mauvais signe, une intense contrariété dessine des peintures de guerre sur son visage chiffonné. Que se passe-t-il, une récidive, un retour de flamme, le feu couvant encore sous les cendres de ses yeux rougis ? En tout cas elle ne semble pas reconnaissante de tout le mal qu'on s'est donné pour elle. L'ingratitude des parents, je vous jure ! En général, elle se relève de son grabuge plus en douceur. Calme, relax, comme elle sortirait d'une petite sieste, encore trop évaporée pour s'étonner du grand désordre de sa tenue, un soupçon de migraine, les jambes en flanelle, les idées engourdies, pas de quoi fouetter un chat. Mais aujourd'hui, la maîtresse de maison reprend les commandes sans transition. Pas question de se dorloter, trop de boulot, surtout que c'est jour de lessive et à propos…

– Dis donc, Marcel, tu pourrais peut-être m'expliquer ?

Elle brandit une veste de coton entièrement maculée de cambouis. C'est une pièce de son trousseau, rien que des bleus de chauffe, des tenues qu'il est fier de porter en toute occasion depuis ses quatorze ans. Une promotion. Parce que c'est l'uniforme des ouvriers et qu'il tient à être comme tout le monde, Marcel, même s'il n'ira jamais travailler, il veut ressembler aux autres, y a pas de raison, s'habiller en homme et sentir le tabac.

– Alors, garçon, j'attends…

Elle tapote de la semelle le pavé de la cour, inquisitrice, pressée d'obtenir des aveux complets, inutile de chercher à biaiser. C'est vrai qu'il a fait fort, mon grand frère. Écrasé par tous les péchés du monde, il rentre la tête dans ses épaules. La bouche en lune qui pleure, la moue piteuse, il se dandine gauchement et se triture les doigts pour tenter de démêler l'écheveau des effets et des causes où sa logique s'empêtre.

– Pas de comédie s'il te plaît!

Tout seul il ne s'en sortira pas, je vole à son secours.

– Ce matin, avant de partir, papa lui a demandé de nettoyer au pétrole des pièces de moteur.

– Et alors?

– Alors il a dû s'éclabousser et…

– Ah oui? Un peu grosses, ces éclaboussures, tu ne penses pas!

Je la sens sceptique mais ses narines frémissent, elle vérifie. Pas la peine d'y plonger le nez, de là où je suis, je renifle l'odeur de l'essence, l'indice qui m'a mis sur la bonne piste. Elle aurait pu trouver toute seule.

– Admettons… mais ça n'explique toujours pas pourquoi sa veste est ENTIÈREMENT salie, c'est pas Dieu possible, il l'a fait exprès!

Voilà bien le nœud de l'énigme. Nous piétinons de concert, perplexes comme l'inspecteur Bourel des *Cinq dernières minutes* concentré dans ses subtiles déductions.

J'entends résonner dans ma tête la trompette de l'indicatif de la série télévisée, ce thème de jazz qui me fiche illico la chair de poule. Nous avons toutes les données en main, nous venons de passer la dernière chicane du labyrinthe, il ne reste plus qu'à en sortir, seulement voilà, c'est la phase la plus délicate, celle qui requiert du flair et du doigté. Idem dans une version latine qui résiste, t'as trouvé le sens de tous les mots, t'as compris leur fonction grammaticale, pas d'erreur possible sur le mode et le temps des verbes mais t'as beau agiter de toutes les façons, rebiduler le rébus recto verso, rien! Total charabia, rien d'autre qu'un épouvantable galimatias qui te nargue et te laisse dans le brouillard avec l'angoisse qui s'épaissit proportionnellement au temps qui passe et l'instant fatidique où le prof impitoyable viendra t'arracher la copie des mains. Sueur, mains moites, la trouille vissée à hauteur de nombril, t'as beau supplier tous les dieux du Capitole, impossible de faire jaillir la lumière. Jupiter planque ses éclairs de génie dans sa besace avec la ferme intention de tout garder pour lui. Que dalle! Il ne t'offrira pas l'étincelle olympique, pas même une allumette, débrouille-toi tout seul, pauvre mortel, ou reste à croupir dans les ténèbres de l'ignorance!

Et pourtant, merde alors, je n'affronte *hic et nunc* ni *L'Énéide* ni *Les Bucoliques*, rien d'autre qu'une toute petite devinette de la vie quotidienne, un minuscule mystère de rien du tout qui ne peut en aucun cas être aussi tarabiscoté que les vers de Virgile. Quand on est capable d'exécuter un ablatif absolu on ne capitule pas devant une banale anecdote domestique!

Vexé, je touille les données du problème, c'est râpé pour l'inspiration divine mais il suffirait de pas grand-chose, rien qu'un tout petit coup de pouce qui débloquerait la mécanique. Mécanique, bon, récapitulons : pièces de moteur, pétrole, garage, cambouis, le frangin avec son pinceau. Je le regarde, je le fixe longuement celui-là, muet, obtus, mauvaise tête, qui fait l'idiot comme s'il ne savait pas. Mon œil ! Inutile de le secouer, il va rentrer ses cornes et s'enfoncer un peu plus au fond de sa coquille. Penaud, il fuit mon regard en se frottant les mains sur sa liquette, il appuie bien, se masse le ventre, les épaules, le torse, tortille les pans chiffonnés qui sortent du pantalon et recommence. T'as pas l'air con, mon vieux Marcel, à te peloter comme ça ! D'ailleurs tu fatigues ta mère.

— Arrête ça, Marcel, tu m'agaces !

Tu vois bien ! Il n'en a cure, rajoute une louche de contrition dans l'attitude effondrée et reprend ses palpations. Il pourrait suivre une formation de kiné, avec la poigne qu'il a, il ferait un malheur pour mettre en jambe l'équipe du LOSC qui a fait match nul contre Reims la semaine dernière. Papa m'a emmené au stade Henri-Jooris, à Lille, il pleuvait des cordes, un terrain lourd, des joueurs crottés jusqu'aux cheveux comme moi le jour où Vanderschnick m'avait expédié dans la vase, ils prenaient des gadins vertigineux et repartaient en patinant sans même essayer d'éviter les flaques. On ne distinguait plus les équipes, plus de couleurs, rien, chaussettes, shorts, maillots, tout baignait dans la gadoue originelle, d'ailleurs les gars semblaient avoir oublié les enjeux de la compétition, ils s'amusaient comme des petits fous, l'âge mental ramené à cinq ans. Comme Marcel, qui ne dépassera jamais les limbes de l'enfance bienheureuse. Mais alors, mais alors…

— Bon sang mais c'est bien sûr !

Je frappe du poing droit dans ma main gauche grande ouverte, eurêka! Grâce aux dieux du stade (à défaut de ceux de l'Olympe), je viens de mettre au jour le stratagème de mon frangin. En maculant entièrement sa veste de cambouis allongé de pétrole, Marcel dissimulait les quelques éclaboussures qui la tâchaient. J'explique le procédé à Marie-Rose. Au fur et à mesure de ma démonstration, ses yeux s'agrandissent en soucoupe, pas convaincue, dépassée par l'énormité de la chose. Comme elle ne trouve rien à répliquer, elle botte en touche pour sauver la face.

– Quant à toi, monsieur je-sais-tout, tu ne perds rien pour attendre, on verra ça ce soir, avec ton père!

V'là autre chose. Que signifie ce coq à l'âne? Elle me coupe le souffle, non mais c'est dingue! Madame nageait dans l'obscur, en pleine dérive, j'ai la bonté d'éclairer sa lanterne et pour me remercier elle agite les menaces. Voilà bien les réactions de l'ignorance, les gens n'ont que faire des lumières. C'est la même histoire depuis Galilée, le premier qui dit la vérité s'en prend plein la gueule. On n'a pas fini d'en voir avec l'obscurantisme, le petit peuple a toujours préféré la magie à la science. Quand je pense à ma prof de français qui prétend que nous sommes rationnels et cartésiens dans ce pays, elle se berce de douces illusions, il est vrai que les littéraires n'ont pas trop le sens des réalités! Comme dit papa, qu'est-ce que peuvent comprendre à la vie des gens qui n'ont pas quitté l'école depuis l'âge des culottes courtes?

Marie-Rose me considère d'un air croche, l'œil sournois. Qu'est-ce qu'elle attend pour vider son sac, qu'on en finisse à la loyale? Ce n'est peut-être pas nécessaire de convoquer l'autorité suprême, surtout qu'en ce qui concerne les affaires éducatives, Fernand est assez du genre à déléguer. Encore une réaction d'avant la démocratie pour tous, une déplorable survivance de ces temps de barbarie où les femmes devaient s'écraser en toutes circonstances.

Bien entendu elle n'a pas lu *Le Deuxième Sexe*, moi non plus d'ailleurs, à part un ou deux extraits étudiés en classe, mais la prof ne jure que par Simone de Beauvoir. Marie-Rose n'a jamais mis les pieds au lycée, elle ne peut pas savoir que depuis Moulinex, les us et coutumes sont en train de changer et que l'émancipation féminine est en marche. Mais je connais ma mère, ce n'est pas tant le respect de l'omnipotence patriarcale qui la guide que le plaisir sadique de laisser mijoter l'angoisse à petit feu. La cuisson à l'étouffée apporte du relief à son autorité et une saveur incomparable à son pouvoir.

Puisque c'est jour de lessive, on pourrait finir de laver le linge sale en comité restreint. Ce qui éviterait de me bousiller le reste de l'après-midi, parce que maintenant c'est fichu, j'ai de quoi me faire un sang d'encre jusqu'au retour du père. Une anxiété musclée m'entirbouchonne l'intérieur en nœuds marins et je sais que je ne vais plus quitter de l'œil le cadran de ma montre de communion. Il y a du compte à rebours dans l'air, le temps va prendre une consistance à la fois fluide et épaisse, difficile à exprimer, passer trop vite mais peser de tout son poids, chaque seconde comme une pilule amère à avaler qui te colle au tube digestif et n'en finit pas de suinter.

Je dois avoir une mine à faire peur. Que maman remarque aussitôt. Elle me lance un dernier défi silencieux, rien qu'un coup de menton vers l'avant, bouche tordue et regard noir, l'air de dire que je dois bien savoir de quoi il retourne.

Eh bien non, justement. J'ai beau passer en revue mes

faits et gestes de ces derniers jours, je ne vois rien à me reprocher. Innocent. Même à confesse, je serais en panne de révélations, réduit à ressasser les peccadilles usuelles pour ne pas rester le bec dans l'eau bénite et meubler le tête-à-tête confidentiel.

On s'achemine vers une erreur judiciaire de plus, je vais servir de bouc émissaire pour expier la faute de mon frère et la danse de Saint-Guy de ma mère. J'amorce une plaidoirie :

– Mais j'ai rien fait de travers, j'te jure, j'ai même rangé ma chambre comme tu l'avais demandé !

Ces faibles circonstances atténuantes ne sont pas de taille à faire pencher la balance de la justice en ma faveur. Mon accusatrice reste de marbre.

– Cherche et tu trouveras.

La Bible, maintenant ! Paroles sibyllines et formules sentencieuses supposées en dire long. On dirait l'abbé Bitrou. « Rentre en toi-même, Gilbert, inspecte les sombres recoins de ta conscience pour en débusquer tes péchés les plus secrets. »

Faut l'entendre pérorer, le curé, incroyable comme il peut se prendre au sérieux depuis qu'il a été promu aumônier du bahut. Pistonné par Folcoche, bien sûr, punaise de sacristie et dame patronnesse devant l'Éternel qui estimait sans doute que science sans conscience n'étant que ruine de l'âme, les élèves d'un établissement laïque privé de prêtre attitré couraient de grands dangers. Des bruits circulent selon lesquels, lorsqu'elle était jeune, elle n'avait pas de religion et qu'elle a rencontré Dieu par hasard, en Bretagne un jour de grand Pardon, un peu comme Paul Claudel derrière son pilier à Notre-Dame de Paris. La prof d'anglais appartient à la catégorie des illuminés de la dernière heure, ceux qui se dopent aux Évangiles sans modération. Ils ont tellement perdu de temps que pour mettre les bouchées doubles, ils seraient prêts à déclencher de nouvelles croisades. Il n'existe pas pire espèce de croyants. Voltaire explique bien qu'entre prosélytisme et fanatisme il n'y a pas un cheveu d'ange d'écart.

Et puis zut, j'en ai marre de me torturer l'esprit, on verra bien quand papa sera là! En attendant, j'ai du pain sur la planche.

Dans moins d'une heure le camion de chez Lever va passer à la déchetterie vider les produits refusés par le service de qualité de l'usine, et si je ne me grouille pas, d'autres que nous profiterons de l'aubaine. Il n'en est pas question, c'est mon filon, et aussi un peu celui de Fred. Les chimistes de la savonnerie ne plaisantent pas, dès qu'une poudre à laver se révèle douteuse question dosage en soude, potasse ou je ne sais quoi, elle est immédiatement interdite à la distribution et bazardée à la décharge municipale. C'est-à-dire à l'orée du bois de Meurain, route de la Canteraine, là où se tenait jadis le *Moulin de la Guinguette*, un bal célèbre dans le canton jusqu'à ce que le patron soit arrêté parce qu'il faisait la traite des blanches.

«La traite des blanches», voilà une expression qui a donné bien du fil à retordre à ma mère le jour où je lui ai demandé de me l'expliquer. Avec d'infinies précautions, en ramant large et de plus loin encore, Marie-Rose, de l'air docte et important dont elle avait déjà usé pour me raconter l'histoire de la petite graine qui germe jusqu'au bébé joufflu, a commencé par me rappeler que sur cette terre tous les gens ne sont pas d'une moralité irréprochable. Ça, je le savais déjà, merci, j'ai eu d'ailleurs tout le loisir de m'en rendre compte il y a deux ans, quand le quartier entier s'était ligué contre madame Lilas, la copine algé-rienne de Fred Hamster. Et puis, je me suis colleté suffisamment avec Vanderschnick et sa bande pour avoir compris depuis belle lurette que la méchanceté ne se rencontre pas que dans les romans d'aventures. Bon, ensuite…

Ensuite je devais savoir qu'il existe certaines femmes de mauvaise vie qui font le commerce de leur corps… J'ai coupé court:

– Tu veux parler des putains?

Après un hochement de tête affirmatif, Marie-Rose m'a considéré longuement, pas mal ébahie. Devais-je, pour renouer le fil, lui rappeler qu'à treize ans, on ne vit plus tout à fait dans l'innocence et que les cours de récré constituent des forums d'expression libre où, à l'ombre des préaux, sont révélés les plus grands mystères de l'humaine condition. Apparemment, c'était le mot *putain* qui coinçait, plus que la profession qu'il désignait, mais bon, hum, hum… Il s'agissait effectivement de cela, sauf que toutes ces *créatures* n'exerçaient pas de leur plein gré et que bon nombre y étaient forcées par de sales types…

– Les maquereaux?

Marie-Rose en arrivait sans doute à se demander s'il était bien utile de continuer l'exposé. Cela dit, elle m'a fait remarquer que, sans rien enlever à la monstruosité de ce qu'il désignait, le terme *proxénète* était quand même plus élégant. Il arrivait donc fréquemment que ces gibiers de potence enlèvent des jeunes filles pour les envoyer à l'étranger, surtout dans les ports ou les maisons louches…

– Les bordels?

– Cesse donc de m'interrompre tout le temps, Gilbert! Je disais, où les MAISONS DE PASSE ne manquent pas.

37

Dieu merci, en France, on avait interdit ces établissements de perdition, n'empêche que les disparitions troublantes continuaient et selon les rumeurs, certains magasins de Lille n'étaient pas tout à fait clairs là-dessus, surtout les boutiques de vêtements du centre-ville tenus par des Juifs. Là, en revanche, je suis moins calé. À propos des Juifs, je ne sais pratiquement rien, sinon ce que nous en a dit l'abbé Bitrou rapport à la crucifixion de Jésus dont ils seraient responsables, et aussi notre prof d'histoire quand il nous a touché un mot du nazisme, des camps d'extermination et de la guerre.

Moi, en tout cas, je vends de la poudre blanche au marché noir. Je négocie sous le manteau tout ce qui mousse, lave, nettoie et récure en profondeur. Vim, Coral, Ariel, et surtout le produit vedette : Omo, *Omo est là et la saleté s'en va*, bref, l'éventail complet de la production Uni-Lever, y compris les savonnettes Lux ou Sunlight (qu'on prononce *sainliche*) quand elles sont tordues ou écrasées. L'astuce est d'arriver sur les lieux avant que le gardien n'arrose la marchandise. Car les gens de la savonnerie ont vite compris qu'un jour ou l'autre des petits malins seraient tentés de récupérer ces rebuts, lesquels, en cas de pépin, linge abîmé ou problèmes dermatologiques divers, ne manqueraient pas de jeter un discrédit sur leurs marques.

Pour aller fouiller dans la décharge, qu'on appelle ici «les gadoues», il ne faut pas avoir peur de se salir les mains parce qu'on n'y trouve pas que du savon mais toutes sortes de cochonneries. C'est une zone d'épandage où les matières qui exhalent d'intolérables puanteurs achèvent leur décomposition, surtout l'été, avec des moisissures et des champignons assassins, des coulées cré-

38

meuses suintant de monticules hérissés de rogatons de tôles et de ferrailles biscornues.

Au début j'avançais en apnée, le pas précautionneux, paniqué à l'idée de m'enliser dans ces boues fétides, même pas stimulé par la perspective de battre le record de l'héroïsme cracra détenu à ce jour par Fred qui s'est enfoncé une fois jusqu'à la taille dans un silo de pulpe de betterave fermentée. Sans oublier que ces marigots sont infestés de microbes, virus, miasmes en tous genres, et qu'en cas de chute suivie de blessure, on peut attraper des trucs épouvantables comme le tétanos, le typhus ou la fièvre jaune… j'ai lu ça dans les aventures de Bob Morane.

4

Il ne me faut pas plus de cinq minutes pour accrocher au vélo la remorque que papa m'a fabriquée avec deux caisses d'oranges, trois roues de poussette et quelques points de soudure. Fred s'occupe des sacs plastiques, chez lui, il y a tout ce qu'il faut pour l'emballage. En route.

«Les gadoues» ne sont qu'à trois petits kilomètres, en pédalant bien j'arriverai avant le camion. La seule inconnue, c'est l'état de Raoul, le gardien. Normalement à cette heure-ci il est rond comme une queue de pelle et roupille dans sa guérite, mais il lui arrive parfois de prendre de bonnes résolutions et de rester à peu près sobre jusqu'à l'arrosage.

Mon attelage vibre de toutes ses jointures rouillées sur les pavés cagneux de cette route qui a connu l'invasion prussienne du siècle dernier. Si elle s'était trouvée sur l'itinéraire du Paris-Roubaix, les organisateurs se seraient fait un plaisir de l'intégrer au circuit. Sûr qu'on aurait pu y admirer des gadins aussi spectaculaires que dans la trouée d'Arenberg. Quant à moi, je ferais bien d'y aller mollo. Au train d'enfer où je roule j'en prends plein les bras et les reins, pour ne rien dire des fesses, j'ai beau être habitué, ça secoue jusqu'à la moelle.

Fred m'attend à l'endroit convenu, après le dernier

virage dans un taillis de sureaux. C'est là qu'on planque nos vélos. Le sien est flambant neuf, pour avoir le même je vais devoir décrocher mon certificat d'études. Théoriquement, ne sont censés se présenter à cet examen que les élèves étant restés à l'école communale soit parce qu'ils n'ont pas été admis au lycée après le CM2, soit parce que leurs parents préféraient qu'ils entrent le plus tôt possible dans le monde du travail. J'ai de la chance d'avoir un père comme Fernand qui ne voit pas d'objection à ce que j'étudie à perpète car son vœu le plus cher serait que je devienne ingénieur. Seulement voilà, le certificat d'études reste pour lui une référence au moins aussi importante que le bac et puis, comme il dit: «Qui peut le plus peut le moins!» Donc je n'y couperai pas, le hic c'est que les programmes d'arithmétique et d'histoire-géo n'ayant rien à voir avec ceux du bahut, je vais devoir me les farcir en heures supplémentaires. En plus, il y a des épreuves de calcul mental, de récitation ou de chant, ça promet! Mais le jeu en vaut la chandelle.

Je rêve d'un randonneur. Quand j'étais petit, je comprenais *rang d'honneur* parce que justement c'est un symbole de réussite. Une bicyclette toutes options: guidon recourbé, double plateau, dérailleur Simplex dix vitesses, plaque d'identité, bidon, petit porte-bagages supplémentaire sur le garde-boue avant et sacoche à outils en cuir accrochée sous la selle. J'en ai repéré une splendide à la *Pédale d'or*, le marchand de cycles près du cimetière, elle est encore en vitrine et j'aimerais bien qu'elle y reste jusqu'à mes quatorze ans, c'est-à-dire l'année prochaine.

En attendant je me contente du vélo qui appartenait à mon père avant guerre. Autant dire qu'il date de la préhistoire! Fred a eu plus de chance, normal, on sait bien que les commerçants gagnent beaucoup d'argent. Il dit qu'il ne faut pas croire tout ce que les gens racontent et que s'il était aussi gâté que je le pense, il ne serait pas obligé de venir avec moi fouiller les gadoues pour arrondir ses fins de mois.

– Salut!

On se serre la main. Il est un peu tendu, comme avant chaque expédition, moi aussi, bien que je frime un peu parce que je suis le chef.

– Le camion est passé, je demande.

– Pas encore.

– Et Raoul, tu l'as vu?

– Il cuve.

Tout baigne, il ne nous reste plus qu'à attendre. Un ronflement de diesel, je consulte ma montre, les gars sont ponctuels. Dans moins de deux heures, je serai de retour à la maison et là... Je chasse vite ces mauvaises pensées, il y a plus urgent. Deux coups de klaxon, le signal. Le gardien s'extrait de sa cahute et va lever la barrière.

– Alors, grasseye-t-il en adressant un signe de tête au chauffeur, y a du bon aujourd'hui?

On n'entend pas la réponse mais l'affaire se présente bien, la benne me paraît bien pleine et Raoul réintègre ses quartiers d'un pas chaloupé.

– J'te l'avais dit, chuchote Fred, il en tient une sévère.

Il ne nous reste plus qu'à contourner la décharge jusqu'à la cuvette réservée à l'usine, tout au fond, derrière la ferraille et le tout-venant. Nous avons ménagé un trou dans le grillage pour pouvoir nous faufiler. Nous arrivons au moment où le camion déverse son contenu dans un nuage de poussière blanche. Les tonneaux de carton dévalent la pente, répandant leurs précieuses substances sous l'œil indifférent du chauffeur qui en profite pour allumer une cigarette. Chuintement des vérins, la benne retrouve sa position horizontale, le gars grimpe dans sa cabine et redémarre.

Encore deux minutes de patience au cas où Raoul se pointerait. Mais tout est tranquille, la voie est libre.

J'examine en expert la première couche. Une poudre fine comme de la farine tamisée, très volatile, un peu rêche au toucher, c'est du Vim, une marchandise assez chère et très prisée de nos clientes. Fred ne m'a pas attendu pour en remplir deux sacs, il me passe quelques sachets vides. Premier voyage à la remorque. Nous en faisons deux autres.

– On laisse tomber le Vim, propose Fred, j'ai une grosse commande d'Omo.

– Pour qui?

– Le *Café de la gare*, la proprio a fait aménager des chambres pour voyageurs de commerce, pension complète, logés, nourris, blanchis.

Ça marche, sauf qu'il n'y a pas d'Omo. En revanche on tombe sur une trouvaille pas ordinaire, des savonnettes Lux presque intactes, on dirait qu'elles sortent de l'emballage, il y en a de toutes les couleurs, des jaunes, des bleues, des roses!

– Le savon des stars! je m'exclame.

– À propos de stars, faudrait que tu penses à me rendre mon classeur!

Quel classeur? C'est plutôt moi qui lui prête les miens, surtout celui de français et de latin pour qu'il puisse recopier les préparations sans mal ni douleur. À moins qu'il fasse allusion à autre chose... Bon sang, l'album interdit! Avec la crise de maman et les exploits de Marcel, ça m'était complètement sorti de la tête.

– T'inquiète pas, mon pote, il est bien planqué…

Et là, je me fige. Trente secondes, au moins. Bloqué comme un chien d'arrêt, ma pile de savonnettes en suspens à mi-parcours entre le sol et le sac. Une intuition terrible vient de court-circuiter le bel enthousiasme du prospecteur agenouillé devant le filon de l'année. Si j'ai rangé ma chambre, ce matin, c'est que maman voulait tout nettoyer. Rien d'exceptionnel. Les jours de lessive, pendant que son linge trempe dans la grande cuve en galvanisé, elle retourne les matelas, balaie à fond et passe la *wassingue* partout, même sous les meubles, avant de cirer le plancher. Or, c'est sous mon lit, justement, que j'ai choisi de déboîter deux lattes mal jointes pour cacher le classeur de Fred entre deux solives !

Si elle l'a trouvé, je suis mal !

Parce qu'il ne s'agit pas d'un cahier ordinaire de maths ou d'anglais, matières ou Fred assure mieux que moi, mais d'un ouvrage sulfureux que son propriétaire, Francis, le commis boucher, appelle son «livre de cul». Je ne sais toujours pas comment Fred s'est débrouillé pour se le faire prêter, parce qu'il paraît que le gars y tient comme à la prunelle de ses yeux. Ça va faire des années qu'il enrichit sa collection, sélectionnant les plus belles pin-up dont il découpe les photos dans des magazines que ni Fred ni moi n'oserions jamais acheter chez la marchande de journaux qui connaît nos parents.

Toutes les vedettes du cinéma américain en petite tenue ! Porte-jarretelles noirs, lingerie rouge et bas résille. Jambes longues jusqu'en haut, cambrures provocantes, peaux de pêche halées par le soleil californien. Des femmes made in Hollywood, nées pour la fortune et la gloire, le sourire incendiaire, le regard qui flambe, le sex-appeal qui brûle les planches, ravage les studios de la Metro Goldwyn et fait rugir de désir le vieux lion.

Il en a sélectionné de pleines pages, Francis, des brunes, des rousses, des blondes, chevelures en cascades impétueuses, sourires de sorcières candides, vampires de charme façonnés pour attiser les rêves jusqu'à la séance de ciné du samedi soir. On peut reconnaître les plus grandes stars, May West, Cyd Charisse, Bettie Page, et d'autres encore, Rita Hayworth, Gina Lollobrigida, Marilyn Monroe, sans parler des moins célèbres ou des carrément anonymes, moins vêtues et encore plus torrides! Évidemment, elles ne montrent pas tout, il y a pas mal d'angles qui restent dans le flou, surtout entre les cuisses. Pour ces endroits-là, il faut extrapoler, s'inspirer des creux et des bosses pour supputer l'intime dans le détail. Mais les poses laissent supposer qu'il y aura une suite, ce sont des filles à feuilleter, des filles feuilletons dont l'intrigue s'arrête au moment le plus palpitant pour maintenir la pression jusqu'au prochain numéro. Seules les poitrines s'exposent avec une franche générosité. Ce sont des seins en fête, pas des mamelles comme on peut en observer dans le dico à la rubrique des planches anatomiques dissimulant le sexe derrière de ridicules feuilles de vigne, inoffensives excroissances à fonction strictement médicale ou alimentaire. Ici, au contraire, les filles en sont fières, pas gênées d'exhiber leurs opulences à peine voilées de minces soutifs vaporeux. Même si tu ne peux jamais en contempler la totalité, ces seins te mettent les sangs en ébullition. Ils pointent sous l'étoffe pour mieux te narguer, révélant parfois la naissance de l'aréole. Attention à ne pas confondre: aréoles pour les seins, auréoles pour les saints!

J'ai repéré une photo particulièrement réussie où la chemise humide moulait la fille de si près que les tétons saillaient dans toute leur majesté, deux lunes pleines à peine dissimulées derrière une brume d'altitude qui illuminaient mon ciel secret. Longuement, je les avais caressés de mon regard fou. Dans mon short, P'tiot-Biloute faisait le salut de gladiateur. J'en étais tout chaviré, pas trop honteux mais mort de trouille à l'idée que maman puisse me surprendre, prêt à tout escamoter au moindre craquement suspect dans l'escalier. Et puis j'ai pensé à ma Dulcinée. Certes, je ne lui ai pas encore déclaré ma flamme mais je me sens moralement engagé. En refermant la couverture plastifiée, je me suis dit que j'étais en train de trahir l'élue de mes amours platoniques. Je reluquais des femmes impudiques obligées de jouer les vamps pour attirer le regard des hommes, alors que la demoiselle du château n'avait besoin d'aucune posture acrobatique, elle, pour être la Miss Univers de mes rêves ébouriffés. Une beauté naturelle qui sent la fraîcheur du jardin quand, après la pluie, la terre et les fleurs exsudent leurs plus subtils parfums. Je me suis senti plus stupide qu'infidèle. Lamentable et pathétique, P'tiot-Biloute s'est ratatiné en colimaçon.

— Alors, mon classeur, qu'est-ce que t'en as fait?

L'inquiétude de Fred est légitime. J'aurais dû lui épargner ce long silence. Il se doute de quelque chose, c'est sûr.

— Alors...

J'essaie de me fabriquer une mimique rassurante. Qui ne le trompe pas.

— Tu l'as pas filé à ton frère, j'espère, interroge-t-il d'une voix défaite, t'as pas fait ça?

Non, oh non ! Je le jure sur la tête de ma mère. Quoique Marcel adore fourrer son nez partout. Pour ne rien arranger, on partage la même chambre et il m'a fallu déployer des ruses de Sioux pour me rincer l'œil. Faudrait pas croire que les trisomiques ne s'intéressent pas aux filles, ce serait plutôt le contraire ! Et Marcel n'est pas en reste. Les femmes l'intriguent et il n'est pas le dernier à se retourner sur leur passage, voire même à les suivre dans la rue quand elles rentrent de l'usine. Elles en rigolent, jouent le jeu, bien braves, le sachant inoffensif, Marcel est un peu la mascotte du quartier et on lui passe beaucoup de choses. Alors, il en use et en abuse.

Il n'a pas trop pensé à son avenir conjugal, ça vaut mieux dans un sens, parce qu'avec son physique de prince tartare et son cerveau qui fait roue libre, il ne sera jamais assiégé par les prétendantes. Je le laisse espérer, ça ne coûte rien. Je lui dis qu'un jour sa princesse viendra, il n'y a pas de raison. Surtout que sexuellement, il n'est pas plus mal pourvu qu'un autre, le sifflet juste un peu miniaturisé mais en parfait état de marche. S'il a découvert ma cachette, on n'est pas dans le caca. J'imagine sans peine le scénario catastrophe : coi, le mongol, les badigoinces en bave, l'index nerveux courant sur les formes pleines des filles si offertes qu'il en avale sa chique, l'œil en bataille scrutant les ombres, sa sueur en goutte à goutte qui gondole le papier et rétablit du relief aux images. Et Marie-Rose qui rapplique et découvre le tableau : Marcel vautré sur son pageot, l'album grand ouvert entre ses jambes écartées, en train de s'astiquer le piston à deux mains. Là-dessus, elle entre en transe. En appelle à Dieu sur sa ligne directe, le somme de s'expliquer, de dire pourquoi Il l'a choisie, elle, pour supporter d'aussi lourdes épreuves.

Comme si avoir enfanté un gosse anormal ne suffisait pas, il fallait en plus qu'il devienne obsédé sexuel !

Pauvre Marie-Rose, rien ne lui serait épargné en cette vallée de larmes. Ensuite, rage du désespoir, plaies et bosses, toute sa violence contenue qui se débride et se retourne contre elle-même avec spasmes et convulsions. C'est sans doute à ce moment-là que je l'ai surprise tout à l'heure. Quand elle a repris conscience, elle a éludé le fond du problème en nous agitant sous le nez la veste pleine de cambouis. Un leurre commode pour justifier ses égarements et sauver la face. Et parce qu'elle avait déjà pardonné à l'innocent, elle a fait mine de le charger d'une faute vénielle pour mieux m'accabler plus tard, moi, le vrai coupable dévergondé et corrupteur.

— Tu n'oses pas me dire la vérité, hein... c'est ça ?

Fred se ronge les ongles. Je ne dois surtout pas lui faire part de mes déductions. Si j'ai vu juste, Marie-Rose me passera à la question et je ne suis pas bien certain de pouvoir protéger mon complice. Je finirai par tout avouer et elle ira trouver sa mère qui n'est pas très commode. La rouste qu'il va se prendre, je préfère ne pas y penser ! C'est le genre de coup qui vous flingue en quelques secondes la belle amitié qu'on a mis deux années scolaires à construire.

— T'en fais pas, je murmure, y a pas d'problèmes.

J'aimerais en mon for intérieur partager le bel optimisme de mes propos.

— Alors pourquoi tu fais une tête pareille ?

Pour étancher sa soif de savoir qui devient pressante, je lui résume rapido l'anecdote de la veste.

Gagné, ça le fait rire. J'ajoute que je suis dans de sales draps bien que ce soit jour de lessive, que Marie-Rose me tient pour responsable, qu'elle va tout rapporter à mon père dès qu'il rentrera, même que c'est dans pour pas longtemps vu que les heures défilent et que je ne suis pas pressé de regagner mes pénates.

– Tu comprends?

Il acquiesce, soudain plein de compassion. Et je conclus sans trop y croire:

– Tu ne peux pas savoir la chance que t'as d'être fils unique!

5

Sur le chemin du retour Fred m'a vite distancé. Aucun mérite avec une bicyclette de luxe! Plus facile encore quand on ne traîne pas le butin en remorque. Une bonne cinquantaine de kilos qui te ralentissent pas mal sauf dans les descentes où se produit l'effet contraire. Je le sais, je connais la route comme ma poche, ce qui prouve bien que j'avais la tête ailleurs parce que d'habitude, le virage serré juste après le pont, je le négocie comme un pro du Tour de France. Là, je n'ai pas fait gaffe et comme les patins de freins étaient trop usés, je me suis laissé embarquer. Faute de conduite impardonnable. C'est ce qui arrive quand on n'est pas dans son assiette.

Et mon assiette, je n'ai pas tardé à la perdre. Sous l'effet de la vitesse, le guidon se met à vibrer, je pars en zigzags, de plus en plus larges. Je sens, derrière, tout le poids en charge qui pousse. Les pneus mal gonflés s'écrasent dans les ornières, les jantes claquent sur les pavés de granit, c'est à ce moment-là qu'un hérisson décide de traverser. Dès qu'elle me voit débouler plein pot, la petite bête se met en boule, évidemment, voilà une espèce animale qui n'a encore rien changé de ses habitudes ancestrales, comme si avec le développement des transports routiers, cette immobilité toutes pointes dehors était encore adaptée à une protection efficace. Rien d'étonnant à ce qu'on en retrouve tous les jours écrabouillés sur la départementale.

D'un violent coup de reins, je parviens à dévier la trajectoire du vélo, lequel, emporté par la remorque déséquilibrée, donne de la gîte sur bâbord, accusant une inclinaison irrécupérable. Je comprends immédiatement que c'est fichu. Il ne me reste plus qu'à lâcher les pédales et à sauter en marche. Emporté par son élan, l'attelage va s'échouer dans le fossé. Un déchirant fracas de métal tordu me fait grincer des dents. Étalé de tout mon long dans les graviers de l'accotement, hébété, je remue d'instinct les bras et les jambes.

Ça va, rien de cassé, j'en suis quitte pour quelques bleus et des égratignures aux genoux. Le hérisson relève le nez, il vient aux nouvelles, prudent, il est passé par une belle porte, j'en suis heureux pour lui. Salut l'artiste et à l'avenir, regarde avant de traverser !

Rapide évaluation des dégâts matériels. Le vélo s'en tire à bon compte, la chaîne a sauté, bien sûr, le garde-boue arrière est déboîté et la dynamo fait un angle bizarre. Rien de méchant. Bonne machine, increvable, qualité manufacture d'armes et cycles de Saint-Étienne. C'est surtout la remorque qui a morflé, le timon est tordu et les deux roues sont voilées, la carrosserie en caisse d'oranges y a laissé quelques planches. Impossible de la ramener tout seul à la maison, papa passera la récupérer avec le fourgon. Si j'arrive à le décider.

En attendant il va falloir dételer et planquer l'épave dans les fourrés. La marchandise est perdue. Sur un rayon de deux mètres, chardons, pâquerettes, belladones, armoises, orties, tout l'herbier sauvage des grands chemins est saupoudré de Vim mélangé à la semence duveteuse des peupliers. Les savonnettes Lux commencent à mousser dans le résidu d'eau de pluie qui croupit au fond de la tranchée. Les crapauds vont pouvoir s'offrir un bain parfumé.

– Vous cherchez des trèfles à quatre feuilles?

Je sursaute, le ton est moqueur. En plus c'est une voix de fille! Gauchement je me relève. De l'autre côté de la route, dans le rai éblouissant du soleil bas qui filtre à travers une rangée de saules, j'aperçois un petit cheval barbe.

Les cavalières ne sont pas légion dans le secteur, pour dire vrai je n'en connais qu'une. Enfin, quand je dis connaître... Je n'ose y croire! La surprise, la joie effervescente, l'invraisemblance de la situation me mettent les sens au barbecue. La tête me tourne comme la première fois où j'ai bu une coupe de champagne, voilà l'explication, je me suis claqué la tête sur les pavés en tombant et j'hallucine. Je rêve debout dans les trente-six chandelles du KO. Ma raison balbutie. Il y a des ratés dans mes perceptions. Clignant des yeux, la main droite en visière, je m'efforce d'y voir mieux, mais la lumière rasante continue de m'éblouir. Je fais un pas de côté, lentement, je m'habitue aux paillettes aveuglantes de la clarté encore très vive malgré les troncs tourmentés des vieux saules qui éparpillent un peu d'ombre.

Alors la cavalière met pied à terre et sort du mirage. C'est elle! la demoiselle que j'ai si souvent observée de loin, les rares fois où elle va jouer dehors. Toujours seule. Je me dis qu'il en est sans doute ainsi dans son milieu, que les bourgeois ne se comportent pas tout à fait comme nous, même lorsqu'ils sont enfants. Je suppose que ses études lui accaparent tout son temps. Elle doit travailler le piano ou le violon, certainement pas le cornet à piston comme Fred, ces gosses-là ne défilent pas plus dans les fanfares municipales qu'ils ne pratiquent des sports collectifs. Elle doit suivre des cours de danse, de dessin, de théâtre, que sais-je encore, rien que des activités très artistiques qui apportent du vernis à ceux qui en ont déjà reçu une bonne couche à la naissance.

Et dire qu'elle se tient là, devant moi, encore auréolée de poussières d'or! Je pourrais la toucher, constater qu'elle n'est ni une fée ni un ange, lui ôter la bombe qui emprisonne ses beaux cheveux noirs et les caresser! Lisser d'un doigt tremblant la courbe soyeuse de ses sourcils, effleurer sa peau et lui réciter du Verlaine, celui à qui je dois d'être premier en récitation.

Souffrez que ma fatigue à vos pieds reposée
Rêve des chers instants qui la délasseront...

Tu parles que j'ai une dégaine à déclamer des poèmes d'anthologie, mon allure d'épouvantail rebuterait n'importe qui de moins délicat! Il n'y a pas vingt minutes, je triais encore les déchets de la décharge municipale, même l'odeur irritante du Vim, dont je suis poudré des pieds à la tête, ne doit pas masquer totalement les relents d'immondices qui imprègnent mes vêtements. Voilà pourquoi la demoiselle reste collée à son cheval, il doit sentir moins mauvais que moi.

Elle ne sait quelle contenance prendre avec un jeune clochard. Je suis un enfant sauvage que la fille de l'explorateur vient de débusquer derrière un buisson de la terrible jungle. Doit-elle se faire comprendre par gestes, échanger de la verroterie pour m'amadouer, ou décamper au triple galop? Elle ignore tout du vaste monde et c'est sans doute pour l'inciter à sortir un peu de son univers protégé que papa lui a offert ce petit cheval barbe. Une belle bête, et je m'y connais! Robe baie, tache blanche au chanfrein, fière encolure, il a de la race, de la classe. Comme sa maîtresse.

J'enrage contre les caprices du hasard qui ont bidouillé cette rencontre en une conjoncture aussi burlesque. Ridicule, moche, crasseux, égratigné de partout, je ne suis qu'un infâme vermisseau amoureux d'une étoile. Je suis un élève médiocre, et j'ai le vice dans la peau. Je suis l'esclave de la concupiscence, à jamais indigne de toi, ma reine! Comment pourrais-je, sans rougir, contempler encore l'azur profond de tes yeux, me laisser bercer à ta démarche de danseuse qui apporte à tes gestes les plus ordinaires cette grâce infinie qui me chavire?

– Vous êtes sûr que ça va?

Elle ne peut connaître l'étendue de mon indignité. Ne voyant en moi qu'un naufragé de la route mal en point, elle s'inquiète charitablement de mon état, attention bien naturelle chez une fille de médecin. Un réflexe de secouriste, rien d'autre, qu'est-ce que j'allais encore m'imaginer?

– Vous avez fait une sacrée chute, dites donc!

En reniflant, je déglutis un «oui» à peine audible. D'un geste vague de la main, je désigne l'étendue du chantier avec le haussement d'épaule désabusé du type qui en a vu d'autres, l'air de dire que je m'en fiche pas mal, allez... Laissez-moi dans ma fange, je ne mérite pas mieux! C'est ici, tiens, que j'aurais besoin d'un bon coup de baguette magique pour remonter le temps, quelques secondes avant l'instant fatidique, juste de quoi corriger le cap. Mais bon, la réalité ne fait pas de cadeaux. Françoise ne gardera de moi, si tant est que notre rencontre lui laisse un quelconque souvenir, que l'image pitoyable d'un maraudeur surpris en fragrant délit.

– Ce n'est pas la première fois que je vous vois ramasser des détergents en catimini, vous avez de la chance que le gardien soit un ivrogne.

Voilà une bonne nouvelle. C'est la preuve que cette fille m'observe en cachette depuis un certain temps déjà. Et pas seulement le dimanche !

S'évaderait-elle de la Sagesse «en catimini» pour me surveiller ?

Peu importe la façon dont elle s'y prend, sa remarque prouve que je ne lui suis pas indifférent. Étranglé de bonheur, je me rengorge. Et si elle avait provoqué cette rencontre ?

– Quel est votre nom ?

– Gilbert, je réponds, Gill pour les amis, et toi, comment tu... j'veux dire, comment vous appelez-vous ?

J'ai failli sortir «comment vous appelez-tu»! Difficile de vouvoyer spontanément quelqu'un de mon âge.

– Je m'appelle Marie-Françoise.

Marie-Françoise... ce n'est pas commun par ici, dans le quartier les filles s'appellent plutôt Claudine, Monique ou Martine. Je ne saurais dire pourquoi mais je me sens tout ému qu'elle ait «Marie» en commun avec ma mère.

– Comme c'est un peu long, reprend-elle, mes amies se contentent de Françoise, vous pouvez dire comme vous voulez.

Le «vous» lui colle à la peau. C'est inné, on a dû lui faire ingurgiter la politesse avec l'huile de foie de morue et la syntaxe *first class* mélangée à la blédine Jacquemaire.

Sans se salir, le bavoir toujours impeccable et sa menotte devant la bouche avant de lâcher son petit rot en gazouillant un «je vous demande pardon, mère».

En tout cas, quand nous serons plus intimes, je l'appellerai Framboise, ce sera ma façon à moi tout seul de la nommer. C'est mignon, Framboise, velouté. C'est un mot qui te colore les lèvres en rouge et te chatouille la langue, une baie qui te laisse bouche bée, un fruit rare, fragile et délicat, un peu dangereux aussi, parce qu'il faut le cueillir dans les ronciers. Mais cette framboise-là n'a pas sorti encore ses épines.

La brise légère m'emmène en tapis volant. Les hirondelles roucoulent, les pigeons gazouillent, j'ai la tête à l'envers. Je voudrais que cet instant ne finisse jamais. Ça doit être ça le coup de foudre.

– Voulez-vous que je vous présente mon cheval?

Elle ne décollera jamais du «vous», je devrais lui suggérer de changer de registre. Ne brûlons pas les étapes.

– C'est une jument, elle s'appelle Ouria, elle vient d'Algérie, elle appartenait à un régiment de spahis. Vous connaissez les chevaux?

Modeste, je réponds:

– Un peu.

Ah, si je voulais, je pourrais l'épater! Lui dire que je sais évaluer leur âge rien qu'en retroussant leurs lèvres, voir du premier coup d'œil, à leur allure, s'ils sont ferrés correctement. Dire que je n'ai pas mon pareil pour les panser, leur curer les sabots, pour monter à cru les poids lourds que mon père me demande parfois de ramener à la ferme ou à la brasserie, des boulonnais, des ardennais, des percherons, des monstres qu'elle n'a certainement jamais approchés. Bon, pour cette fois, j'écrase.

La fille vient de sauter en selle, Ouria n'a pas bronché.

– Il me faut prendre congé maintenant. Au revoir, Gill, enchantée d'avoir fait votre connaissance.

Tout le plaisir a été pour moi, princesse, quel dommage que nos chemins doivent se séparer déjà! Pendant que je prendrai une raclée pour des fautes que je ne vous avouerai jamais, vous allez rentrer au château, retrouver votre chambre douillette et vous préparer pour le souper, pardon, le *dîner*, chacun son destin. Elle rectifie sa position, tête bien droite, épaules en arrière, étriers chaussés sur la pointe des bottes, talons bas, une vraie statue équestre.

– Tu te... vous vous tenez rudement bien!

– Je prépare mon deuxième degré d'équitation.

Quand elle sera championne olympique je serai son palefrenier. Confit dans la soumission, je demande:

– Je vous te reverrai?

– Peut-être... Quoique... pas en semaine, en tout cas, car je suis rarement là. Aujourd'hui, c'était exceptionnel.

Exceptionnel, ah non, c'est un peu court, mademoiselle, accordez-moi le dernier mot que je puisse m'exclamer: splendide, grandiose, sublime! J'ai du vocabulaire, moi, tout souillon que je suis, je ne fais pas que reluquer les revues cochonnes, je suis un familier des grands textes, Alexandre Dumas, Stevenson, Victor Hugo, Paul Féval, des romantiques dont les héros échevelés graveraient à l'or fin la date historique de cette rencontre sur les murs des cathédrales!

– Mais je monte tous les week-ends, ajoute-t-elle en tournant bride.

Qu'entends-je? Mais non, je ne rêve pas, elle a bien dit: *tous les week-ends...* Si ce n'est pas un rendez-vous galant, ça, je veux bien être pendu à la grand-vergue du bateau pirate de Long John Silver !

Elle s'en va au petit trot assis, son bassin coulé dans le rythme du cheval, ondulant d'arrière en avant. Je devrais la rattraper, sauter en croupe, la prendre par la taille, la cajoler, l'embrasser derrière l'oreille et lui dire… Lui murmurer qu'elle est le trésor de mon île, mon îlot trésor, mon lever de soleil, Aurore de Nevers, Esmeralda, ma reine de cœur, ma reine Framboise…

6

Je freine en dérapage contrôlé à cent mètres de la maison. Sept heures, à peine, j'ai de la marge, je peux m'accorder un dernier sursis avant d'affronter Fernand. Les gens s'attardent dehors, bavardages et jardinage de saison. Il fait lourd, pas un souffle de vent, un temps à flotte. Une escadrille de nuages noirs est en train de nous encercler, la pluie va tomber avec le jour.

Paulo rentre de la ferme, il doit passer devant chez nous pour rejoindre son blockhaus. Il m'adresse un bref grognement. Ça signifie «bonjour», «bonsoir» ou «fait pas chaud», selon le contexte. J'ai longtemps pensé qu'il était muet. Clovis dit qu'il n'a jamais eu de valet de ferme aussi courageux, il abat le boulot de trois, évidemment, il est un peu spécial. Il traverse le quartier de son long pas pesant et régulier, de cette façon bien particulière qu'il a de lever haut les genoux comme si, même sur l'asphalte ou les pavés, il se déplaçait encore en plein champ, des paquets de terre grasse collés à la semelle de ses bottes.

Une voix l'interpelle :

– À ch't'heure, Paulo, on va à l'amour ?

– Les chiens sont rev'nus, c'est mon tour !

Il a répliqué sans tourner la tête, loquace, pour une fois. En général, il laisse les plaisanteries glisser sur son indifférence bourrue. Si tu t'approches de lui, il te jette un regard noir, l'air de dire «ôte-toi de mon soleil!» comme Diogène, ce philosophe grec dont nous a parlé monsieur Zeler, le prof d'histoire. Il aurait répondu ça à Alexandre le jour où le grand conquérant lui demandait ce qu'il pouvait faire pour lui. Mais je ne suis pas bien sûr que Paulo soit aussi heureux que Diogène. Parce que vivre à Athènes, que ce soit dans un tonneau ou sous la tente, c'est tous les jours les vacances. Rien de comparable avec une réclusion, même volontaire, dans un cube en béton armé dans ce patelin où même l'été, certains jours ressemblent à la Toussaint. Et puis, Diogène passait son temps à regarder les mouches voler en se tournant les pouces alors que Paulo travaille du matin au soir sans jamais s'offrir un jour de congé.

J'ai envie de lui remonter le moral, de lui crier que la vie est belle. Je suis fort, ce soir, invulnérable aux petites misères. Je respire plus haut, voilà tout. Même l'engueulade qui m'attend a cessé de me turlupiner. Tout à l'heure, avant la chute, je n'avais qu'une idée en tête, foncer jusqu'à ma chambre et vérifier dans sa cachette si l'album de Fred s'y trouvait toujours, maintenant ça m'est égal. Les pin-up appartiennent désormais au passé. Framboise est entrée dans ma vie, je suis un autre.

Je regarde notre maison, comme si je revenais d'un très long voyage, ému de la retrouver telle que je l'ai toujours connue, massive, solide, rassurante avec ses gros murs de briques à contreforts. On ne sait pas au juste de quand elle date, les seuls indices sont une fleur de lys et un soleil gravés sur médaillon en pierre au-dessus du porche, preuve que l'armée de Louis XIV serait passée par ici pendant la conquête des Flandres. Enfin, c'est ce qu'on raconte. Le truc marrant c'est que cette marque royale l'a protégée au cours des guerres républicaines qui furent mondiales et très meurtrières. Elle est restée intacte, à peine quelques éclats d'obus, presque un miracle quand on sait tout ce que les bombardiers anglais ont balancé sur le périmètre. Elle ressemble à une petite ferme. Au-dessus de la forge, l'enseigne a perdu le deuxième «R» et le «T» de «FER-RANT». Papa a remplacé les lettres manquantes par un «N» et un «D» final, de sorte qu'on lit maintenant: «MARÉCHAL FERNAND». C'est son humour à lui. À cause de l'atelier, du garage et des nombreuses dépendances, notre espace domestique est assez réduit, on vit au rez-de-chaussée, on dort à l'étage.

À droite en entrant, la salle à manger où on ne se réunit que dans les grandes occasions. À gauche, la cuisine avec l'escalier sur le côté, salle commune et cabinet de toilette rudimentaire, évier, bassin en tôle émaillée et bouilloire pour chauffer l'eau. Au premier, trois chambres. Avant que la cousine Josiane ne vienne habiter chez nous, j'avais la plus petite pour moi tout seul. Maintenant je partage la plus grande avec Marcel.

Les parents de Josiane habitent dans un bled perdu du Pas-de-Calais, comme il n'y avait pas de travail là-bas, papa lui a trouvé une place d'employée de bureau aux Ciments du Nord, à deux pas de chez nous. Il a des relations, Fernand.

Mon vélo remisé, je pousse la porte, ça sent le chou-fleur, bof! Et la saucisse grillée, c'est mieux. Josy est seule, je demande:

— Il n'y a personne dans cette maison?

— Question stupide, mon garçon, tu vois bien que je suis là.

Et elle se remet à griffonner dans son cahier à spirale, sur le coin de la table où le couvert est déjà mis. Je suppose qu'elle a aussi aidé à préparer le repas. Serviable, Josy, toujours prête, le style cheftaine. Pour Marie-Rose, c'est une perle. Sage, posée, laborieuse, économe, j'ai beau chercher les défauts, je n'en trouve pas et ça m'énerve. Quand elle a prélevé de son salaire la pension qu'elle verse chaque mois à mes parents, elle va déposer le reste à la Caisse d'épargne. Des économies pour plus tard, quand elle aura rencontré l'homme de sa vie. Elle ne veut pas se présenter les mains vides, c'est aussi pour cette raison qu'elle coud son trousseau point par point, le regard fixe, l'esprit ailleurs, dans ses rêves en alexandrins.

Parce qu'en plus, elle écrit des poèmes, Josiane, avec des rimes, des césures à l'hémistiche et tout l'attirail ! Et même des romans d'amour qu'elle ne veut montrer à personne sauf à maman qui lui trouve autant de talent qu'à Minou Drouet. Parfois, elle se met à fixer un petit bidule insignifiant qu'elle étudie pendant des heures. N'importe quoi, un pétale de tulipe tombé d'un bouquet, une mouche engluée dans un reste de confiture sur la toile cirée, une goutte de lait sur le bord de l'évier, des trucs parfois si microscopiques qu'on penserait qu'elle a des loupes au fond des yeux. Elle peut aussi se concentrer sur une odeur, elle capte un effluve quelconque et reste là, les narines frémissantes, à en analyser toutes les nuances. Quelquefois c'est une saveur. Elle pêche une miette de gâteau au bout de son index humecté de salive, qu'elle suce en fermant les yeux, très concentrée, agacée comme quand on a sur le bout de la langue un mot qui ne se décide pas à sortir, sauf que Josy, elle, finit toujours par exprimer ce qu'elle a ressenti. Je comprends qu'elle ne s'épanouisse pas dans son travail. Elle est faite pour des activités plus subtiles, mais va-t'en trouver un patron qui te paierait un salaire régulier pour décrire l'agonie d'une mouche ou baratiner tout un chapitre sur la jouissance que procure, paraît-il, la première gorgée de thé au jasmin.

— Tu devrais faire de la réclame, lui a conseillé un jour maman, pour Cinzano, Banania, La Vache qui rit ou les pâtes Lustucru, toi qui a le palais si fin ! Je suis certaine que tu saurais trouver la bonne formule pour expliquer la différence de saveur entre les coquillettes et les spaghettis.

On a tous bien rigolé, surtout Marcel.

— Ouais, manger les nouilles, ouais, avec le fromage qui *guile*, miam !

Josy, qui déteste le patois, l'a repris aussitôt.

— Combien de fois faudra-t-il te répéter, Marcel, qu'on ne dit pas *guiler*, mais *faire des fils*, essaie donc de parler correctement.

Puis elle a ajouté qu'on était tous bien gentils de s'intéresser à son talent mais j'ai bien vu qu'elle était au bord des larmes. Marie-Rose, s'apercevant qu'elle avait peut-être manqué de délicatesse en proposant à sa nièce de se lancer dans la publicité, s'est reprise immédiatement :

— Mais tu aurais encore plus de succès avec les romans-photos, pour *Confidences* ou *Bonnes Soirées*, je t'assure, tu devrais leur envoyer tes histoires...

Là, Josiane a pleuré pour de bon.

— Elle n'est pas incarnée, cette fille-là, dit souvent mon père, pas d'ossature, manque de viande, à force de vivre dans ses nuages, elle va finir par s'évaporer !

Et il ajoute :

— Sans compter que pour trouver un mari, ma poule, faudrait un peu te remplumer et aller voir dehors c'qui s'passe !

C'est mal parti, elle ne mange pas, elle picore. En plus, elle ne fréquente personne et ne sort que pour aller bosser. Ou à la messe, parfois. Et puis, sans faire la mauvaise langue, je la trouve godiche avec ses indéfrisables de mémère. Elle est de celles qui ne vieilliront jamais, à vingt-quatre ans elle en fait plus de trente, et ça ne changera plus. Elle ressemble à ces institutrices qu'on appelle éternellement «mademoiselle». Souvent revêche et la dégaine tout en raideur. Elle ne se fringue qu'en gris ou bleu marine, quelle que soit la mode ou la saison. Ce n'est pas qu'elle soit vraiment moche, mais on dirait qu'elle se punit. Comment veux-tu que les hommes s'affolent? Elle pourrait déjà abandonner les bigoudis et les tricots Rodier, ça l'arrangerait. Feuilleter aussi les revues de modes, les catalogues des 3 Suisses ou de La Redoute, faire du lèche-vitrines à Lille, s'offrir des babioles et franchir le pas comme les filles normales qui, un beau jour, changent la couleur de leurs cheveux, se perchent sur des talons aiguilles et se baladent dans le quartier en faisant cliqueter leurs bijoux fantaisie. Bien arrangée, elle finirait par se trouver un garçon au bal, elle s'absenterait plus souvent et ça me ferait des vacances.

Histoire de rompre le silence, je demande où sont les parents. Je dois répéter deux fois avant qu'elle consente à relever le nez.

— Ta mère est allée faire des courses, ton père devait voir Clovis.

— Et Marcel?

— À *La Civette*, sans doute, avec sa chérie!

Je n'aime pas le ton, mais alors pas du tout! En plus je ne supporte pas qu'on se paie la fiole de mon grand frère.

— Yolande aime bien Marcel, ça te dérange?

– Disons qu'elle a bon cœur!

Ce qu'elle peut être vexante quand elle s'y met!

– Ça te sort complètement de la tête qu'on puisse être amoureux, pas vrai?

– Occupe-toi des affaires de ton âge.

Non mais, elle s'est bien regardée, celle-là! Elle mérite une petite leçon, tiens, et avant même quelle ne puisse s'interposer, je lui pique son cahier.

– Rends-moi ça immédiatement!

– Viens le reprendre!

Commence une course autour de la table, Josy est comme folle, dans sa précipitation elle a déjà renversé deux chaises.

– Fais gaffe aux assiettes, cousine!

– Petit morveux!

Elle a beau s'agiter, il y aura toujours une longueur de table entre nous, ça peut durer longtemps. Je profite d'un répit pour jeter un œil à la couverture : *Les Amants de Saigon*, calligraphié à la plume sergent-major avec pleins et déliés, un titre qui en jette! Je me permets un long sifflement admiratif :

– Saigon, c'est en Indochine, ça, tu connais l'Indochine, Josy?

Elle est blême, plus qu'en rogne, haineuse. Je forcerais la porte de sa chambre au moment où elle se déshabille que ses yeux me lanceraient des lueurs moins assassines.

Nous refaisons trois petits tours.

Nouvel arrêt, chapitre un. D'une voix vibrante, je lis le premier paragraphe à voix haute :

– *Le steamer descendait le Mékong. Dans les touffeurs de la mousson, Barbara respirait mal à l'entrepont. Elle descendit au salon des premières où les ventilateurs remuaient langoureuse-*

65

ment l'air tropical. Ça veut dire quoi, les *touffeurs*? Et pourquoi elles sont *langoureuses,* les pales du ventilo, dis, Josiane, quand elles remuent *l'air tropical*?

– Arrête!

– S'il te plaît, laisse-moi continuer, un paragraphe seulement! *L'homme en smoking blanc commanda un drink au barman.* Je savais pas que tu parlais anglais: *steamer, smoking, drink...* C'est une histoire d'amour ou un roman d'espionnage?

Je replonge dans le récit palpitant. J'y apprends que la veille, l'homme en blanc avait suivi Barbara dans les allées *pittoresques du marché aux fleurs et qu'elle en avait ressenti un trouble étrange où le plaisir se mêlait à la frayeur...* Au moment où je vais savoir si l'héroïne va oser lui demander *du feu pour la cigarette qu'elle venait de sortir nerveusement d'un étui en laque de Chine,* je me prends par derrière une baffe qui me déplace au moins deux cervicales. Sous le choc, j'ai laissé tomber le cahier, un voile noir passe devant mes yeux.

– J't'ai déjà dit mille fois de pas faire *endeuver* ta cousine!

Et voilà comment sans transition on passe du Mékong ensoleillé aux berges déprimantes de la Deûle! Pendant que Josiane ramasse son précieux manuscrit, Fernand m'attrape l'oreille, la droite, celle qui a ripé tout à l'heure sur le gravillon au bord de la route. À la tordre, comme ça, il va réussir à me la mettre en vrille. Déjà qu'elle est un peu décollée naturellement!

J'essaie de me tortiller dans le sens contraire, c'est encore pire, la douleur m'arrache une grimace, mais je ne crierai pas, notre future George Sand serait trop contente. Je note son air pincé de pimbêche satisfaite, ah, elle s'est bien gardée de reprendre son oncle qui a utilisé *endeuver* plutôt que *taquiner*! Un coup de pied au cul me propulse contre la porte de la salle à manger.

– Rentre là, j'ai encore deux mots à te dire!

Je cours me réfugier au fond, à côté du buffet Henri III, une relique familiale encrassée d'encaustique dont la térébenthine casse un peu l'odeur de renfermé de la pièce. Papa m'accorde un sursis, le temps d'ouvrir le bureau à cylindre où sont archivés les papiers importants et d'en sortir une feuille pliée en quatre qu'il me jette à la figure.

– Ça signifie quoi, ça, hein, tu peux m'expliquer?

À première vue il ne s'agit pas de l'album sulfureux mais d'une lettre du lycée portant le cachet du proviseur. Changement de programme, Fred est tiré d'affaire, pas moi. Si je devine bien, les profs ont mis leurs menaces à exécution. Depuis qu'on me le promettait, ce conseil de discipline, je n'y croyais plus. Je pensais que les six heures de colle du mois dernier avaient liquidé le contentieux. Grossière erreur, Folcoche a dû tanner son mari jusqu'à ce qu'il se décide à utiliser les grands moyens. Elle veut ma peau.

– Un conseil de discipline, s'informe Fernand, c'est une sorte de tribunal, non?

J'approuve timidement. Quelque chose comme ça, en effet, bien que je manque d'expérience. Je ne connais qu'un garçon qui y soit passé, un élève de troisième qui avait falsifié ses notes trimestrielles. Directement sur le registre de classe qui ne quitte en principe jamais le bureau du surgé. En ajoutant ici et là un petit un devant les notes à un chiffre, ça lui faisait une moyenne générale plutôt correcte. Gonflé, le mec! Comment il s'y était pris? Mystère. Il n'a jamais rien voulu dire. Son exploit est resté dans les annales. Hary en personne était passé dans les classes pour nous sermonner, il ne lui manquait que les moustaches et un tambour pour ressembler à un garde champêtre. «Avisss à la population!» L'escroc en écriture avait été viré une semaine. La prochaine fois, le renvoi serait définitif. «On commence par falsifier ses notes, s'époumonait le dirlo, et on se retrouve un jour à imprimer de la fausse monnaie!» Variante du proverbe qui fait rimer *œuf* avec *bœuf.*

Papa est atterré, il n'attend même plus d'explication, si j'ai fait des conneries, je dois payer, que justice soit faite. Il s'en lave les mains et jette l'éponge. Mon cas relève désormais des autorités supérieures.

– Tu vas faire mourir ta mère, mon garçon.

Sa colère s'est éteinte, sa voix aussi. Mes épaules s'affaissent, j'ai le cœur qui enfle, prêt à ouvrir les vannes lacrymales. J'ai honte. Fernand n'a pas mérité ça. Il ne s'était pas opposé à mon entrée en sixième, ce n'est pas le cas de la plupart de mes copains qui sont toujours à l'école primaire. Leurs parents ne veulent même pas entendre parler du lycée, études trop longues, on n'y apprend pas de vrai métier, c'est bon pour les riches! Les meilleurs iront en apprentissage l'année prochaine, les autres seront manœuvres. Mon père aurait pourtant bien eu besoin d'aide à la forge mais il n'a pas voulu m'aiguiller sur une voie de garage. Et puis, en primaire, mes résultats étaient excellents, il était fier de moi, je devais être le premier bachelier de la famille et ensuite, qui sait, ingénieur peut-être, la gloire!

Il n'est plus en rogne, il est triste et c'est insupportable de le voir si abattu. Je le déçois. Déjà au premier trimestre, quand mes résultats s'étaient relâchés, il m'avait mis les points sur les i :

– Je ne nourrirai pas un fainéant, Gilbert, c'est compris? Tes notes s'améliorent, ou tu prends le sac, à toi de choisir!

Prendre le sac, ça signifie pointer à l'usine, devenir comme les autres, m'enfermer à jamais dans ce quartier. C'était la fin de tous mes rêves. Disparaître pour toujours de l'horizon de Framboise!

– Tu as peur de perdre la face devant tes copains, c'est ça? Tu estimes que c'est un déshonneur de travailler de ses mains?

Alors il m'avait fait rencontrer des ouvriers, surtout des gars du bâtiment. Des carreleurs avec leur petit burin qui coupaient les céramiques au millimètre près. Des menuisiers dédaignant l'usage des clous et des vis, tout en tenons et mortaises. Des maçons que j'avais admiré en train de construire une cave voûtée. Et des plâtriers, surtout, capables de plaquer au plafond leur matière presque liquide, maniant l'énorme taloche sans se prendre une seule goutte sur le nez. Le mélange prend, lisse, parfait, un petit coup de truelle par-ci par-là pour effacer une bulle d'air et le tour est joué, en deux temps trois mouvements, parce qu'il faut agir vite, le plâtre n'attend pas, deux minutes de trop et il n'adhère plus.

– Alors, ce ne sont pas des as?

Ce qu'il ne disait pas, c'est que ces artistes répéteraient les mêmes gestes toute leur vie. Et moi, sans savoir exactement dans quelle direction m'orienter, j'étais au moins sûr d'une chose, je voulais obtenir un diplôme qui me permette de changer, de découvrir, d'expérimenter des trucs différents, de varier les plaisirs et de voir du pays. Volontairement ou non, mon père se gardait bien de préciser que ces hommes gagnaient juste de quoi vivre et que beaucoup d'entre eux abandonnaient leur spécialité pour entrer à l'usine où il n'y a pas de jours chômés à cause des intempéries, où on travaille au sec avec des heures supplémentaires, la prime du treizième mois et les congés payés à date fixe. À la chaîne, on devient peut-être une sorte de robot, on ne voit pas bien à quoi sert son boulot, mais il n'y a pas de responsabilités et on peut attendre la retraite peinard.

Ce soir, papa m'épargne l'apologie de la classe ouvrière. Je ne sais quelle contenance prendre. Lui non plus. Nous nous tenons de part et d'autre de la table ovale, comme tout à l'heure dans la cuisine avec Josiane, mais en beaucoup moins drôle.

Il n'est plus question de taquineries, ni de réprimandes d'ailleurs. Fernand n'a plus rien à dire alors il se tait. Perplexe, il sort de sa poche un paquet de Scaferlati bande orange et commence à se rouler une cigarette. D'habitude ça ne lui prend pas plus de dix secondes, mais ce soir, ses doigts cafouillent. Il est songeur, le regard vague, il fixe son tabac comme s'il espérait y trouver la solution à nos problèmes. J'ai déjà observé *Chez Florisse*, des types silencieux qui avaient le même visage défait en contemplant le fond de leur verre. Je m'étais demandé s'ils lisaient dans la mousse de bière comme d'autres dans le marc de café. Monsieur Vanderschnick, notamment, la première fois que son fils avait été arrêté par la police.

Allons, Fernand, il faut te ressaisir, on n'en est pas encore là !

Un coup de langue sur la feuille, la clope est prête. Mais le briquet tempête refuse de fonctionner, papa s'énerve sur la molette, plus d'essence. En marmonnant entre ses dents, il jette sur le bureau l'instrument inutile.

De la cuisine nous parvient, à peine assourdi, le cliquetis des couverts sur les assiettes; maman a finalement décidé de ne pas nous attendre pour passer à table.

– C'est grave, ce que tu as fait? demande-t-il, histoire de briser le silence.

– Tu le sais bien, je t'en ai déjà parlé.

– Encore cette histoire de grenouilles et de souris blanches… Ils ne vont nom de Dieu pas te foutre dehors pour ça, tout de même!

Peut-être une semaine comme le gars qui a falsifié ses notes, peut-être plus, comment savoir? Il y a bien encore deux ou trois conneries dont je ne me suis pas vanté à la maison. Rien de méchant, juste un peu de provocation, quelques insolences que je n'ai pas su retenir parce que j'ai un mal de chien à m'écraser, surtout quand je pense être dans mon droit.

Quoi qu'il en soit, la balle n'est plus dans mon camp. Folcoche va noircir le tableau, c'est sûr. Parce qu'elle siège au conseil, cette vipère, et à la droite du chef! Elle va faire des étincelles dans le rôle du procureur général, on peut lui faire confiance. Qui sera mon défenseur? Le vieux Zeler qui m'a à la bonne? Ou Choucroute, qui doit ce surnom à son incroyable brushing, parce que je me débrouille bien en latin?

Papa mâchonne sa cigarette en tapotant un peu partout sa veste au cas où il y aurait une boîte d'allumettes oubliée dans l'une des nombreuses poches.

– T'aurais pas de feu sur toi, par hasard?

Il me faufile un sourire pâle, je m'autorise un court soupir de soulagement. Il sait très bien que je ne fume pas, cette question est une façon de me faire comprendre qu'on en restera là pour ce soir.

71

Soudain, nous tournons la tête vers la fenêtre. Les volets sont clos mais les aboiements de Ludwig, le berger allemand de la voisine, nous parviennent distinctement. Il doit être en train de tirer comme un fou sur sa chaîne qu'il avait une fois réussi à desceller du mur. Aux aboiements furieux se mêlent des éclats de voix, entrecoupés d'une galopade précipitée, claquements de semelles cloutées sur le trottoir. Il y a du remue-ménage dans la rue. On se précipite dans la cuisine au moment où retentissent des coups martelés contre la porte. Marcel, complètement survolté, trépigne sur sa chaise. Sa cuillère à la main, il cogne sur la table en répétant:

– Boum, boum, boum... Marcel, il joue du tambour!

Ce serait plutôt de la grosse caisse, en tout cas il est en rythme avec celui qui, dehors, roule le branle-bas. Josiane en laisse tomber sa louche dans la soupière. Plantée devant la gazinière, maman se mord le poing.

– N'ouvre pas, Fernand!

7

C'est Léon, le jardinier. Avec un œil au beurre noir et
sa lèvre supérieure fendue qui pisse le sang, il est bien
amoché. La porte n'a rien. Complètement affolé, il ne se
décide pas à dépasser le seuil. Sa course l'a épuisé, il est
trempé, hors d'haleine, incapable d'aligner deux mots.

– Les co… les coco… ils…

– Les cocodiles! triomphe Marcel.

Dehors il fait presque nuit, quelle heure peut-il être?
Pas bien tard, neuf heures maxi, normalement en mai il
fait encore clair. C'est à cause de la pluie, tenace, un petit
crachin sournois qu'on n'entend pas frapper aux carreaux, excellent pour les scaroles mais qui te transperce
jusqu'aux os.

– Qu'est-ce qu'ils ont fait les *cocos*? demande papa.
T'as pas l'air d'avoir les idées bien nettes, pas vrai? On
pourrait p't-être causer là où ça mouille pas, hein!

Ce n'est pas de refus. Il ne demandait que ça, Léon,
qu'on lui tende une main secourable. Il se laisse dorloter.
Le pauvre vieux tient à peine sur ses jambes; avec Marcel,
on le soutient jusqu'à la table.

– Marie-Rose, sers donc une bière à Léon! Ho, Josy, va
chercher de l'alcool et des pansements, allez, ma grande,
agite-toi un peu!

Après deux verres, le jardinier retrouve l'usage de la parole.

– Avec les copains, on collait les affiches pour Verdier, commence-t-il.

– Ça s'fait pas la nuit, d'habitude?

– T'as raison, mais il faisait sombre et avec ce temps d'chien y avait plus un chat dehors, on a voulu prendre de l'avance.

– Donc tu collais des affiches...

Et alors les communistes leur sont tombés sur le paletot. Enfin, Léon n'est pas bien sûr que ça soit les communistes parce que, ceux du quartier, il les connaît tous. Quoique... la cellule du P'tit Belgique aurait pu faire appel à des camarades de l'extérieur. Des gars de Loos ou de Lille, même de plus loin. Cette vermine-là, ça grouille, pas vrai? En tout cas, il y avait Moreto, il est prêt à le jurer, Léon.

Moreto... Moreto... Mon père se gratte le menton, perplexe, ce nom-là ne lui dit rien. Léon précise le portrait:

– Tu sais bien, un collègue à Mouillard...

– Cette petite crapule qui est en taule depuis l'histoire de l'Algérienne?

– Qui s'assemble se ressemble, rien qu'du beau monde, j'te dis!

Je le connais, moi, Moreto. J'ai été à l'école avec ses petits frères, tous terreurs des préaux et des sorties de classe. Mais ils ne m'ont jamais cherché de poux. Je suppose que Vanderschnick a dû les mettre en garde au sujet du frangin trisomique qui a un punch capable d'impressionner Marcel Cerdan.

Moreto habite avec sa famille nombreuse au château Beaupré, une vieille bâtisse insalubre à côté du terrain de foot où ont été relogés provisoirement ceux que l'abbé Pierre appelle les nécessiteux. Quand il vient rôder autour de chez nous, c'est surtout pour crâner sous la fenêtre de Nadège, la petite-fille de la grosse Victorine, notre voisine au berger allemand. Malin le mec, il a su apprivoiser le monstre avec des os à moelle! Il se pointe toujours en fin de semaine, sapé blue-jeans et blouson noir, cheveux gominés en banane, heureux de faire rugir le moteur de sa Malagutti. Pour les mobs vingt-cinq centimètres cubes à double selle, petit guidon bracelets et réservoir horizontal, il y a deux marques à la mode, Flandria et Malagutti. Un peu comme Vespa et Lambreta pour les scooters. Mais dans le quartier on dit que les scooters c'est pour les snobs. Chez nous on préfère les mobs aux pots d'échappement trafiqués qu'on appelle les *pétoires*. Moreto possède la plus belle du canton, en tout cas la plus célèbre, enjoliveurs chromés sur les garde-boue, sacoches léopard assorties à la selle à franges, genre veste Davy Crocket des savanes, décalcomanies rock'n roll sur le réservoir et porte-clés Johnny Hallyday accrochés en breloques un peu partout.

Nadège se laisse courtiser, elle n'est pas farouche, les commères prétendent même qu'elle a la cuisse légère, c'est vrai qu'elle ressemble un peu aux pin-up américaines des photos. Josiane la déteste. Normal, elles sont carrément différentes. Si ma cousine est de l'espèce des fourmis besogneuses, Nadège appartient à celle des cigales évaporées. Toujours pomponnée, maquillée technicolor, les ongles bichonnés nacrés, talons aiguilles, jupes serrées, chemisiers déboutonnés ou robes frou-frou qui s'envolent au premier courant d'air, elle écoute plein volume les succès de Dick Rivers ou des Chaussettes Noires et fait tourner la tête à tous les jeunes du quartier qui n'osent plus trop s'y frotter depuis que Moreto est passé en tête de peloton. Au grand désespoir de sa grand-mère qui estime avoir passé l'âge d'éduquer cette gamine effrontée, une orpheline que le décès prématuré de ses parents ne semble pas avoir beaucoup traumatisée. À moins que ce soit sa façon à elle d'oublier les mauvais souvenirs...

Je trouve que Moreto et Nadège vont bien ensemble ; un jour il l'a emmenée faire un tour sur sa pétoire. À califourchon sur la selle à fanfreluches, elle se blottissait contre lui, sa jupe remontait très haut, toute la rue pouvait admirer ses longues cuisses qu'elle fait bronzer avec un fond de teint spécial. Ils ont roulé pendant une heure, prenant des virages penchés, freinant dans de longs crissements de pneus et redémarrant en faisant craquer les vitesses, parfois même Moreto faisait se cabrer sa machine. Je me suis demandé si j'aurais eu pareille allure avec Framboise sur le porte-bagages de mon futur randonneur.

J'aimerais bien de temps en temps pouvoir jouer les durs moi aussi, parce que les voyous ne sont pas timides avec les filles, ils savent comment amadouer les gros chiens de garde et ne craignent personne, ils ont la dégaine, savent rouler les mécaniques, les gens les respectent, par trouille, et ça renforce drôlement leur sentiment de supériorité. Le monde est à eux, ils sortent avec les plus belles filles, déboulent à fond la caisse en faisant pétarader leurs mobs rutilantes, montent sur les trottoirs, narguent la police et on s'écarte sur leur passage au bal du samedi soir où ils dansent le twist comme des champions. Tout Gill l'espiègle que je sois, je crains de ne jamais en imposer comme eux, mais je me console en me répétant que Framboise ne ressemblera jamais à Nadège.

Elle fait de l'équitation et vit dans un vrai château, elle, pas dans une bicoque provisoire promise à la démolition depuis l'Armistice. Et puis, elle joue du piano, pas du tout l'instrument favori des Chats Sauvages... Bon, d'accord, j'aime bien le rock'n roll, mais la grande musique, il n'y a pas à dire, ça vous a quand même plus de classe que la guitare électrique, surtout si c'est Framboise qui est au clavier ! Je détesterais qu'elle retrousse sa jupe devant tout le monde ; si un jour elle montre ses cuisses, je veux que ça soit pour moi tout seul. Et en plus, son bronzage ne sera pas bidon parce que contrairement à Nadège, elle a les moyens d'aller griller sur des plages de millionnaires.

– Ouais, grogne Léon, Moreto, encore du beau linge ! On n'est pas fauchés avec des recrues pareilles, nom de Dieu ! Les Ritals, ils étaient cul et chemise avec les Boches pour nous foutre sur la gueule et aujourd'hui on leur verse les allocs. Va-t'en y comprendre kek'chose !

Pour couper court, mon père objecte que les voyous ne s'occupent pas de politique. Lui non plus d'ailleurs, comme quoi, ça veut rien dire. Les législatives partielles, bof, il est plus ou moins au courant. Comme tout le monde, il a lu sur les tracts que le docteur Verdier se portait candidat sous l'étiquette gaulliste, alors il votera pour lui. Loyauté envers le Général, le sauveur de la patrie, celui qui a fait relever la tête à la France humiliée. Les convictions de Fernand s'arrêtent là.

– Et c'est le Moreto en question qui t'a arrangé comme ça ? demande-t-il.

– Non, trop malin pour se mouiller, çui-là ! Il faisait le guet. C'est un rouquin qui m'a dérouillé, un gros, avec des poings comme des choux-fleurs.

– Tu saurais le reconnaître ?

Je note le pincement de lèvres de mon père. Du pouce, il s'est donné une petite pichenette sur l'aile du nez, un signe d'avant bagarre propre à Lino Ventura dans des films de gangsters. Je ne suis pas le seul à l'avoir remarqué. Léon a compris, ma mère aussi.

– Fernand, ne t'en mêle pas !

Léon proteste pour la forme. Il n'a pas frappé à la porte pour réclamer vengeance, il ne cherchait qu'un peu de secours parce qu'il avait les affreux aux trousses et qu'il ne se sentait pas en état de les affronter. Ses amis non plus n'ont pas essayé de jouer les héros.

– Fallait les voir détaler, de vrais lapins ! Ah, si j'avais eu vingt ans de moins, bordel de Dieu !

Tout le stock d'affiches abandonné à l'ennemi, c'est une déroute totale ! Il se demande comment il va annoncer la nouvelle à son patron. Déjà que la rumeur ne le donne pas favori...

Rien de surprenant, Verdier est un bon docteur, certes, comme médecin tout le monde le respecte, mais la politique c'est autre chose, surtout dans une circonscription où on vote majoritairement à gauche depuis le Front populaire. Quant au P'tit Belgique, il reste rouge coco par fidélité inoxydable au parti des travailleurs dont le candidat est justement un gars du quartier, Robert Debas, chaudronnier de son état et médaillé de la Résistance. Un tribun qui aime clamer à la cantonade que ce n'est pas parce qu'on s'appelle Debas qu'il faut avoir peur de regarder les bourgeois de haut !

– T'imagines cet illettré à la chambre des députés ! s'indigne Léon.

– On ne leur demande pas de savoir lire.

– Verdier va se prendre une veste, c'est couru d'avance.

78

– C'est pas dit... En tout cas ce ne sera pas de ta faute. Allez, viens, on va aller apprendre la politesse à ton boxeur.

Sa décision est prise. Papa a retroussé ses manches,; tenter de le retenir ne servirait à rien, Marie-Rose connaît son homme, elle passe ses nerfs sur le premier torchon qui lui tombe sous la main et entreprend de lustrer la toile cirée à l'huile de coude. Josiane a regagné sa chambre, sa tâche d'infirmière accomplie, plus rien ne la retient à la cuisine, Barbara et l'homme en smoking blanc l'attendent pour de nouvelles aventures. Mon frère me serre le bras, cent mille volts d'excitation crépitent dans ses yeux bridés.

– Promener Marcel, avec papa et son copain Léon, promener dans la nuit... ouais! L'a pas peur, Marcel, l'a pas peur du noir!

Avant de sortir le fourgon de la cour, papa est passé à la forge où il a hésité un moment entre son marteau et une barre à mine, finalement il s'est décidé pour une poignée de fers à cheval qu'il a fourrés dans ses poches en se répétant que ça devrait suffire, puis il s'est retourné vers nous.

– Si ça vous amuse, les garçons, vous pouvez venir, mais si ça barde, vous restez derrière, compris?

Par acquit de conscience, on roule jusqu'au panneau où Léon a pris sa raclée. Évidemment les malfrats ne se sont pas éternisés. La pluie achève de déliter les affiches en lambeaux gluants. Nous remontons la rue Roger-Salengro jusqu'à l'école maternelle Théophile-Crapet; là, même tableau, toute la propagande du docteur Verdier tapisse le sol détrempé. Nous faisons un détour par la rue du Général-Dame, une parallèle. *Général Dame*, en voilà un qui a dû choisir la carrière militaire à cause de son nom pour éviter qu'on lui dise monsieur, j'en suis sûr. Pas évident, en effet, de se faire appeler *monsieur Dame* toute sa vie! Pas facile non plus de tenir en équilibre à l'arrière du Citroën, il n'y a pas de sièges et le fourbi de ferrailles que Fernand entasse pêle-mêle n'offre rien de potable où poser ses fesses. Marcel s'accroche aux épaules du jardinier, moi à celles de mon frère, on joue à la chenille. Dehors, la pluie a forci, mon père ronchonne:

– Tu parles d'un déluge, tes casseurs ont dû se mettre au sec!

– Ça va s'calmer, assure Léon.

Pour le moment, les trombes d'eau inondent le pare-brise que l'unique balai au caoutchouc usé n'arrive pas à dégager. Nous ralentissons devant le cimetière, même constat, les trois panneaux ont été nettoyés. Je ressens un petit pincement au cœur en regardant la maison de la gardienne, c'est avec sa fille Violette qu'à dix ans j'ai connu mes premiers émois amoureux. Quand j'allais déposer des fleurs sur la tombe de mes grands-parents, je la regardais jouer à la marelle dans les allées sablées, ses tresses blondes sautaient sur ses épaules, elle était belle et je me creusais les méninges à la recherche d'un prétexte pour lui adresser la parole. Un jour Fred m'apprit qu'elle se laissait peloter par tout le monde. Je ne voulais pas le croire, nous avions même failli nous brouiller jusqu'à ce qu'il m'entraîne à la cabane à outils du fossoyeur. Là, assise sur une brouette, jambes écartées et sans culotte, Violette montrait généreusement sa tirelire à un garçon de la bande à Vanderschnick en échange de deux bouchées Suchard. Et dire que moi, même avec un kilo de Carambars et l'éventail complet des sucettes Pierrot Gourmand, je n'aurais même jamais osé lui proposer un petit bisou sur le front!

La pluie a cessé de marteler la tôle du fourgon, Léon avait raison. Nous longeons le chantier du marbrier spécialiste en monuments funéraires. Je demande à mon père d'abaisser les vitres embuées parce que l'odeur fade qui se dégage du fer humide commence à me donner la nausée. Je passe le nez dehors, ça va mieux, nous venons de dépasser la *Pédale d'or*, mon randonneur est toujours à l'étalage, suspendu comme un trophée tout en haut d'un mât de Cocagne. Je le décrocherai ! Je le gagnerai loyalement, j'en ferai mon fidèle destrier et Framboise pourra, en gage d'amour, me demander d'accomplir les exploits les plus fous, je fais le serment de ne jamais la décevoir !

— Ils sont là ! s'écrie Léon.

Papa tire le frein à main. Les ennemis du Grand Charles, les traîtres, les félons sont en train de se livrer à leur triste besogne sur la porte d'une cabine EDF. Moteur coupé, nous suivons la pente jusqu'au passage à niveau. La rue est déserte. De l'autre côté des voies nous parvient, assourdi, le grondement de l'usine Cérestar dont les silos de maïs empuantissent la ville dès qu'on les aère. Les types ont remarqué notre présence, ils ont cessé leur travail et regardent le fourgon sans bouger. Je ne reconnais pas Moreto, Léon en revanche désigne à mon père le plus grand de l'équipe.

— C'est çui-là, avec sa veste militaire, le gros rouquin.

— On y va ! Les garçons, vous restez dans le tube.

Pas le temps de protester, Fernand est déjà parti, suivi du jardinier qui n'en mène pas large. Je m'installe au volant, aux premières loges. Sans tenir compte des ordres, Marcel saute sur le trottoir et gambade derrière le chef. Trois contre trois, l'affrontement sera plus juste, moi, je reste en renfort au cas où les choses tourneraient mal.

Là-bas, il y a un bref conciliabule, Fernand s'adresse au rouquin qui ricane en s'emparant de son manche de pioche, aussitôt imité par ses potes.

– À cette heure-ci, tu devrais être couché, pépère!
– Tu travailles pour qui? ordure, demande Léon.

Les trois types rigolent de plus belle. Le plus jeune fait remarquer aux importuns qu'ils sont un peu vieux pour chercher la bagarre.

– C'est pas moi qui cherche, rétorque mon père en lui balançant un direct juste au-dessus de la ceinture.

Sans sommation, le poing s'est enfoncé dans une substance beaucoup plus molle qu'une pièce de métal rougie au feu qu'on travaille à l'enclume, facile pour le maréchal Fernand, inutile de doubler la dose. L'autre reste plié en deux, il vibre sur toute sa longueur, l'estomac enfoncé, le foie en zigzag, et s'effondre, terrassé, devant ses copains trop stupéfaits pour réagir. Leur immobilité trompe Marcel. Pour le prince des steppes, il s'agit d'un jeu guerrier. Alors il mord de bon cœur dans sa carotte de tabac et avant que mon père ne puisse le retenir, s'approche du rouquin. Il est prêt au pugilat, Trisomic-Marcel, catégorie poids moyens, il sautille poings serrés, garde haute, le jabot gonflé, le jarret souple, hop-là! Mais l'autre le fauche d'un coup de gourdin, net dans les reins. Mon champion titube, le visage incrédule, une grimace entre rire et pleurs, puis il braille sa douleur avant de s'affaler.

– L'idiot du village, faul'mettre à l'asile, gueule son adversaire, on veut pas d'histoires, fichez le…

Il n'achève pas. J'ai vu partir le fer à cheval lancé par mon père, façon boomerang, avant qu'il ne se le prenne dans les rotules, bing, renversé comme au jeu de quilles, hors combat pour quelques rounds.

– Bloque-moi ça, saloperie, ça porte bonheur!

Superstitieux jusqu'à la moelle, Fernand, le chiffre sept, les trèfles à quatre feuilles, les fers à cheval, il ne changera plus. D'une manchette sur la nuque, il allonge son adversaire dans le caniveau.

Au premier étage de la maison d'en face, un volet s'est prudemment entrouvert au moment où Léon aidait Marcel à se relever.

– Faut y aller, Fernand, les voisins vont appeler les flics.

Les deux affreux étaient toujours au tapis, le dernier homme valide ne bougeait plus d'un poil, il avait lâché son gourdin et attendait la suite des événements, coincé, sachant à quoi s'en tenir, redoutant le pire, n'osant même pas se sauver de peur d'être stoppé en pleine course par un fer à cheval. Forcé de déclarer forfait, il s'est mis à pleurnicher:

– Vous les avez tués, répétait-il, vous les avez butés!

– Penses-tu, la vermine, ça crève pas si facilement, sors donc ton chef du caniveau, branquignol, il va boire la tasse.

Le rouquin, les mains posées sur la bordure du trottoir, tentait un rétablissement, il toussait et crachait en secouant la tête.

– Tu vois bien, s'est exclamé mon père, increvable, j'te dis, il est amphibie ton pote!

Celui qui avait pris le direct au foie retrouvait peu à peu sa respiration. Dans ma cabine, j'avais depuis longtemps compté jusqu'à dix plus de dix fois, un arbitre de boxe aurait déjà sonné la fin du match et levé triomphalement le bras du vainqueur sous les acclamations du public. J'étais le public, j'étais l'arbitre, j'étais le gong, j'ai fait «dong!» en frappant de toutes mes forces contre la portière et j'ai hué les vaincus qui quittaient le ring l'échine basse. Ah, ils n'avaient plus fière allure nos Pieds Nickelés, bras dessus, bras dessous, toute honte bue, sur le chemin de la retraite. Une Panhard les attendait devant la bijouterie au coin de la rue de la gare. Je me suis demandé si Moreto était au volant, à l'écart, prêt à démarrer sur les chapeaux de roues comme dans les hold-up américains. En tout cas il ne s'était pas manifesté.

– En route, sale troupe, a claironné mon père en remontant dans le fourgon, assez rigolé pour ce soir! Et Marcel, comment il va? Pas trop de bobos, *garchon*?

Recroquevillé dans son coin, mon frère se massait le dos en ruminant ses désirs de vengeance.

– Va leur casser la gueule, Marcel, t'vas voir, ouais... casser la gueule, va y avoir du sang!

Et il bavait son jus de chique, et il salivait, en faisant «pif!», en faisant «paf!», et il frappait de la gauche et de la droite, des uppercuts et des crochets qu'il regrettait de n'avoir pas eu le temps de distribuer sur le terrain. Puis il a reniflé un bon coup avant de m'embrasser.

– Fernand, l'est fort, Fernand! Bravo Gilbert, p'tit frère, l'a gagné, mon père!

Lancée à toute allure, une petite voiture de sport a traversé le passage à niveau, j'ai reconnu la Morgan crème de madame Verdier. Elle a ralenti devant la cabine EDF où, malgré notre intervention musclée, les portraits de son mari n'avaient pas pu être épargnés. Puis elle a stoppé à hauteur de notre fourgon. J'ai admiré le splendide coupé anglais, sa ligne racée, son capot allongé, les deux portières minuscules, les larges ailes saillantes et les gros phares cuvelés vissés de part et d'autre de la calandre souriant de tous ses chromes. Le moteur tournait au ralenti comme un gros papillon de nuit bourdonnant dans la lueur jaunâtre du réverbère.

La conductrice a tourné la tête de notre côté, nous a regardés sans desserrer les dents. Elle avait la mâchoire contractée, les cheveux défaits et le visage fatigué, une cigarette était collée à ses lèvres, la pénombre creusait ses yeux et les noyait de fumée grise dont les volutes dessinaient un loup de carnaval. Ça lui donnait un air mystérieux mais je n'ai pas aimé son sourire qui m'a semblé méprisant, ni sa cigarette, anglaise, sans doute, comme la voiture. Cette femme ne ressemblait pas à Framboise.

L'homme en colère

Les jours qui rallongent n'y font rien, il broie du noir et rase les murs. Au bout de la rue de la Liberté, il n'a pas fait gaffe au panneau électoral et s'est pris l'affiche de Jacques Verdier en pleine poire. Le nez dans une dégoulinade de colle. Bleu blanc rouge et croix de Lorraine, le toubib rallié à la cause du Grand Charles… Pire que de la provocation, de l'obscénité!

Pressé de solder les comptes, l'homme en colère ronge son frein. Doucement! Il n'a pas mûri sa revanche depuis son retour d'Allemagne pour la bâcler sur un coup de tête. Au plus fort des années sombres, il n'y pensait même plus, à ce salaud. Les priorités d'une ultra-violence au quotidien vous mettent la mémoire en veilleuse. Ensuite, retour au pays et réinsertion sans douceur. Mais le grand chambardement européen avait permis de rebattre bien des jeux de cartes et de noyer bien des poissons.

L'homme était venu s'échouer à Bourdain, cette même ville sinistre où le docteur avait choisi de refaire sa vie. Statistiquement, il n'y avait pas une chance sur un milliard pour qu'un truc pareil se produisît et voilà qu'un destin farceur s'était mis à piper les dés pour sortir un poker gagnant d'un seul coup d'un seul.

Il l'a reconnu au premier coup d'œil. Facile, le toubib

avait à peine vieilli, juste quelques cheveux blancs, un soupçon de bide, le cou un peu empâté, mais toujours cette prestance aristocratique du mec qui n'a jamais marché ailleurs qu'en terrain conquis. Cette canaille n'avait rien perdu de sa superbe. Bonne situation, riche mariage, une clientèle acquise, du fric plein les poches, ami des élus, consultant bénévole dans une institution catho pour gosses handicapés mentaux, une devanture de notable! Il ne lui manquait plus que d'aller se pavaner au palais Bourbon.

L'homme étouffe un rugissement. Jaloux? Non, malade de haine tout simplement. Il est grand temps de flinguer ce gommeux en plein vol, avant qu'il n'atteigne les sphères éthérées de l'immunité parlementaire. Consacré sur l'autel de la République, il deviendrait intouchable. Rien que d'y penser, l'homme en a des palpitations.

Il ferait mieux de vider son sac une bonne fois, tout mettre noir sur blanc dans un carnet de bord mais il n'a jamais été fortiche en rédaction, c'est là que le bât blesse. Surtout s'il veut adresser un rapport en haut lieu comme il s'est promis de le faire. Il faudra pourtant bien s'y atteler, se montrer clair et concis, ne rien omettre des faits importants, respecter la chronologie, fournir des preuves et faire dans le sensationnel, comme *Paris-Match*. De ce côté-là, ça va, il ne s'embarque pas sans biscuits. Le dossier sera chargé, de la dynamite! L'onde de choc va balayer pas mal de monde. Les hyènes et les vautours de la presse pourront se pourlécher à satiété.

— Du calme, mon vieux, c'est pas encore gagné!

Ça lui arrive de plus en plus souvent de se parler à voix haute. À force de partager sa solitude en tête à tête avec les murs, il a fini par discuter avec son ombre. Si les gens le voyaient, ils le prendraient pour un fou, et alors? En attendant, ça aide à purger un peu les souvenirs qui macèrent et la rancune qui vire à l'aigre. Il tourne la tête, personne. Les riverains sont au bistrot ou plantés devant leur télé, il est seul avec l'affiche gluante, on dirait qu'il transpire, le toubib.

– Comment t'as fait, mon salaud, pour tromper ton monde pendant toutes ces années? Évidemment tu t'es empressé de troquer le Verdonck de tes ancêtres pour Verdier. Bonne idée, ça sonne plus français, et puis c'est discret, Verdier, presque aussi commun que Dupont, Durand. Quand t'as senti le vent tourner, t'as pris les dispositions nécessaires pour faire peau neuve. La métamorphose n'a pas dû être facile, je suppose que tu t'es fait quelques bonnes frayeurs. Enfin, n'ayant pas été témoin de ta mutation, je ne peux qu'en imaginer les circonstances vu qu'à ce moment-là, j'étais ailleurs. Souviens-toi, c'était votre idée, à toi et à l'aviateur, de me faire voir du pays.

Le plus délicat, je suppose, aura été d'arranger le coup avec la faculté. Il a fallu ne rien négliger, brouiller les pistes, truquer les diplômes, un grand numéro de faussaire que seules de sérieuses relations dans les rangs du Conseil de l'ordre étaient capables d'exécuter. Je te fais confiance, pour nager en eaux troubles, t'as jamais eu ton pareil.

Une fois ta virginité refaite, il ne te restait plus qu'à poser ta plaque. Tu aurais pu changer de région, choisir le soleil et les oliviers, même pas, tes racines étaient trop profondément plongées dans cette bonne terre à betteraves. Alors tu es venu t'enterrer ici, un bled laborieux où les braves ouvriers ont pu assister, de loin, aux noces du gentil médecin et de la fille du château. Tu as toujours eu le don d'adapter les contes de fées à ta réalité et de transformer la boue en or. Il y a de l'alchimiste en toi, Verdier.

Dis-moi, vieille canaille, toujours vivre sous une bonne

étoile, ça doit finir par lasser, non? T'inquiète, je vais mettre un peu d'agitation dans ta tour d'ivoire. Tu aurais dû me liquider jadis quand t'en avais les moyens, mais t'as jamais eu les couilles pour ce genre de boulot. Tu n'es pas de ceux qui se salissent les mains, toubib, c'est pour cette raison que la politique, si tu veux mon avis, t'es pas taillé pour! Aujourd'hui, tu n'échapperas pas au retour de manivelle parce que tu ne te méfies pas. Tu dois me croire mort. Pourtant on se croise de temps en temps, eh oui, il t'est même arrivé de me saluer de loin mais ma gueule ne te dit plus rien. Normal, contrairement à toi, j'ai beaucoup morflé. Mes aventures ont laissé des traces indélébiles, à l'extérieur comme en dedans, je suis laminé de partout et bien que je sois né un 29 février, ce qui faisait dire à mon père que je vieillirais quatre fois moins vite que le commun des mortels, ironie du sort, de ce côté-là, j'ai mis les bouchées doubles.

Un dernier point me chagrine, ta femme. Je veux parler de la première, nous n'avons pas eu l'honneur d'être présentés, bien sûr, mais j'ai l'impression qu'elle n'était pas née de la dernière pluie. Qu'elle n'ait pas vu clair dans ton jeu relèverait du miracle! D'ailleurs ce stupide accident de voiture qui t'a laissé veuf et heureux héritier de ses biens, je me demande si ça n'a pas été pour elle une manière définitive de fuir une insupportable vérité qu'elle aurait fini par deviner. C'était une fille bien, ton épouse légitime, et elle en avait dans la cervelle, celle-là, pas comme cette pouffiasse que t'as mise dans ton lit il y a cinq ans! Une morue même pas capable de s'occuper de ta fille et qui s'est empressée de la coller en pension avec ta bénédiction de lâche. Elle en jette, cette pute, j'admets, elle m'en rappelle une autre, tu vois de qui je veux parler?

8

C'est ce soir, après les cours, que le conseil suprême va se pencher sur mon cas. On ne commence qu'à dix heures, je pourrais m'offrir un rabiot de farniente, impossible, mes draps sont électriques et il y a des épines sur mon matelas. Sale nuit, très agitée, j'ai dormi en pointillés.

Quand l'aube se faufile timidement par la fenêtre entrebaillée, je constate que le lit de Marcel est vide, mon frère a dû se lever au chant du coq, incroyable ce que ses journées peuvent être remplies !

Personne à la cuisine, maman et Josy ne descendent qu'à six heures et demie. Tout est tranquille, j'en profite pour me débarbouiller, pas question de me présenter crado devant mes juges, on a sa fierté. Récurage intégral au gant, je change deux fois l'eau de la bassine. Friction d'eau de Cologne, noisette de Pento sur le peigne, épis matés, cran impeccable et raie sur le côté.

Me voilà lustré comme le jour de ma communion solennelle. Papa a déjà fait le café, je m'en verse un bol mais l'odeur m'arrache une grimace, je suis trop noué pour avaler quoi que ce soit. Ça va être long jusqu'à l'ouverture de l'audience.

Dehors, il fait un peu frisquet mais il ne pleut plus, c'est déjà ça. Le soleil cherche à se faire pardonner, il risque un rayon pâlichon entre des nuages anthracite qui n'ont pas dit leur dernier mot. Il faudrait un bon coup de vent de nord-est pour les envoyer rincer la baie de Somme.

Fernand est déjà à la forge. Tôt le matin, ou le soir tard, chaque fois que c'est possible, il consacre quelques heures à sa passion, le modélisme. Attention, pas le format jouet riquiqui qui se range dans une vitrine, rien que des trucs imposants! Je ne sais pas s'il travaille à une échelle précise mais ses avions ont deux bons mètres d'envergure en moyenne. Il fabrique les pièces lui-même. Les plans, pareil, il les a dessinés tout seul d'après des documents d'époque et des livres d'histoire qu'il emprunte à la bibliothèque municipale.

Le premier qu'il a fabriqué était un B-24, un quadrimoteur américain capable de larguer des tonnes de bombes, des engins qu'on appelait les forteresses volantes parce qu'il y avait des tourelles un peu partout avec des mitrailleurs pour dégommer les Stukas de la chasse allemande. Il n'a oublié aucun détail, mitrailleuse en gondole ventrale rétractable, canon en position dorsale, réservoirs supplémentaires, jusqu'au fuselage passé à la peinture argentée pour imiter l'aluminium où il a reproduit à l'avant la pin-up fétiche de l'équipage, *Diamond Belle*, genre danseuse de cabaret comme on en voit dans les *cartoons* de Tex Avery, au Ciné-Vog, en première partie de la séance du samedi, avant l'attraction.

– C'est là-dedans que je suis rentré de captivité, garçon, fallait entendre vrombir les quatre hélices au décollage, ça tremblait de partout. Les Amerloques nous avaient distribué des chewing-gums et du Coca-Cola pour s'occuper pendant le voyage, parce que leurs Lucky Strike et leurs Camel, on n'y avait pas droit dans l'appareil.

Je crois bien que papa est le seul dans le quartier à avoir reçu son baptême de l'air. Ça lui donne une couche supplémentaire de prestige.

Ah non, j'oubliais Fred Hamster, lui aussi a pris l'avion quand il est revenu du Maroc où son oncle l'avait invité pour le récompenser de son passage en sixième sans examen. Ce veinard a fait le voyage aller en voiture, toute la traversée de la France et de l'Espagne jusqu'à Gibraltar, il a même vu les premières dunes du Sahara, à Ouarzazate, et ensuite, vol direct de Casablanca à Orly en Caravelle Air France. Un avion à réaction! Quand il en parle au lycée, les autres le prennent pour un vantard. Ils ricanent, l'air de dire cause toujours, tellement c'est rare des aventures pareilles à nos âges! Je lui ai conseillé de laisser tomber. Il n'a pas besoin d'un club d'admirateurs. Ses expériences, il n'a qu'à se les garder au chaud dans sa mémoire, ça lui fera des souvenirs exotiques et en couleurs jusqu'à la fin de ses jours. Il m'a montré ses photos et les objets qu'il a rapportés, une petite guitare fabriquée dans une carapace de tortue ainsi qu'un splendide poignard à lame courbe au manche d'argent ciselé. Quand il me raconte son expédition en Jeep, j'ai l'impression d'être invité sur le plateau de Pierre Sabbagh au *Magazine des explorateurs*.

Papa ne parle jamais de ses années de captivité, il préfère fabriquer des avions en hommage à ses libérateurs. Un jour, un client à qui il montrait son Spitfire MK II (l'un des premiers modèles à roulette arrière non rétractable) lui a demandé pourquoi il n'ajoutait pas un Messerschmitt à sa collection, il n'a pas répondu mais il a blêmi et quand le gars est parti il l'a traité de collabo.

Je le trouve devant son établi, le masque de Martien rabattu sur le visage, en train de souder l'aile gauche du

Breguet 690 qu'il a commencé à Noël. C'est un modeste biplace français qui était conçu pour l'attaque au sol, équipé d'un canon de 20 mm, d'une mitrailleuse arrière défensive et de deux autres tirant en chasse. Grâce à Fernand, je suis incollable sur les détails techniques de l'aviation alliée, j'ai plus d'une fois impressionné monsieur Zeler, le prof d'histoire.

– Dis donc, fiston, t'es tombé du lit?

– Pas sommeil.

– Le conseil de discipline qui te tracasse, pas vrai? J'espère que t'auras plus de chance que cet avion, toutes les escadrilles d'assaut ont été massacrées en 40.

Toujours le mot pour rire, mon pater! Pour toute réponse je me contente d'un sourire lugubre.

Encore une heure à tirer avant de me mettre en route pour le bahut, je vais quand même essayer d'avaler quelque chose. Je me dirige vers la cuisine quand un discret bruit de moteur me fait tourner la tête. Une voiture noire est en train de manœuvrer pour entrer dans la cour, je reconnais la face de crapaud d'une DS 19, capot bien lustré, jantes étincelantes malgré la pluie et la boue. Je ne sais pas comment il se débrouille, le docteur Verdier, mais quel que soit le temps, sa bagnole a toujours l'air de sortir de la vitrine du concessionnaire. Un modèle d'exposition, comme son conducteur, toujours soigné pour faire briller l'œil des électrices et les flashes des photographes.

Aujourd'hui, décontraction printanière oblige, il a remplacé la cravate par un petit foulard cachemire dont les teintes dominantes, vert tilleul et gris perle, rappellent celles de la chemise à col ouvert et du costard en lin. Qu'est-ce qu'il vient faire si tôt? Personne n'est malade. De toute façon il n'a pas pris sa mallette.

– Bonjour Gilbert, ton père est là?

– À la forge.

– C'est bon, je connais le chemin.

Pas difficile, c'est tout droit. Inutile de jouer les familiers de la maison, on n'a jamais ramassé les patates ensemble. Il m'énerve avec ses allures faussement modestes, quand on se balade dans une bagnole de cortège présidentiel, on reste à sa place.

Quand je pense qu'hier soir, mon père s'est battu pour ce faux-jeton! Un type tout enfariné d'aménité mais capable de la plus froide cruauté. Il peut grimacer tant qu'il veut, à moi, on ne me la fait pas, voilà deux ans que je l'ai démasqué, lorsqu'il m'a recousu à vif. Il prétendait que ce n'était pas nécessaire d'anesthésier, mais la souffrance de cette sanglante intervention est encore gravée dans mes nerfs. Je m'étais salement ouvert, une blessure assez profonde à la tempe, quelques millimètres de plus et je me crevais l'œil. J'en garderai toujours la cicatrice. Pas du tout le genre de balafre virile, scarification de l'aventure sur cuir buriné aux sables du désert, rien de glorieux, juste un misérable souvenir de chute grotesque dans l'escalier de la cave où on m'avait envoyé chercher un bocal de cornichons. J'étais pressé parce qu'à la télé, c'était l'heure de *Rintintin*, mon feuilleton favori. Dans ma précipitation, j'ai raté une marche et voilà, l'accident stupide.

– Alors, jeune homme, montre-moi un peu ce bobo!

Verdier s'approche de moi. Plutôt que de titiller les souvenirs douloureux, j'aurais été plus inspiré de filer à l'anglaise dès qu'il a pointé le bout de son nez.

– Approche, n'aie pas peur!

C'est une manie chez lui d'examiner tout ce qui lui

tombe sous la main ! Je lui fausserais bien compagnie mais Fernand qui, en entendant la voiture, est sorti de l'atelier me tient dans le lasso de son regard de shérif. De mauvaise grâce, je me laisse palper, triturer l'oreille, masser la tempe, le front... Il contrôle l'élasticité de ma peau, malaxe, tripote, on dirait le père de Fred en train de barder un morceau d'aloyau.

– Hum... évidemment, si tu t'étais moins débattu, conclut-il avec une petite tape amicale sur ma joue, aujourd'hui, il n'y paraîtrait plus.

Je ferai mieux la prochaine fois. Surtout que si nous passons nos nuits à castagner pour protéger ses affiches, je vais sûrement récolter quelques gnons qu'il se fera une joie de rafistoler.

Fernand lui touche deux mots du coup de gourdin que Marcel s'est pris dans les côtes.

– Hier soir, c'était tout bleu, ma femme a frotté avec de la pommade d'arnica mais j'aimerais avoir votre avis.

– C'est la moindre des choses, mon cher Fernand, où est-il, ce lascar ?

Je réponds qu'il est parti à l'aube. Le docteur fronce les sourcils, certes il n'a pas de conseils à donner, chacun élève ses enfants comme il l'entend, mais Marcel, il serait peut-être temps d'envisager pour lui un mode d'éducation plus adapté à son handicap. Mon père hoche la tête sans répondre. Il sait à quoi le docteur fait allusion, moi aussi, ce n'est pas la première fois qu'il nous relance. Selon lui, il faut confier les trisomiques à des psychologues et à des éducateurs spécialisés, des gens patients et compétents qui sauront les canaliser et développer au mieux leurs potentialités. Un centre d'accueil a été inauguré l'an dernier à Loos. Le docteur fait parti du comité de direction, nous n'avons qu'un mot à dire et Marcel y sera admis immédiatement. Les places sont rares et les listes d'attente déjà bien longues, les parents désemparés font le siège de l'établissement. Mon père lui a déjà répondu que nous ne sommes pas désemparés et que Marcel ne nous gêne pas.

Bien envoyé! Personnellement, je verrais d'un très mauvais œil qu'on interne mon frère. Et lui, on lui a demandé son avis? Faut pas le prendre pour plus idiot qu'il n'est, Marcel, il a bien compris de quoi il retournait et m'a confié qu'il ne voulait quitter ni la maison ni son territoire. Il est comme un chat, mon frangin, il ne supporte pas la laisse, il veut pouvoir vagabonder où bon lui semble, suivre les filles et courtiser Yolande, rendre visite à ses amis, s'intéresser aux nouvelles du quartier et mâcher sa chique tranquillement. Il veut pouvoir psalmodier ses chants incantatoires quand sa mère est en crise car il sait qu'elle a besoin de sa magie. Privée de son gourou, elle finirait par perdre la boule pour de bon et faudrait qu'on l'enferme, elle aussi, à Bailleul, l'hôpital psychiatrique réservé aux femmes.

— Qu'est-ce que c'est que ce nom de Dieu de monde qu'on est en train de nous bricoler? grogne mon père. La prison pour les uns, l'asile pour les autres, les malades à l'hôpital, les vieux à l'hospice, les p'tiots à la crèche, des centres pour les mongols maintenant! Tout classer, étiqueter, parquer... ça me rappelle les méthodes d'Adolf, tiens, avec ce bougre de salopard-là aussi, fallait nettoyer à la sulfateuse tout ce qui sortait des rangs.

— Ne mélangeons pas tout, Fernand, tempère le disciple d'Hippocrate un peu dérouté par les amalgames hardis du maréchal ferrant.

– Je mélange rien et je sais ce que je dis ! Vous verrez que bientôt, après les trisomiques, on s'occupera de tous les laissés-pour-compte de votre progrès, on finira par les parquer dans des jardins zoologiques à côté des bestiaux en voie de disparition ou dans des baraques foraines avec les hommes troncs et les femmes à barbe ! Avant guerre, on montrait bien des Africains en cage. Le dimanche, les gosses venaient leur jeter des cacahouètes. Dans pas long, ce sera mon tour !

Le regard plein d'indulgence et le geste tempérant, le docteur choisit de ne pas relever ces propos dont la violence et l'exagération, il n'en doute pas, ont dépassé la pensée de ce brave artisan, toutefois il se permet d'insister une dernière fois. Nous devrions nous montrer raisonnables et accepter sa proposition comme une faveur. Plus le temps passe, plus le travail éducatif sera délicat.

– Jusqu'à présent Marcel n'a pas encore causé de problèmes, mon bon Fernand, mais vous n'êtes pas sans ignorer que…

Là, il prend mon père par le bras et l'emmène à l'écart pour lui confier discrètement des choses que je ne dois pas entendre. Manque de chance pour lui, j'ai l'ouïe fine.

– Vous n'êtes pas sans ignorer que les trisomiques ont une libido beaucoup plus développée que la nôtre… J'ai d'ailleurs cru comprendre que votre fils manifestait déjà de fortes tendances exhibitionnistes. Qu'adviendrait-il si… hum, s'il se mettait à… vous voyez ce que je veux dire, Fernand ?

Libido, voilà un mot que je n'ai jamais entendu, je verrai tout à l'heure dans le dictionnaire. Je me demande si Fernand a compris, lui, de quoi il retournait, parce que là, franchement, avec tous ses sous-entendus et ses messes basses, il a fait dans l'obscur, le docteur. Je déteste ses airs mystérieux enveloppés de grands gestes d'orateur, on dirait qu'il bat des ailes pour donner de l'ampleur à ses propos.

– Enfin, convient-il, on ne peut forcer personne, c'est à vous de voir.

Pour finir sur une note plus désinvolte, il félicite mon père pour ses avions, de vrais chefs-d'œuvre qui mériteraient d'être exposés. Si, si, il insiste, quel dommage de les remiser dans ce grenier! Le maire serait ravi de les mettre à l'honneur dans la salle des fêtes lors d'une commémoration, un 11 novembre par exemple, ou le 8 mai, anniversaire de la Libération, ou encore un 18 juin en souvenir de l'appel du général De Gaulle, les dates importantes ne manquent pas.

– Vos Breguet, vos Spitfires, que sais-je encore, sont des témoignages de l'Histoire, mon cher Fernand, que nous avons le devoir de transmettre aux jeunes générations!

9

À la page 600 du petit Larousse à couverture rouge, je trouve: «LIBIDO: n. f. (mot lat. signif. *Volupté*) *Psychol.* Instinct sexuel dans le vocabulaire de la psychanalyse.»

Donc il s'agit d'un mot latin que je n'ai encore jamais rencontré. Comme je suis arrivé au bahut une heure à l'avance, j'ai eu tout le loisir de consulter le dico laissé à la disposition des élèves en salle de permanence. À peine deux lignes d'explication et même pas une image, pourtant il s'agit d'une édition illustrée. Les académiciens n'en fichent pas une rame! Pour *volupté*, ils proposent: «Grand plaisir en général. Exemple: boire avec volupté.»

Si je recoupe les deux informations, j'obtiens: grand plaisir en rapport avec l'instinct sexuel. Ce qui signifierait que Marcel serait porté sur la gaudriole. Et alors? c'est de son âge! Certes, le frangin a tendance à sortir le zizi assez facilement, mais bon, ne dramatisons pas, se balader braguette ouverte et flamberge au vent ne fait pas de quelqu'un un danger public. Surtout que Marcel ne possède pas les attributs d'un satyre, loin de là! Je pense qu'il veut tout bonnement montrer aux passants qu'il appartient à l'espèce humaine, il n'y a pas de mal. Si les gens sont choqués, ils n'ont qu'à regarder ailleurs. Je suis surpris que le docteur en fasse tout un plat. Peut-être noircit-il le tableau exprès pour forcer la main de mes parents parce qu'il a besoin de pensionnaires dans son établissement.

Reste à vérifier le sens de *psychanalyse*. Que propose le dictionnaire? «Investigation psychologique ayant pour but de ramener à la conscience les sentiments obscurs et refoulés.» Tout cela ne me paraît pas très clair.

La sonnerie met fin à mes recherches. Premier cours de la journée, maths. Je n'arrive pas à me concentrer, pourtant le prof se déchaîne au tableau, la géométrie, il adore. Faut le voir jongler avec ses ustensiles en bois jaune! Le mètre, l'équerre géante, le rapporteur grand format et surtout le compas à craie et ventouse qu'il te colle au tableau après en avoir humecté le caoutchouc, comme ça, ploc! Et vas-y que je te dessine des cercles impeccables, d'un seul mouvement et sans déraper. Ensuite il trace des droites qui te décrivent un triangle ABC, les trois points en intersection avec le périmètre, et hop, la craie s'écrase, et voilà trois perpendiculaires aux segments AB, BC, CA, sécantes en K, I et J se rejoignant au point O. Étourdissant! Heureux, il repose ses outils et, trois pas en arrière, contemple son œuvre. C'est un artiste, Grimaud, une bête de scène transportée d'enthousiasme qui vit sa géométrie à cent à l'heure, avec le cœur et les tripes, comme Johnny Hallyday transpire son rock'n roll. Pourtant, malgré tout son talent, il n'arrive pas à me mettre dans l'ambiance, je ne décolle pas mes yeux du cadran de ma montre dont le discret tic-tac me scie les nerfs.

Sonnerie. Cours suivant, français. Avec Choucroute, l'heure dure un siècle. Celle-là, je ne sais pas si la littérature l'émeut, en tout cas elle n'a pas la *libido voluptueuse*. En revanche, elle doit avoir pas mal de *sentiments obscurs et refoulés* qui lui interdisent les esbroufes. À l'écouter, on croirait que les auteurs n'ont pas construit des œuvres pour le plaisir mais fabriqué des exercices scolaires dans l'unique but de nous pourrir la vie !

Aujourd'hui elle nous propose *Les Animaux malades de la peste*. Et Michel Vasseur se prend d'entrée de jeu un devoir supplémentaire pour avoir sorti que les *Fables* de La Fontaine sont si anciennes qu'on ignore le nom de leur auteur. Effet garanti, la galerie se bidonne.

C'est un spécialiste des perles, Vasseur, il n'en rate pas une, un jour il a écrit dans sa copie que sous l'Ancien Régime la mortalité infantile était très élevée sauf chez les vieillards. Zeler l'a cité publiquement avant de lui coller un devoir supplémentaire. La semaine suivante il récidivait en affirmant que l'Armistice est une guerre qui se termine tous les 11 novembre. Merci, vieux frère, c'est sympa de me changer les idées, t'es le meilleur !

Donc au programme du jour : *Les Animaux malades de la peste*. La prof aurait-elle choisi à mon intention cette fable qui raconte un procès jugé d'avance ? L'âne de l'histoire, contrairement aux animaux aristocrates qui ont commis les plus graves délits, s'est contenté de brouter un peu d'herbe dans un pré appartenant à des moines et paf ! haro sur le baudet ! Exactement ce qui m'attend : *Selon que vous serez puissant ou misérable, les jugements de cour vous rendront blanc ou noir.* À méditer. Si j'étais le fils du maire ou du pharmacien, mieux encore, celui du docteur Verdier, candidat à la chambre des députés, je suis certain que l'affaire se réglerait à l'amiable avec un proviseur tout miel tout sucrerie.

Midi, enfin la pause casse-croûte ! Les demi-pensionnaires se mettent en rangs devant le réfectoire, les externes peuvent sortir. Je suis externe mais je ne rentre pas à la maison, je mange au *Plat d'étain*, le café dîneurs qui accueille les ouvriers du tissage Louvet. Mon père qui connaît Jules, le patron, s'est arrangé comme ça pour donner moins de travail à Marie-Rose. Je suis fier d'avoir mon couvert au bistrot, ça me donne une impression d'indépendance et puis c'est meilleur qu'à la cantine, surtout que la viande est livrée par les parents de Fred qui ne mégotent pas sur la qualité. Quand il a le temps, après le coup de feu, Jules m'apprend à jouer au billard. Le plat du jour c'est du petit salé aux lentilles, normalement j'adore ça, mais aujourd'hui je chipote.

– Alors, garçon, on n'est pas dans son assiette?

– Je me sens un peu barbouillé.

Pas envie de m'étendre. Jules fait remarquer à sa clientèle qu'il n'y a rien de tel que le petit salé aux lentilles pour remettre d'aplomb les estomacs délicats. Là-dessus il me propose un petit calva.

– Pour faire passer.

Je devrais peut-être accepter. Après tout, le verre du condamné, c'est une tradition. N'anticipons pas, on ne m'a pas encore jugé.

Retour au bahut, deux heures d'anglais en perspective, les lentilles jouent des maracas dans mon estomac, je peux presque les entendre crisser, comme le chant de guerre d'un serpent à sonnettes.

Here comes Folcoche, oh yeah!

Si son arrogance pouvait se mesurer au thermomètre, elle ferait péter le mercure. Elle me toise, sûre de mon prochain bannissement, elle se délecte de mon angoisse, savoure l'imminente gravité du verdict. Elle me frôle, son ensemble Rodier sent la friture, je retiens un haut-le-cœur.

103

Comme elle n'a rien préparé, elle nous colle une interrogation écrite surprise sur les indéfinis: *some, any, a few, enough, a little,* les dénombrables au pluriel à ne pas confondre avec les indénombrables au singulier éparpillés dans un exercice à trous aux phrases bien tarabiscotées. Je ne cherche même pas à éviter les pièges, je distribue les adverbes au petit bonheur. Quelques verbes irréguliers pour finir, un grand classique. Bien sûr, elle choisit les moins usuels, ma copie sera vite corrigée. Claquement de la règle en fer sur le bureau, c'est fini, on n'écrit plus! Son regard de vieux dragon incendie les retardataires.

Reste une heure à tirer, on prend notre manuel rouge et blanc collection *England* pour nous plonger dans le quotidien exaltant de *Richard and Margaret*, deux gosses modèles d'une famille modèle. Les Austin habitent une vaste maison dotée de tout le confort dans une banlieue résidentielle de Londres. La piaule de Richard doit faire une trentaine de mètres carrés, cet excellent élève pratique tous les sports, athlétisme, football, rugby, cricket, il a les tenues adaptées pour chacun et un uniforme aux couleurs de son collège avec cravate rayée et casquette à écusson. Son père est businessman, il lit le *Times*, possède un *attaché-case*, ne boit que du thé et ne se sépare jamais de son parapluie. Grand et mince, toujours sapé classe, il ressemble à Gary Cooper, le chéri de maman. Il est souvent en déplacement mais s'arrange pour rentrer tous les soirs à l'heure du repas familial servi par une épouse élégante et discrète qui ne fait rien de ses journées. À chaque leçon, cet étalage de l'*English way of life* nous renvoie en pleine fiole notre médiocrité de petits Français mal dégrossis, mal logés, mal élevés, mal fagotés, pas tout à fait sortis du Moyen Âge tout ça à cause de Jeanne d'Arc qui aurait été plus avisée de nous laisser coloniser. Nous serions aujourd'hui membres du Commonwealth, De Gaulle serait resté speaker à la BBC, on conduirait à gauche, on se moquerait des *non British* qui ont adopté le système décimal par paresse intellectuelle et on ne se planterait jamais sur les verbes irréguliers.

Fin de la leçon. Je sors parmi les premiers, il était temps. Folcoche est frileuse, elle ne supporte pas les courants d'air, quel que soit le temps, elle exige que toutes les fenêtres soient fermées et on marine dans une atmosphère saturée de miasmes digestifs qui me soulèvent le cœur. Les jours de pluie, avec le vieux Godin à charbon autour duquel on met nos manteaux à sécher, ça sent le chien mouillé. Ne parlons pas du lundi où nous avons anglais juste après la séance de gym! Je crois que Folcoche a l'odorat en panne.

Pas un nuage dans le ciel. Grand bleu au-dessus de la cour. Les moineaux se font des mamours dans le feuillage vert tendre des tilleuls. Les élèves sont joyeux et les pions souriants, le lycée a un petit air pimpant qui le rendrait presque sympathique. La prof de dessin d'art a encore lancé un nouveau défi aux associations de couleurs, ses fringues de printemps conjuguent les nuances bigarrées d'une boîte de gouache dont les godets auraient débordé les uns dans les autres. Elle arrive toute frétillante sur ses talons aiguilles, le maquillage en grand tapage et le rire cristallin, on l'appelle Betty Boop à cause de ses frisettes et de ses cils en balancier de pirogue tahitienne. Une silhouette Hollywood, des jupes moulantes qui soulignent les frontières de sa culotte, des jambes qui n'en finissent pas et des chemisiers tendus à craquer, à moitié boutonnés été comme hiver. Folcoche la trouve vulgaire. Nous, elle nous rend dingues. Surtout depuis qu'elle a fait remplacer son bureau par un grand plateau posé sur des tréteaux, lorsqu'elle s'assied il n'y a plus rien pour cacher ses genoux. Les plus hardis d'entre nous s'amusent à laisser tomber exprès leurs crayons ou leurs pinceaux de façon à s'offrir le délicieux prétexte de se pencher au ras du sol pour reluquer sous ses jupes. À mon tour! J'écarquille pleins phares, deux projecteurs DCA qui fouillent les ténèbres du septième ciel, percent les nuages des bas de couleur chair gainant les cuisses jusqu'à mi-parcours, s'attardent dans la blancheur secrète de la peau tendre pour se dissoudre enfin dans un soleil de dentelle noire. On appellera ABC cet astre isocèle que j'imagine abaissé.

– Alors, Gilbert, tu le retrouves ce fusain, oui?

Elle dit ça pour le principe mais je crois qu'elle s'en fiche. N'empêche que je me sens rougir jusqu'à la racine des cheveux. Fred me donne un coup de coude complice.

– T'as vu jusqu'en haut? chuchote-t-il le nez collé sur sa feuille de papier Canson.

Trop tendu pour répondre, j'agite la tête dans un acquiescement frénétique pendant que P'tiot-Biloute se raidit en un garde-à-vous de soldat de plomb.

– C'était comment, insiste-t-il, potelé, bien bombé?

Comment ça, potelé... bombé? J'en sais rien, moi! J'étais ébloui d'excitation, perdu dans une immense nébuleuse. Déçu, il m'instruit à mi-voix:

– T'as déjà vu la tirelire à Violette? Elle est plate, pas comme une crêpe mais bien lisse quand même, on est d'accord? Eh bien chez les femmes, c'est bombé à cause des poils.

Là, il m'en bouche un coin, mon pote. Ce n'est pas dans son album qu'il a pu en découvrir autant, je suis bien placé pour le savoir! Admettons que pour explorer les replis et les anfractuosités, il ait payé Violette, avec un saucisson à l'ail ou deux trois tranches de jambon, passe encore, mais pour les vraies femmes, comment s'y serait-il pris, il n'a même pas de grande sœur! Moi, j'ai ma cousine Josiane, mais dans ce domaine, elle n'est d'aucune utilité.

Merde, ces idées salaces sont en train de m'ébouillanter la cervelle, j'en ai les oreilles qui cuisent et la moelle épinière toute volcanique. Si on ne change pas de conversation, les digues de ma braguette éruptive vont bientôt céder.

– T'as déjà observé de tout près, je chuchote.

– Non, concède-t-il, on m'a raconté.

– Qui?

– Chut!

Hors de question que je lui lâche les baskets, il en a trop dit.

– Tu jures de ne rien dire à personne?

Non seulement je jure mais je lui laisse mon honneur en gage, j'hypothèque ma réputation, je mets mon âme au clou.

– La femme du *Chat Beauté*.

Le chat botté... il se fout de ma gueule!

– Le *Chat BEAUTÉ*, banane! Rue Léon-Gambetta, la parfumerie qui fait aussi salon manucure et soins du visage. La patronne est esthéticienne, c'est une cliente de mon père. Le jeudi, je donne souvent un coup de main pour les livraisons. À huit heures et demi, le magasin n'est pas encore ouvert, elle vient m'ouvrir en peignoir et je te promets qu'en dessous elle est complètement à poil!

– Toute nue... vraiment?

– Affirmatif, mon vieux! Ensuite elle m'offre une tasse de thé avec des petits-beurre...

– Dans le magasin?

– Non, elle m'invite dans son appartement au premier étage.

– Et après, je couine, et après?

– Après... on discute un moment.

– Et son mari, il laisse faire?

– Elle n'a pas de mari, elle est trop belle.

– Et vous discutez de...

– Ouais mon pote, on discute de tout ça!

Betty Boop met un terme à nos confidences.

– Frédéric et Gilbert, au prochain cours je ne veux plus vous voir assis à la même table, c'est compris!

J'essaie de me souvenir du *Chat Beauté*, mais oui, c'est entre la boutique Pingouin Stemm et le marchand de télés, juste à côté de la cordonnerie, je suis passé devant au moins mille fois. Par contre je n'ai jamais fait attention à la patronne. Je pensais même que la plus belle commerçante de la rue Léon-Gambetta était la grande brune du PMU, celle qui offre une bise de consolation à tous ceux qui ne touchent pas le tiercé.

Je relève la tête, croise le regard moqueur de la prof. Si seulement la femme du *Chat Beauté* pouvait lui ressembler! Je ferme les yeux et j'imagine le double de Betty Boop enveloppé de soie dans un décor de cosmétiques et de flacons, elle m'invite à prendre place sur un canapé rose bonbon. Pendant que le thé infuse, je prépare mes questions. La liste est longue. Il serait grand temps que je sois informé des mystères de l'amour, histoire de me mettre en confiance.

Jusqu'ici les blagues salaces et les vantardises des

copains ne m'ont permis de me faire qu'une vague idée de ce qu'étaient une prostituée, un proxénète, un bordel ou encore la traite des blanches, pas de quoi crier victoire. Avec une formation aussi sommaire, on ne va pas loin! Que sais-je encore? Que mon P'tiot-Biloute n'est pas conçu comme la tirelire de Violette, même que ce serait plutôt l'inverse, comme pour les prises électriques mâles ou femelles, et puis après? J'aurai rudement besoin d'être éclairé lorsque le moment sera venu de prendre Françoise par la taille et de l'emmener dans les fougères comme font les amoureux. Je ne m'accorde aucun droit à l'erreur. Avant de se jeter à l'eau il vaut mieux savoir nager. Voilà une évidence que monsieur de La Palice ne démentirait pas et pourtant les programmes scolaires, pas plus à la communale qu'au lycée, n'ont prévu la moindre leçon de choses pour éclairer notre lanterne. On est obligés d'imaginer, de supposer, de se perdre dans des écheveaux de supputations souvent imbéciles de sorte que le jour où on tombe amoureux, c'est de très haut.

Et dire qu'on nous bourre le crâne d'un tas de trucs qui ne serviront sans doute jamais à rien, qu'on nous muscle la rigueur et la logique comme si les relations humaines étaient fondées sur des règles grammaticales, chimiques ou mathématiques!

Cela dit, je vois très mal Choucroute ou Zeler, ou même la prof de sciences nat dont la spécialité touche pourtant aux lois de la nature (Folcoche n'en parlons pas), en train de nous enseigner les bases fondamentales de la sexualité! Tout bien considéré, ce serait même plutôt du ressort des parents. Alors là, faut pas rêver! Tabous, secrets d'État, morale chrétienne, péché capital, la question est à l'index, religieusement verrouillée, chut...

– Tu verras bien le moment venu, on a bien su s'y prendre nous autres…

Ouais, mais l'histoire ne précise pas s'ils s'y sont pris comme des manches.

– Regarde comment font les animaux et tu comprendras.

Justement, j'ai observé les chiens, c'est brutal, ils se mordent partout et ça ne dure qu'une dizaine de secondes. Sauf les fois où ils restent coincés et qu'il faut les séparer à coups de seaux d'eau dans le cul. Je veux croire que les humains y vont plus en douceur !

Tout bien considéré, je ne vois guère que Betty Boop qui serait à la hauteur de la situation. Contrairement à ses collègues qui ont l'air mortes, elle semble bien vivante, elle, pleine d'énergie, de fantaisie, de générosité et de polissonnerie, ça doit être une experte.

– Rangez vos affaires, ça va sonner.

Au moment où je boucle mon cartable, elle s'approche de moi, me pose une main sur l'épaule et me souffle de sa voix parfumée :

– Ne t'en fais pas trop, Gill, ça va bien se passer.

La jugeote à l'envers, je la dévisage sans comprendre.

– Le conseil de discipline, précise-t-elle, fais confiance à monsieur Zeler, il y assiste. Allons, on croise les doigts !

Elle m'ébouriffe d'une main affectueuse. Voltée à vif, ma chair s'enflamme. Des milliards d'étincelles se répandent aussitôt sur mon réseau nerveux. Tiré de sa somnolence, P'tiot-Biloute adresse un salut de gladiateur au grigri triangulaire masqué de dentelle noire et c'est plein de libido, d'instinct voluptueux et de sentiments obscurs que je m'apprête à entrer dans l'arène.

10

L'ambiance d'une cour d'assises, je connais un peu, à la maison maman ne rate jamais *En votre âme et conscience*, l'émission de Frédéric Pottecher où les téléspectateurs sont invités à jouer le rôle des jurés. Je ne suis donc pas trop dépaysé en entrant dans le grand bureau du proviseur aménagé en salle d'audience. Ils sont six en tout. À tout seigneur, tout honneur, Hary préside, secondé par son épouse, à la ville comme à la scène. Les autres feront à la fois office d'assesseurs et de jurés.

Grimaud, le prof de maths, pas mauvais bougre bien qu'il soit de ceux qui m'ont conduit sur le banc des accusés. Zeler, celui qui doit m'aider si j'en crois Betty Boop. Niquet, la prof de musique, surnommée l'aviatrice parce qu'elle roule ses petites tresses en colimaçons épinglés au-dessus de ses oreilles comme deux écouteurs, une sévère. Enfin, toute en longueur et poitrine plate, cou décharné dressé hors de son éternel col Claudine, Margaron, la prof de sciences nat de l'an dernier que j'ai un peu chahutée. Hary justifie sa présence :

– En l'absence de madame Delatre, professeur de sciences naturelles actuellement en congé de maladie, sa collègue a eu l'amabilité de la remplacer.

Je me tiens de guingois, les pieds en dedans, les orteils

recroquevillés et le gosier plus sec que le cœur de Folcoche. Dès l'antichambre, ma libido a rendu les armes et mon gladiateur intime rabattu toutes ses prétentions. Mes nerfs se tortillent comme des lombrics condamnés à l'hameçon, mon pouls bat de l'aile. Entre convulsions et étouffement, je cherche désespérément une issue de secours. Rien, les rideaux sont tirés et les portes verrouillées. Je me souviens que pour les mineurs, le tribunal siège à huis clos.

Bouclée aussi, pour le moment, la bouche de Folcoche qui n'a jamais été aussi pincée. Je note quelques légers tics d'agacement chaque fois que son mari prend la parole. Avec sa voix de crécelle il l'exaspère, c'est clair. Il manque d'envergure, le dirlo.

Pareille à l'ogresse de *Vipère au poing* qui tenait en un abyssal mépris son benêt de mari juste bon à chasser les mouches, la mégère laisse le gnome en finir avec les préambules et plisse ses paupières fripées pour ne révéler à personne le contenu de son âme noire. Elle aurait peut-être été capable d'aimer si le hasard lui avait fait rencontrer un sportif, un homme séduisant et distingué de la trempe de Mister Austin, le père de Richard et Margaret, seulement voilà, elle n'a pas le physique à la hauteur de ses supposées espérances ! Faut être lucide, même si elle est incollable sur les verbes irréguliers, même si elle prononce le «th» sans postillonner, elle n'a rien d'une héroïne de la collection *England.*

Le président de séance donne la parole à monsieur Grimaud. Rappel des faits, fraude en composition trimestrielle de mathématiques. Je n'ai pas été pris en flagrant délit, ma culpabilité a été établie pendant la correction à cause d'une troublante similarité de ma copie avec celle de mon voisin. Étonné de mes prouesses, Grimaud m'invita à les réitérer en direct et au tableau. Je m'y revois encore. Incapable de démarrer, mon cerveau en panne sèche et les mains moites. Pire que des huées, le silence attentif de mes camarades déferle sur mon dos qui s'affaisse un peu plus à chaque seconde qui passe. Je maudis Thalès, Euclide, Pythagore et tous ces salauds de matheux grecs qui auraient été plus avisés de suivre l'exemple de Diogène.

Aujourd'hui, Grimaud semble avoir passé l'éponge, l'affaire remonte au second trimestre, peut-être regrette-t-il d'avoir rédigé ce rapport accablant qui est venu ajouter quelques gouttes de poison à cette coupe de ciguë qu'on va me faire boire cul sec. Tout en relatant l'incident le plus objectivement possible, il essaie de relativiser la gravité de mon acte. Indignée par tant de clémence qu'elle interprète comme une marque de faiblesse, Folcoche, le front buté et vindicatif, fait «oh!» en dévisageant son mari dans l'espoir qu'il mette le holà.

Hary laisse son collègue poursuivre.

– Je crois que cet élève a décroché depuis l'an dernier. Seul, il ne pourra plus revenir au niveau de la classe, c'est pourquoi il a essayé de limiter les dégâts.

– Était-ce une raison pour tricher? glapit la mégère.

– Je ne dis pas cela, madame. Cependant il me semble qu'une série de devoirs supplémentaires basés sur des révisions complètes du programme de cinquième devrait lui permettre de remonter la pente.

– Vous en avez terminé, monsieur Grimaud? demande le proviseur.

Dérouté par la sécheresse du ton, le prof répond par l'affirmative. Margaron contemple ses ongles. Zeler prend des notes et l'aviatrice de l'altitude.

113

La parole est à Folcoche. Perfide, elle commence par signaler qu'il est superflu de nous étendre sur la médiocrité de mes résultats en anglais car c'est surtout de ma conduite qu'elle entend se plaindre ici.

– Il a encore fallu que cet énergumène se distingue lors du dernier contrôle.

Effectivement, je plaide coupable. Mais cette fois j'ai bien l'intention de me défendre, car non seulement les rituels sadiques dont cette maniaque de la vigilance entoure les épreuves de fin de trimestre commencent à me courir sérieusement, mais ils me semblent relever de l'abus de pouvoir. Le jour J, elle exige en effet que nous laissions manteaux et cartables sous le préau et que nous l'attendions dehors, en rang, poches de pantalons retournées ! Les seuls ustensiles tolérés sont un stylo, un crayon, une gomme et un mouchoir que nous présentons comme des visas dûment tamponnés avant d'entrer dans la salle un par un. Les copies et les feuilles de brouillon que nous avons fournies au cours précédent sont déjà sur les tables disposées en quinconce. Précisons que pour la surveillance, elle se fait assister de deux pions. On se croirait dans une maison d'arrêt. Justement…

– «On n'est pas des *taulards* !», te serais-tu exclamé, rappelle le proviseur.

J'approuve, je précise que je suis toujours de cet avis et que rien ne m'en fera changer tant que dureront ces pratiques. J'ajoute que madame Hary est le seul professeur à nous traiter de la sorte.

Éberluée par tant d'insolence, Folcoche prend ses collègues à témoin :

– Vous voyez ! Vous voyez bien ! siffle-t-elle, le faciès habité d'une agitation cramoisie.

Zeler lui oppose une moue peu convaincue. Grimaud soupire. L'aviatrice n'a toujours pas atterri. Margaron persiste dans l'indignation muette.

– Oserais-tu répéter les autres propos désobligeants que tu as tenus ensuite? demande le président de séance.

– Oui monsieur, j'ai dit à mon voisin que s'il avait fait moins froid, la prof nous aurait fait entrer en slip.

– Insolent! N'ai-je pas raison de me méfier? s'égosille l'imprécatrice. Ton comportement en mathématiques ne démontre-t-il pas que nous ne saurions jamais être assez méfiants!

Là, Grimaud intervient, magnifique:

– Excusez-moi, madame, mais comme en témoigne la très faible moyenne de ce garçon en mathématiques, je puis vous affirmer qu'il ne s'est risqué à frauder qu'une seule fois.

De l'acide sulfurique plein la voix, la mégère lui rétorque que c'est déjà bien suffisant. Reste la dernière effronterie, la plus grave, celle qu'elle a gardée pour la fin, la terrible affaire de la double correction. Elle ne me le pardonnera jamais. Il s'agissait d'une version, je m'étais appliqué, j'étais sûr d'avoir rendu quelque chose de correct. Résultat, huit. Sous la moyenne, comme d'habitude. Je ravale ma déception et je compare avec les copains, juste pour voir, je remarque que deux passages difficiles comptés chez eux comme des faux-sens deviennent chez moi des contresens, plus deux ou trois bricoles de même acabit. Rentré à la maison, j'en parle à mon père. Il me demande si je suis bien certain d'avoir été injustement saqué. Comme je lui soutiens que oui, il décide de montrer ma copie à un de ses clients, grand amateur de chevaux et professeur de littérature anglaise à la faculté catholique de Lille. Et j'obtiens cinq points de plus. Ouais! J'avais raison, treize, ça change tout et sans me dégonfler, je vais trouver Folcoche. Elle devient verte, me colle une mandale pour m'apprendre le respect et déchire la copie en mille morceaux, fini, plus de preuve, je l'ai dans l'os.

– Vous conviendrez, enchaîne-t-elle d'une voix conciliante, qu'il m'est difficile de travailler avec des enfants qui, non contents de faire du mauvais esprit, cherchent à déconsidérer la qualité de mon enseignement.

Sa fourberie me laisse pantois! Je ne suis pas le seul car personne ne songe à lui demander pourquoi elle a détruit cette pièce à conviction. Surtout pas son mari qui regarde sa montre, un peu gêné quand même.

Margaron lui adresse un signe discret pour lui rappeler qu'il nous reste encore à examiner la plainte de sa collègue.

Enfin Zeler se réveille!

– Il me semble, monsieur le proviseur, que le fait de demander un avis extérieur sur une correction ne constitue pas une faute.

Bravo Zeler! Sans aller jusqu'à approuver, Hary répond qu'il prend bonne note de cette remarque et qu'il sera peut-être utile, en effet, de revenir sur ce point au moment des délibérations.

– Madame Margaron, nous vous écoutons.

Là, on m'a prévenu, ma faute relève presque du délit de droit commun à cause de mon entrée avec effraction et de mes actes qui peuvent s'apparenter à un vol. En plus il y avait préméditation et j'avais un complice, Fred, mais l'agent de service qui a interrompu notre action commando n'a pu identifier que moi. Nous nous étions fixés pour mission de délivrer les grenouilles et les souris blanches promises à la vivisection.

Delatre n'a rien de ces paisibles naturalistes amis des animaux et des plantes, mi-scientifiques mi-poètes, qui évoluent dans le grand jardin du monde, émerveillés par un ballet de pollen dans l'air bleuté, un chant de tourterelles ou le gazouillis des ruisseaux à la fonte des neiges. Peu lui importe, les nappes jaunes des champs de colza sous un ciel couleur d'ardoise, les nuances bigarrées des papillons ou les ombres argentées que tracent à la surface d'un étang les branches des aulnes et des saules jouant avec le soleil. Billevesées que tout cela! Delatre marche avec ses gros sabots sur les plates-bandes de la mère nature sans craindre de piétiner les insectes ou les jeunes pousses. Les petits lapins, elle les préfère en civet et les pigeons, aromatisés aux lardons avec une garniture de petits pois. Massive et bien plantée sur des mollets rondouillards, des paluches de poissonnière et le geste brusque, elle serait plus à sa place dans une ferme que dans un laboratoire. Je l'imagine parfaitement, cette grosse brute, en train de gaver ses oies et de leur tordre le cou dès que leur foie est à point. Elle serait capable de noyer, le cœur léger, des portées de chatons indésirables ou de liquider d'un coup de fusil le vieux chien de troupeau devenu inutile.

Il faut l'avoir vu disséquer un lapin vaguement anesthésié pour comprendre. Au premier coup de scalpel, comme sa victime agite encore les pattes, elle lui refile une nouvelle dose de chloroforme en lui ordonnant de se tenir tranquille. La plupart des élèves se marrent, moi, je suis horrifié. Fred a du mal à contenir sa rage. «Mon père, au moins, il les abat, ses bêtes, avant de les charcuter! bougonne-t-il en serrant les poings. Elle n'a pas le droit de faire ça!»

Je dois quitter le bloc opératoire en quatrième vitesse pour aller dégueuler mon petit déjeuner. À mon retour, le lapin est éventré et la classe se presse autour de la paillasse pour admirer le tour de main du bourreau satisfait de montrer le cœur encore en train de palpiter au milieu des viscères écartelés.

Seul au fond de la salle, tout pâle, les yeux vides, donc plein de pensées inavouables, Fred organise déjà sa contre-offensive. Il n'y a pas de temps à perdre, dès la semaine suivante, ce sera à notre tour de tailler dans la matière vive, nous sommes prévenus. Nous travaillerons sur des modèles réduits, des souris blanches; Delatre nous recommande du doigté afin de ne pas les occire d'entrée de jeu ce qui gâcherait tout le suc pédagogique des travaux pratiques. Nous étudierons les réseaux sanguins et le système respiratoire, évidemment si l'animal est mort, on ne voit plus fonctionner la mécanique pulmonaire. Ensuite, annonce-t-elle comme si elle nous promettait des friandises, nous observerons le système nerveux du batracien qui, même décérébré une fois qu'on lui a planté une pointe acérée derrière la tête, continue à réagir à l'électricité. Elle a dû faire l'Algérie, pratiquer la gégène, elle est folle, il faut absolument l'empêcher de nuire!

C'est d'autant plus dégueulasse que nos futures victimes se sont habituées à notre présence. Les souris sont presque apprivoisées, nous sommes chargés de les nourrir et elles s'approchent, pleines de confiance, dès qu'elles entendent froisser la cellophane des paquets de graines.

Et c'est au nom de la science que nous devrions les trucider! Si Delatre s'imagine que je vais me transformer en psychopathe en me retranchant derrière les ordres reçus, elle se goure. Zeler nous a expliqué que les criminels de guerre nazis jugés par les tribunaux israéliens se contentent, pour toute défense, de répéter qu'ils avaient des ordres et qu'ils n'ont fait qu'obéir. Trop commode! «Dans certaines circonstances, a commenté notre prof d'histoire, la désobéissance est un devoir.» Je suis tout à fait de son avis et ce n'est pas pour fayoter.

– Pourrais-tu préciser au conseil de quelle façon tu t'y es pris pour entrer dans la salle? interroge le proviseur.

Il est parfaitement au courant mais on dirait qu'il a envie de me faire parler, pourquoi pas, après tout nous sommes là pour ça.

– Au sparadrap.

Une méthode classique repérée dans un film de gangsters. Quand on ne sait pas forcer une serrure, on colle du sparadrap en étoile sur une vitre, celle de la porte si elle en est pourvue ou celle d'une fenêtre, ensuite on donne un coup sec avec le coude et il n'y a plus qu'à enlever le ruban adhésif où les morceaux de verre brisé sont restés scotchés. En passant la main par l'orifice ainsi ménagé, on accède sans mal ni douleur à la clenche ou à la crémone et hop, sésame ouvre-toi, la route est libre. Enfantin!

À la fois fascinés par ma maîtrise de l'effraction et terrifiés par mon manque total de repentir, les membres du conseil ont tout écouté sans m'interrompre. Revenus de leur stupeur, ils se concertent à voix basse. S'ils le souhaitent, je peux leur raconter la suite. Comment, plus morts que vifs, Fred et moi avons sauté dans la salle parce que nous avions choisi de passer par la fenêtre qui donne sur la cour arrière où est entreposé le charbon.

Dix-neuf heures et des poussières, nous sommes début

mars et il fait presque nuit, les pensionnaires qui viennent de sortir de la première étude sont déjà attablés au réfectoire. Fred a emporté un panier d'osier muni d'un couvercle où nous transporterons les souris. Pour les grenouilles, j'ai déniché dans le grenier une vieille bourriche qui fera l'affaire.

Les souris semblent joyeuses de recevoir de la visite à cette heure inhabituelle. Loin de résister, elles se bousculent presque pour entrer dans le panier de Fred, les grenouilles en revanche se font un peu prier. Ah, la tête que va faire Delatre demain matin !

En moins de cinq minutes nos protégées sont embarquées, mais le plus difficile va être de réceptionner les paniers dans la cour et surtout de quitter l'établissement sans se faire pincer. Rien à signaler, des bruits de couverts et des rumeurs étouffées nous parviennent du réfectoire. Pas de pion en vue. Tant que nous restons à l'abri des tas de charbon, tout va bien.

Ensuite, ça se complique. Avant d'atteindre les rangées de poubelles, nous devons traverser un espace à découvert et c'est là que pour moi les choses tournent mal. Que venait fabriquer par ici et surtout à cette heure le chef des agents de service ? Le fait est que je suis tombé nez à nez avec lui. Je portais les grenouilles, heureusement Fred a eu la présence d'esprit de m'arracher la bourriche des mains avant de filer droit devant avec les deux colis. L'agent ne le voyait que de dos, il enrageait: «Veux-tu revenir ici, petite fripouille !» qu'il gueulait. Moi, j'étais cuit, le type m'avait agrippé par la capuche de mon duffle-coat. J'aurais pu appliquer la tactique du lézard en me débattant suffisamment pour arracher ma capuche qui lui serait restée dans la main mais à quoi bon, il m'avait identifié. J'étais sa prise de guerre, son trophée, malgré l'heure tardive il m'a amené chez les Hary.

C'est Folcoche qui est venu ouvrir, furieuse d'être dérangée dans sa vie privée. Elle portait un tablier de cuisine, mignonne à croquer dans son déguisement de ménagère. L'agent de service a fait son rapport comme un policier s'exprimant dans un jargon réglementaire. Il cherchait ses mots, émaillant son galimatias de : « individus suspects », « effraction », « couper court à l'évasion » et surtout « nonobstant », adverbe dont il devait ignorer le sens exact et dont il se servait comme d'un signe de ponctuation.

Une fois le contrevenant déféré aux autorités compétentes, il salua l'officier supérieur et regagna ses quartiers. Folcoche me tenait à sa merci, elle tirait des petites bouffées sur sa cigarette en savourant sa victoire. On venait de lui offrir sur un plateau une occasion inespérée de déployer toute la puissance de feu d'une répression exemplaire. Ravie de l'aubaine, elle gloussait :

– Cette fois tu as dépassé les bornes, chenapan, ton compte est bon !

Le lendemain, le surveillant général m'attendait à l'entrée du lycée, un sourire finaud sur ses lèvres embroussaillées d'un bouc plus sel que poivre. Il parlait entre ses dents serrées, la pipe au bec et je ne comprenais qu'un mot sur deux. En adepte convaincu du châtiment corporel, il me soumit à la question, gifles, pincements de joues, oreilles tordues, cheveux tirés, les petits, près des tempes, là où ça fait mal surtout quand on a une cicatrice mal recollée. Bref, la routine d'un interrogatoire musclé. Ensuite, un peu de chantage. Le marché était clair, six heures de colle si je dénonçais mon complice, le conseil de discipline si je le couvrais, à prendre ou à laisser. J'ai laissé.

– Ça ne m'étonne pas de toi, s'exclame Folcoche qui doit revivre l'événement avec une intensité au moins égale à la mienne.

– Qu'est-ce que tu en as fait de tes animaux? s'informe Zeler que mon épopée semble passionner.

Aucune agressivité dans le ton, rien d'autre qu'une sincère curiosité qui me va droit au cœur. Déboussolée par son attitude conciliante, Margaron le dévisage dans l'attente d'une explication. Qui ne vient pas. L'aviatrice semble définitivement hors service, elle a dû se planter à la suite d'une vrille mal contrôlée. Hary me fait signe de poursuivre. D'accord, mais c'est à Zeler, et à lui seul que je m'adresse.

– Nous les avons remises en liberté, monsieur, les souris dans le bois de Meurain, les grenouilles dans l'étang à côté de la maison du docteur.

La prof de sciences nat ne peut s'empêcher de ricaner.

– Il est probable que tes bestioles auront été dévorées! Réfléchis, voyons, ces souris de laboratoire nées en captivité sont incapables de survivre en milieu naturel. C'était bien la peine de jouer au petit malin!

– Peut-être que oui, je rétorque, peut-être que non... Mais au moins elles auront eu leur chance!

Le clin d'œil de Zeler m'encourage à développer mes mobiles. J'explique qu'en restant prisonnières de la prof, ces pauvres bêtes étaient de toute façon promises à un supplice intolérable. Grâce à moi, elles ont gagné au change. Et même si la moitié des effectifs s'est fait bouffer, cela ne nous regarde pas! C'est la loi de la nature, dure et implacable, tuer pour ne pas être tué, certes, mais sans cruauté gratuite et inutile. Par conséquent si c'était à refaire, je recommencerais.

– Encore faudrait-il que tu en aies de nouveau l'occasion! triomphe Folcoche.

Veut-elle dire par là qu'on va me surveiller de près? Qu'ils vont mettre des cadenas aux cages des souris ou carrément protéger la salle de sciences naturelles avec une porte blindée et des barreaux aux fenêtres? Ou alors ils ont déjà pris en leur âme et conscience la décision d'écarter la brebis galeuse du troupeau.

En effet:

– Rien ne dit que tu vas rester dans cet établissement, mon garçon, annonce solennellement le proviseur.

C'est donc ça. Je suis passible d'un renvoi définitif. Ils vont me rayer des listes et m'expédier au diable vauvert avec un casier imprimé en rouge qui me poursuivra jusqu'au bac, si on me permet d'aller jusque-là! Rien n'oblige un lycée à m'accepter. Ils peuvent fort bien mettre un terme définitif à mes études secondaires et me réorienter vers la communale. J'aurai droit, après le certif, à un centre d'apprentissage. Mon père ne rougirait pas de moi, au contraire, mais quand même, je ne voyais pas les choses comme ça. C'est maman surtout qui va être déçue; quant à mon avenir sentimental, mieux vaut ne plus y penser. Françoise ne me regardera plus!

Hary m'a demandé de sortir. J'ai poireauté dans l'antichambre plus d'une demi-heure. Le conseil n'en finissait plus de délibérer. La conscience entre deux eaux, je rêvassais. Je me trouvais dans le désert, tombé d'un dromadaire pendant une marche nocturne. J'étais un passager de trop peu d'importance pour que quelqu'un se soit avisé de ma chute. La caravane s'éloignait, Framboise montait l'animal

123

de tête, je criais, je la suppliais de m'attendre mais elle ne se retournait pas car le vent chargé de sable érodait mes appels. J'étais seul, condamné à errer sans boussole dans un océan de dunes. J'attendais la nuit pour les gravir les unes après les autres, jusqu'à épuisement, persuadé qu'une fois parvenu au sommet, j'apercevrais le tracé de la piste ou la lisière d'une oasis. Mais chaque fois, je ne découvrais qu'un paysage de cratères et de bosses, un panorama lunaire où les dunes cachaient d'autres dunes, comme ça, jusqu'à l'infini. Je ne m'en sortirais jamais, j'attendais la mort, c'est Folcoche qui m'a secoué.

– Pas le moment de s'endormir, le conseil t'attend !

Elle faisait la gueule, j'ai pris ça pour un heureux présage.

– Le jury s'est montré indulgent, annonça le proviseur, tu ne seras renvoyé que pour une durée d'une semaine.

Quand la radiation n'était pas prononcée, les renvois allaient de un à sept jours. Dans l'échelle des sanctions provisoires, j'écopais donc du maximum. Le coup n'était pas passé loin.

– Ne va surtout pas t'imaginer que cette absence prolongée sera prise en compte pour excuser d'éventuelles lacunes, s'empressa de menacer Margaron.

Hary a tenu à préciser qu'au regard des fautes commises, cette sanction était d'une clémence exceptionnelle. Une moue de sombre dépit accentuait la maigreur de son visage, il était facile de comprendre qu'il en avait gros sur la patate. J'avais intérêt à me tenir à carreau car au moindre faux pas, le brave homme se ferait un devoir de me virer.

L'année scolaire n'était pas encore terminée, Folcoche allait multiplier les provocations pour me faire trébucher avant la ligne d'arrivée. À demi soulagé, j'ai quitté le bureau, il restait à annoncer la nouvelle à mes parents et ce n'était pas qu'une anodine formalité. J'informerais Fred plus tard, quant à Framboise, il ne fallait pas qu'elle sache.

Au moment où j'ai passé la grille du lycée, Grimaud m'a abordé.

– Tu dois une fière chandelle à monsieur Zeler. Pour convaincre le directeur de t'accorder une seconde chance, il a dû se porter garant de ta conduite future. Tâche de ne pas le décevoir.

L'homme en colère

Ce soir l'homme en colère étrenne son cahier tout neuf, un grand format acheté chez la vieille fille qui tient la papeterie devant la mairie. Impressionnant tout ce matériel de bureaucrate! Il s'est aussi offert un stylo Waterman, pas le modèle de luxe avec la plume en or, mais quand même, un bel objet. Pour la couleur de l'encre, il a pas mal hésité. Le rouge lui semblait bien convenir à la correction qu'il avait décidé d'infliger à ce salaud, mais ça ressemblait à du sang, et du sang, il en avait trop vu couler. Le violet lui rappelait ses pages d'écriture à l'école de son village, les années d'innocence, presque le bon temps, non il ne fallait pas se laisser aller à la nostalgie. Le bleu était une teinte trop douce, le noir était la couleur du deuil, il la trouva appropriée.

Ses doigts engourdis par des années de travaux manuels ont perdu l'habitude de tracer les lettres, quand il était gosse pourtant, l'instituteur disait qu'il avait une *belle main*. Il ne reconnaît plus son écriture. Rien de surprenant, elle a changé, comme lui. Tout s'est transformé, le monde, la géographie, les lois, les mœurs, les hommes, surtout ceux qui ont fait peau neuve, n'est-ce pas docteur?

Il relit la première page qui ne le satisfait pas, ça ressemble à une composition française de gamin. On dirait qu'il raconte l'histoire d'un autre, des faits anodins, sa haine n'apparaît pas, on ne sent pas percer l'acrimonie. Il l'arrache et s'interroge. Première question, quel est exactement son objectif?

Relater des faits, témoigner, coller au plus près à la réalité sans s'encombrer de détails. Rien de plus qu'une confession, en somme, sauf que maintenant, il faut écrire.

Deuxième question, à qui s'adresse-t-il?

À Verdier bien sûr, alors pourquoi se tracasser, il n'a qu'à mettre sur papier ce qui lui passe par la tête sans se soucier de correction ou de style. Manquerait plus qu'il prenne des gants avec ce fumier! Mais il a prévu d'en envoyer aussi un exemplaire aux autorités, ce qui change tout.

L'idéal serait de s'enregistrer, c'est d'un magnétophone qu'il a besoin, pas d'un cahier! Non, DEUX magnétophones, un pour vider son sac, l'autre pour copier la première bande. Ça va coûter cher! On verra. Pour ce soir, il va essayer de se débrouiller avec ce qu'il a.

Soulagé d'avoir trouvé une solution de rechange, il se met à l'ouvrage. Au cinquième brouillon il trouve le ton juste et, à son grand étonnement, résume d'une seule traite tout ce qu'il avait ruminé l'autre soir après s'être cogné sur les affiches électorales. Trois pages sans ratures, un exploit! Pour l'orthographe, il n'est sûr de rien, qu'importe, faut battre le fer quand il est chaud.

«La première fois que je t'ai vu tu devais avoir onze ans, j'en avais huit, c'était chez toi, à Steenwerck, dans votre vieille bâtisse de famille, j'accompagnais mon père. Peintre en bâtiment, il travaillait pour un entrepreneur du coin; les dimanches et le soir quand il ne rentrait pas trop tard, il acceptait ici et là des petits boulots au noir, des *brocantes*, comme on dit, pour arrondir nos fins de mois. Tes vieux avaient les moyens de payer le prix fort à un artisan, mais quand on est radins, un sou c'est un sou, pas vrai?

«Donc j'accompagnais mon père. Je lui servais d'arpète, lessivage des boiseries, ponçage, nettoyage des pinceaux. Votre parc ressemblait à un jardin public, il y avait même un kiosque avec des colonnes au bord d'une pièce d'eau. Je n'avais jamais vu de maison aussi grande, de plafonds aussi hauts. C'était un dimanche, vous étiez à la messe et ta mère nous avait laissés seuls avec la cuisinière.

«On préparait le salon, aussi spacieux qu'une salle de bal, avec deux cheminées en marbre, une à chaque bout. Du parquet à chevrons tellement bien ciré qu'on risquait de se casser la gueule à chaque pas, des fauteuils, des canapés, un piano à queue et surtout des murs pleins de tableaux et de miroirs avec des cadres dorés, ça allait être coton de repeindre le plafond et les boiseries dans un bazar pareil sans rien casser ni éclabousser. Pendant que mon père regroupait les objets fragiles dans un placard qu'on lui avait indiqué, je roulais les tapis. Il avait fallu ensuite tendre des bâches partout.

«Et puis vous êtes rentrés de l'église, tes parents habillés de noir comme pour un enterrement, ton père coiffé d'un chapeau boule, ta mère d'un immense truc à voilette, toi, tu portais un costume marin. Ce que tu pouvais avoir l'air cloche dans cet uniforme de nain!

«L'après-midi, tu es venu nous regarder bosser. Pour te donner une contenance tu faisais semblant de lire, assis dans ton coin, sage comme une image. Par-dessus la couverture de ce bouquin tu nous épiais en douce comme un petit contremaître posté là par sa mère. Moi aussi, je t'avais à l'œil. Dame, des petits milords, j'en voyais pas tous les jours, t'étais une sorte de bête curieuse! Mon père sifflotait. Un moment, t'as essayé de faire pareil mais aucun son ne sortait, alors je t'ai montré comment faire. Le contact était établi, tu n'attendais que ça pour me raconter ta vie. Tu m'as dit que tu étais fils unique. Tu voulais savoir si j'allais à l'école, toi, tu étais interne chez les frères, à Dunkerque, dans un collège très réputé, premier de ta classe et encore meilleur latiniste qu'helléniste. Des mots que je ne comprenais pas. Je t'ai demandé de répéter et ça t'a bien fait rigoler. Tu disais que c'était normal que je ne sache pas puisque les enfants comme moi n'avaient pas besoin d'étudier des choses difficiles. Sale con! Tu faisais mine de te rapprocher de moi et en même temps tu marquais les distances. En vérité, tu ne pouvais pas t'empêcher de la ramener. Tu te sentais déjà supérieur, tu répétais que tu serais docteur comme papa, que tu gagnerais beaucoup d'argent et que tu deviendrais un homme très important. Sur ce point-là, félicitations, tu as tenu parole! Ensuite ta mère t'a appelé et tu nous as fichu la paix.

«Nous sommes revenus chaque soir de la semaine, le travail avançait bien. Le jeudi, mon père a trouvé un billet de banque sous le piano, je ne sais plus de combien mais c'était une grosse coupure. Il n'était pas content, ce coup-là, on lui avait fait plus d'une fois, c'était un truc classique chez les riches pour éprouver l'honnêteté des ouvriers. Si les gars tombent dans le piège, ils se font virer sans toucher un sou et le boulot qui est fait est fait, c'est tout bénef.

«Il l'a posé bien en évidence sur le couvercle du clavier avec un petit bibelot dessus. Ta mère a remis ça le lendemain, cette fois le billet se trouvait sur un rebord de fenêtre. Le samedi, rebelote, entre deux coussins de canapé et ainsi de suite en changeant de cachette tous les jours jusqu'au mardi suivant. Ah, elle avait de la suite dans les idées, la carne! Je trouvais ça rigolo, cette chasse au trésor, mais mon père en a eu marre, alors il a pris un clou de 110 et a planté le bifton bien profond entre deux lattes de parquet: "Maintenant il s'envolera plus!" qu'il a ronchonné. Enfin il l'a dit en flamand, c'est comme ça qu'on parlait chez nous. Ta mère a immédiatement cessé ce petit jeu. À la fin des travaux, elle a payé sans marchander mais elle n'a jamais plus fait appel à nos services.

«Je te raconte tout cela pour te rappeler à quel point tu as été à bonne école. Élevé par des bourgeois rances, hypocrites, malhonnêtes et avares au point de pousser le petit personnel au vol. Des cagots qui ont dû te seriner dès le berceau que tu étais né pour diriger ton monde. Éduqué, pour ne rien arranger, par des curés qui ont dû te remettre pas mal de louches de fourberie dans le ciboire, tu avais tout ce qu'il faut pour devenir un traître. Tu vois, mon salaud, j'essaie de te chercher des circonstances atténuantes. Je ne suis pas un mauvais cheval, finalement.

«À treize ans, j'ai quitté l'école. Mon père m'a présenté à son patron qui m'a pris à l'essai comme apprenti. Pas concluant. Je n'avais pas envie de me perfectionner dans un métier qui me donnerait tout juste le droit de joindre les deux bouts, et encore! Alors je suis allé en filature, à Armentières, c'était encore pire. Fallait prendre le car tous les matins avant l'aube, on tournait plus d'une heure dans la Flandre profonde pour ramasser les ouvriers, ensuite c'était direct jusqu'à l'usine. Je passais d'un poste à l'autre, j'allais où on avait besoin de moi, au lavage, au battage, au cardage. Un boucan à te rendre fou, toute la journée à s'agiter dans une chaleur humide, je n'étais jamais assez rapide, l'enfer au quotidien!

«Le soir, quand on sortait, il pleuvait. Encore l'humidité, glaciale celle-là, j'étais gelé, je claquais des dents. Ou alors c'était le vent du nord, bien sec, un vent de mort qui te coupait en deux et te fichait des pneumonies plus souvent qu'à ton tour. Je n'étais pas bien costaud, tout le temps malade, je maigrissais, mais comme disaient les vieux de la vieille qui étaient passés par là avant moi: "Faut s'endurcir. Si on se dorlote, c'est foutu!"

«En 36, j'avais dix-neuf ans. Un peu avant la grève générale, la médecine du travail m'a trouvé une tache au poumon, j'y ai gagné six mois de sanatorium en Savoie mais surtout, ça m'a valu, en rentrant, d'être réformé par le conseil de révision. La direction de la filature m'a offert un petit emploi dans les bureaux, une occupation pas trop fatigante qui m'a permis de me refaire une santé. Je m'occupais du courrier, je classais les dossiers, je nettoyais les locaux, tu vois, rien de folichon.

«À l'usine, l'ambiance avait changé. Avec le Front populaire, les gars étaient remontés à bloc, les congés payés, les quarante heures, tout ça, ils croyaient avoir décroché la timbale. Les syndicalistes essayaient de m'embobiner mais je n'en avais rien à foutre de leurs associations de prolos! Améliorer les conditions de travail, l'Internationale ouvrière, le pouvoir aux travailleurs... ils ne parlaient que de travail, ces cons-là, mais ce que je voulais, moi, c'était me la couler douce.

«Au sana, j'en avais pris l'habitude et pour tout t'avouer, ça me plaisait bien. J'avais vu les gens de la ville qui venaient faire du ski, certains possédaient de confortables chalets, d'autres s'offraient l'hôtel de luxe, ils avaient de belles bagnoles et des femmes comme on n'en imagine pas dans nos campagnes arriérées. Cette vie-là, j'avais envie d'y goûter avant de finir dans le trou. Je n'étais pas bâti pour faire de vieux os, il n'y avait donc pas de temps à perdre. Mon idée était désormais de me trouver une planque en première classe, et de n'importe quelle manière ! Aux gens de mon espèce, l'honnêteté n'apporte que le droit d'en baver en menant une existence de traîne-misère. En revanche, ceux qui s'en tirent le mieux sont les lèche-bottes, les futés qui ne s'embarrassent pas de scrupules. Rien ne m'empêchait de les imiter. Quels étaient mes atouts ? Une belle gueule. Je plaisais aux femmes, j'avais eu l'occasion de le constater avec les infirmières au cours de mon repos forcé chez les tubards. Alors j'ai fait le joli cœur. Évidemment, Armentières ce n'est ni Chamonix, ni Cannes, ni Biarritz, mais pour mes débuts je devais me contenter de cibles modestes. Si ces galops d'essai s'avéraient prometteurs, j'aviserais pour la suite.

« J'ai eu quelques maîtresses, des bourgeoises qui s'ennuyaient à mourir, ni belles ni moches mais élégantes et surtout très généreuses. L'une d'elles, la plus vieille, la veuve d'un grossiste en mercerie, me proposa même d'habiter chez elle, en toute discrétion bien sûr, pas question de faire jaser les clients. Tu parles que j'ai accepté ! Fini les allers-retours en autocar, je gagnais des heures de sommeil, j'étais bien nourri, sapé comme un prince, tout ça en échange de quelques gentillesses qui ne me demandaient pas trop d'efforts. Je n'avais qu'à me laisser bichonner, elle m'adorait, je la rajeunissais, j'aurais pu pousser mon avantage et jouer le jeu à fond jusqu'au mariage. T'imagines, passer du statut de gigolo à celui de commerçant établi, quelle ascension vertigineuse !

133

«Ma chance a tourné le jour où je suis tombé amoureux. Pas de ma mercière, tu t'en doutes, mais d'une employée de bureau. Belle, farouche, blonde comme un champ d'orge, des seins à te donner le tournis, un cul à damner un prêtre, elle s'appelait Denise. Plutôt que de moisir dans les paperasses, elle aurait pu tenter sa chance à Paris et devenir une vedette. Mais elle ne voulait pas quitter la région où ses parents étaient enterrés. Elle vivait avec son frère, un idéaliste qui rêvait de redonner au peuple flamand de France une conscience nationale.

«Tu commences à comprendre où je veux en venir, toubib? La jolie Denise... tu n'as pas pu l'oublier! Une fille sérieuse, bonne réputation, pas le genre à sauter à la tête du premier venu. Enfin, elle permettait que je la fréquente, c'était déjà ça. Plus elle me résistait, plus j'étais mordu.

«J'avais rompu avec ma vieille mais comme je ne concevais plus de retourner à Steenwerk, je louais une piaule en ville. J'attendais Denise à la sortie des bureaux, je lui offrais des fleurs, je l'invitais au cinéma, au restaurant, nous sommes même allés à Lille plusieurs dimanches de suite pour regarder les vitrines et passer l'après-midi dans des cafés-concerts. Tout mon pognon y passait. Cependant, semaine après semaine, je gagnais du terrain, je la désirais, je n'en pouvais plus d'attendre.

«Un soir, elle m'annonça qu'elle souhaitait me présenter son frère, sa seule famille. Bizarrement ça ne m'enchantait pas trop. Épouser Denise, c'était renoncer à mes projets d'évolution sociale, accepter de vivre sur nos deux petits salaires et végéter tranquille dans un quartier ouvrier plein de marmaille en attendant d'y ajouter nos propres rejetons. J'étais amoureux, mais pas au point de mettre tous mes œufs dans le même panier. Je savais qu'une fois la fille consommée, le bel amour se refroidirait et je voulais garder mes coudées franches. Mais Denise devenait insistante, sans aller jusqu'à me mettre au pied du mur en précipitant la date du mariage, elle réclamait des garanties, du sérieux, des promesses et des serments. Quand je pense à la façon dont cette garce a évolué au cours des années qui ont suivi et à la tournure qu'a prise notre histoire, je me dis que j'ai eu bien tort de m'embarrasser de tous ces scrupules. J'aurais dû la prendre de force, ça m'aurait à la fois calmé, purgé le cœur et délivré de ce ridicule corset d'amoureux transi et pomponné comme on en voit sur les cartes postales de la Saint-Valentin. Mais n'anticipons pas, à cette époque, elle ne se connaissait pas encore. Elle se croyait l'âme fleur bleue, elle avait des exigences de sainte Nitouche et comme je n'étais pas très clair, moi non plus, j'ai marché dans la combine.

«J'ai donc rencontré le frangin, Georges, un drôle de type, complètement fou! Avant même de passer à table, il m'a farci la tête d'un tas de théories fumeuses sur l'avenir de la Flandre libre. Comme je parlais flamand, je lui ai plu immédiatement. Il m'a demandé si j'étais socialiste ou communiste, si j'étais lié de près ou de loin avec ces bandes de bolchos qui louchaient en direction de Moscou. J'ai rigolé, lui aussi. À la bonne heure! On a trinqué à ma bonne mentalité.

«Le mec se disait séparatiste; à l'en croire, nous étions colonisés par les Français depuis trois siècles mais bientôt nous aurions l'occasion de retrouver notre orgueil et notre véritable grandeur. Il m'assura que de l'autre côté de la frontière, de Ypres à Gand, de Bruges à Anvers, ils étaient nombreux à penser comme lui. L'édification d'une *Grande Néerlande* englobant la Flandre française, la

Belgique et la Hollande était pour bientôt. Hitler avait su dynamiser l'Allemagne, personne en Europe n'était de taille à lui résister, il avait déjà fait pas mal de ménage chez lui en rabattant le caquet des Juifs, rien ne l'empêcherait de continuer la nécessaire épuration ethnique dans les pays voisins, les slaves, les latins et les métèques n'auraient qu'à bien se tenir. Nous, nous n'avions rien à craindre, au contraire ! Nous appartenions à la race germanique, un sang pur coulait dans nos veines, le Führer saurait nous rendre la place qui nous revenait de droit dans l'Europe de demain. Des gens, ici, préparaient déjà l'avènement de cet ordre nouveau, ils étaient regroupés dans le *Vlaamsch Verbond van Frankrijk*, l'association des Flamands de France dirigée par un prêtre, l'abbé Gantois, un grand homme qu'il se proposait de me présenter.

« Pendant qu'il déblatérait, je regardais Denise, ses yeux brillaient, à un moment elle m'a pris la main, heureuse d'avoir choisi un garçon qui plaisait tant à son grand frère, un futur fiancé dont elle n'avait pas à rougir et qui, elle n'en doutait pas, rejoindrait bientôt l'élite de l'Europe de demain. Je me fichais éperdument de Georges et de son baratin, tout ce que je voulais, c'était sa frangine. Et pour cela, j'étais disposé à entendre les pires conneries, à approuver et applaudir n'importe quel discours politique. Le soir même, victoire, Denise accepta de passer la nuit avec moi. Avec la bénédiction du frangin en sus ! Je n'en revenais pas.

« Deux jours plus tard, je les ai suivis dans une salle paroissiale où l'abbé Gantois faisait une conférence. Il n'y avait pas grand monde, une trentaine de personnes tout au plus. À la tribune, deux hommes encadraient le curé. Celui de droite, Verdier, c'était toi. »

11

En quittant le lycée, je n'avais rien de ce soldat grec tout feu tout flamme qui ramena coudes au corps les dernières nouvelles de Marathon. J'avais opté pour un mode de progression lente, épaules basses, rasant les murs, persuadé que le verdict du conseil de discipline était épinglé au dos de mon pull. Je me sentais graine de voyou, banni et puni, Pinocchio oreilles d'âne et nez télescopique.

Au passage à niveau, la barrière était baissée, une motrice faisait des navettes entre une voie de garage et les entrepôts de chez Cérestar. Quelques piétons prenaient le risque de traverser quand même entre deux passages de la loco, un automobiliste impatient dérouillait son klaxon.

De l'autre côté, sur la porte de la cabine EDF, les partisans du docteur Verdier avaient placardé une nouvelle série d'affiches. Sur certaines, il posait devant une bibliothèque remplie de livres aux reliures précieuses, sur d'autres, dans un verger au milieu de pommiers en fleurs. Je lui ai tiré la langue. Dans sa jeunesse, il n'avait certainement jamais subi l'humiliation d'un conseil de discipline, au contraire, il devait récolter les prix d'excellence et ne jamais quitter la première place au tableau d'honneur. Il ne trichait pas aux examens et charcutait les souris sans faire d'histoire. À mon âge, il avait déjà compris qu'il ne faut pas s'encombrer de sensiblerie. Ça devait être une pointure en sciences nat, Verdier, la preuve, après le bac, il a fait médecine, un domaine où il vaut mieux être endurci car on m'a raconté que les étudiants dissèquent de vrais cadavres conservés dans le formol. À cette pensée, ma cicatrice s'est réveillée.

Pour me sortir le docteur de la tête, je me suis concentré sur la loco; ses manœuvres terminées, elle s'éloignait mais le passage restait fermé pour l'express de 19h08 en provenance de Dunkerque. Le train des Anglais, rien que des businessmen avec *attaché-case* et parapluie, des cousins de Mister Austin plongés dans la lecture du *Times*, d'anciens bons élèves, je présume. Quand il est passé comme une flèche, j'ai fermé les yeux, écœuré. Il me restait encore toute la rue Roger-Salengro à descendre, comme je n'avais pas envie de croiser de visages familiers, j'ai accéléré.

Arrivé devant la maison, j'ai senti immédiatement qu'une surprise m'attendait. Une délicieuse émotion m'a caressé à rebrousse-poil comme une vibration à peine perceptible dans l'air encore cru d'un premier matin de printemps. J'ai pensé à Marcel, à ses perceptions extra-sensorielles de chaman mongol, peut-être que le frangin m'avait communiqué un peu de ses pouvoirs... Je suis resté un bon moment immobile sous le porche, les yeux fermés, interrogeant cette intuition qui me bouleversait.

Quand je les rouvre, j'aperçois Framboise!

Elle-même, mademoiselle Verdier en tenue d'équitation. Un rayon de soleil l'éclaire de côté, c'est la même clarté éblouissante qu'hier lorsqu'elle m'est apparue après ma chute de vélo.

Je ne comprends pas, à cette heure-ci, elle devrait être chez ses bonnes sœurs. Elle m'adresse un signe de tête distant comme si j'étais un inconnu. Sur le banc en pierre devant la fenêtre de la cuisine, elle est assise jambes croisées, le regard vers nulle part. De temps en temps, elle cingle sa botte de petits coups de cravache. Elle se donne des allures de princesse en vadrouille offusquée de poireauter à la douane parmi des immigrants encombrés de baluchons.

J'ai déjà assisté à une scène similaire à la mairie où maman m'avait envoyé chercher un extrait de naissance. La file d'attente était assez longue et les gens prenaient leur mal en patience sauf une grosse dame apoplectique. Elle protestait sans s'adresser à personne mais à voix suffisamment haute pour que tout le monde en profite.

Françoise n'en est pas encore là, j'exagère ! Ce que je prends pour de la suffisance n'est peut-être que de la réserve ou de la timidité. Mon père n'est pas très doué pour mettre les gens à l'aise, surtout quand il travaille.

– Jamais rien vu de pareil, nom de Dieu ! bougonne-t-il. Complètement salopé, ce boulot, j'voudrais bien dire deux mots au sagouin qui a ferré cette jument la dernière fois !

Maman néglige ses obligations de maîtresse de maison, elle aurait pu offrir un verre de limonade à notre visiteuse en laissant à Josiane le soin de faire la conversation. Force m'est de constater que mes proches souffrent d'un cruel manque de savoir-vivre. Mon éducation a été négligée, comment s'étonner que je sois devenu un repris de justice scolaire ! À ce propos, il va falloir mettre le chef de cette famille laxiste au courant de ma condamnation. Tel que je le connais, il ne voudra jamais admettre sa part de responsabilité dans ce fiasco, il va tout me coller sur le dos, ça promet.

Pour l'instant, le maréchal ne s'est pas encore rendu compte que le fils indigne était de retour. Trop occupé avec Ouria. Il lui parle à l'oreille, lui demande de plier son antérieur gauche afin de pouvoir parer le sabot. Elle obéit sans rechigner, les chevaux n'ont jamais rien su refuser à mon père. Il cale le canon de la patte sur son tablier de cuir entre ses cuisses serrées et commence à tailler la corne. De cette opération délicate dépend l'équilibre de l'animal, il ne restera plus ensuite qu'à adapter le fer à chaud.

– Elle boitait un peu, explique Françoise soudain moins bêcheuse, mais votre père a dit que ce n'était pas grave.

Fernand relève le nez, s'avise de ma présence, soupire et me scrute intensément sans desserrer les dents. Trois secondes, pas plus, mais j'ai déchiffré dans ses yeux la question qui le tracasse. Puis il reprend son travail, nettoie un autre sabot, s'interrompt de nouveau et cette fois me demande comment s'est terminé le conseil. Ma mine déconfite se passe de commentaires. Il n'insiste pas.

– Quel conseil? interroge la cavalière.

Je botte en touche:

– Je croyais que tu… que vous étiez pensionnaire…

– Pas cette semaine, explique-t-elle, les sœurs ont emmené les élèves en classe verte dans les Ardennes et j'ai préféré me faire dispenser. Cette région me rappelle trop de mauvais souvenirs alors la mère supérieure s'est montrée conciliante.

Dommage que Fernand soit contre l'enseignement privé car j'ai la nette impression que les autorités y sont plus complaisantes que dans le public. Je me vois mal en train de baratiner le surgé pour échapper à une visite au musée des Beaux-Arts de Lille sous prétexte que je suis allergique à la peinture à l'huile. Je me suis déjà renseigné, rien que pour être dispensé de football, il faut des papiers du centre médico-social, autant dire que c'est aussi difficile que de se faire réformer au conseil de révision. Dans le quartier, à l'époque de la guerre d'Algérie, les quelques tire-au-flanc qui ont tenté leur chance à ce petit jeu-là se sont retrouvés dans des bataillons disciplinaires! Être une fille, finalement, ne présente pas que des désavantages.

– Autrefois, j'allais très souvent dans les Ardennes, poursuit Françoise.

– Ah bon?

– Dans une vie antérieure, ajoute-t-elle d'un air absent.

Ça veut dire quoi, une *vie antérieure*? Bien que la question me brûle les lèvres, je sens qu'il serait indiscret de la poser. La vie future, d'accord, c'était au programme du catéchisme. Ça concerne notre avenir après la mort sous forme de pur esprit en attendant la résurrection de la chair qui, le moment venu, posera sur cette planète un gravissime problème de surpopulation. Mais la *vie antérieure*? À part la période des choux et des roses, je ne vois rien d'autre.

– Alors comme ça, c'est ici que vous habitez, constate Françoise.

Son regard englobe toute la cour, la forge, les dépendances, l'amoncellement de tôles rouillées et de ferrailles où mon père puise les pièces pour ses avions, la maison dont la façade aurait bien besoin d'être rafraîchie. Eh oui, notre résidence a moins d'allure que son manoir Second Empire! Désolé, mademoiselle, mon père n'est ni docteur ni châtelain, encore moins les deux, il n'est que maréchal-ferrant mais convenez que c'est bien pratique d'en trouver un quand on doit remettre d'aplomb un cheval qui boite!

– C'est mignon, convient-elle une fois son tour d'horizon achevé, très pittoresque, vraiment!

Pittoresque... c'est cela, oui, quelque chose comme le *douar* arabe, le tipi indien ou la case de l'oncle Tom! Elle doit penser que l'eau courante n'a pas encore été installée et que nous nous éclairons à la chandelle. Pourvu qu'elle ne remarque pas l'antenne de télévision sur le toit, ça casserait le délicieux archaïsme du tableau.

Oh, et puis, qu'est-ce que j'en ai à faire de son avis? Que cette maison soit jolie, pittoresque ou bucolique, je ne me suis jamais posé la question. Elle est comme elle est, voilà tout. Je n'en ai jamais connu d'autres, je n'ai pas eu de *vie antérieure*, moi, j'essaie de me débrouiller avec celle-ci, même que ce n'est pas tous les jours facile.

– Elle me rappelle une ferme où nous avons été obligées de nous arrêter une fois avec ma mère à cause d'une panne de voiture. Nous allions en cure à Royat. C'est en faisant un détour pour éviter Vichy, comme mon père nous l'avait conseillé, que nous nous sommes égarées. Vous connaissez le Massif central?

Il me reste bien quelques souvenirs des cours de géographie: Massif central, château d'eau de la France. Le plateau de Millevaches, le mont Gerbier-de-Jonc (altitude 1 551 mètres) où la Loire prend sa source, les volcans éteints de l'Auvergne qu'on appelle des puys. À part ça...

Mais Françoise a déjà changé de sujet, elle évoque ses voyages, les grands, les vrais, vers l'étranger, là où on parle d'autres langues, où les coutumes sont différentes. Sa mère l'a emmenée en Italie, en Espagne, elles ont même pris le bateau jusqu'en Grèce! Bon sang, elle a vu l'Acropole! Et aussi au Cameroun, une fois, pour accompagner une sœur de la Sagesse qui rejoignait une mission. Faudrait pas croire qu'elle m'impressionne, je ne suis pas un nul, j'ai un pote qui est allé au Maroc!

– C'était avant, soupire-t-elle.

Ah, la nostalgie, quand ça vous tient! Puisqu'elle semble apprécier l'exotisme, je sens que je vais lui raconter les steamers qui descendent le Mékong, l'Indochine et les nuits torrides de Saigon, les touffeurs et les salons de premières où les messieurs en smokings blancs offrent des *drinks* aux jeunes aventurières en quête d'émotions fortes. J'ai une cousine qui en connaît un rayon côté balades tropicales, même si la ville la plus au sud où elle ait jamais mis les pieds c'est Arras, chef-lieu du Pas-de-Calais! Je pourrais même forcer le trait, puiser dans ma culture Tintin, Spirou ou Bob Morane, baratiner sur le Lotus bleu, la jungle birmane, l'Ombre jaune et le Masque de jade. Elle serait époustouflée, Framboise, battue à plates coutures, l'Europe, tu parles! Qu'est-ce que c'est, l'Europe? Et même le Cameroun, rien du tout!

– L'été dernier, poursuit-elle, mon père m'a emmenée au bout du monde. Nous avons traversé l'Atlantique jusqu'à Houston, notre première escale, il en restait encore trois autres, Caracas, São Paulo et Buenos Aires, je pensais que nous n'arriverions jamais.

Qu'est-ce que c'est que cette famille qui ne fait jamais rien ensemble, tantôt elle s'offre des croisières avec maman, tantôt des vols long-courriers avec papa, pourquoi jamais avec les deux?

– Nous sommes allés au Paraguay, mon père a des amis qui se sont installés là-bas. Vous voyez où se situe le Paraguay?

Inutile de me faire un dessin, chère amie. Sur l'Amérique du Sud, je suis incollable. Le Pérou, *Le Temple du Soleil*, les Incas, la momie de Rascar Capac et son bracelet sacré. La ténébreuse affaire de *L'Oreille cassée* qui m'a mené jusqu'au San Theodoros, capitale Las Dopicos, pendant le coup d'État du général Alcazar renversant le régime de cette canaille de Tapioca. Les Indiens Arumbayas qui chassent à la sarbacane, les rios infestés de piranhas. Sans oublier les forêts impénétrables de Palombie où vivent les marsupilamis filmés par Fantasio et son équipe. Mais j'écrase. *La parfaite raison fuit toute extrémité. Et veut que l'on soit sage avec sobriété.* De qui sont ces vers déjà ?

Un long silence s'est installé, rompu par Fernand.

– Dites, les enfants, j'en ai encore pour un petit moment, pourquoi vous n'allez pas faire un tour au jardin ? J'ai vu qu'il restait pas mal de muguet.

Mon père me propose d'aller compter fleurette, je n'en crois pas mes oreilles ! Françoise s'est déjà levée, elle adore le muguet, malheureusement chez eux ces trois dernières années ont été mauvaises comme si les plants s'éteignaient peu à peu, épuisés par leur abondance passée. C'est étrange pour une fille de son âge de toujours parler du bon vieux temps !

– Avec ma nurse anglaise, on faisait des bouquets énormes qui parfumaient toute la maison. Elle s'appelait Joan.

– Une fille qui s'appelle John, ça ne m'étonne pas des Anglais !

Françoise éclate de rire. Première fois que je la vois se fendre la pêche d'aussi bon cœur et il faut que ce soit à mes dépens.

– JOAN, pas John, articule-t-elle, Joan est un nom de fille, voyons !

Moi j'entends *djone*, un point c'est tout, fille ou garçon, *exkiouse-mi*, mais ça sonne kif-kif. Elle va finir par me vexer celle-là, avec son accent à la Folcoche.

– Elle était de *saucebeuwoué*.

– ... ?!

– *Saucebeuwoué*... Salisbury, si tu préfères, une ville du sud-ouest de l'Angleterre, du côté de Winchester, tu sais, comme les carabines dans les westerns...

– Les carabines ?

– Laisse tomber les cow-boys, c'était juste pour te situer... Je disais donc que Joan était de Salisbury. Sa-lis-bu-ry, détaille-t-elle, syllabe par syllabe, en forçant sur la prononciation à la française.

C'est bon, j'ai compris, pas la peine d'insister grossièrement comme si j'étais le dernier des demeurés ! N'empêche que je n'aurais jamais cru que ça se disait d'une manière aussi tordue, Salisbury. Il faut traîner sur le *au* de *sau-au-auce*, sans oublier le *r* british, une sonorité inarticulable entre *w* et *ouè*, le tout en faisant une bouche en cul de poule, vachement snob dans le ton : *sau-au-auce-beuwouè* ! Pendant qu'on y est, je devrais en profiter pour lui demander comment on doit s'y prendre pour prononcer correctement *Worcestershire*, c'est le nom d'un comté, je sais, mais aussi la marque d'une mixture brunâtre au goût dégueulasse, vendue dans une petite bouteille, que mon père aime bien avec ses biftecks. À la maison, on appelle cette bizarrerie de la «sauce anglaise», ça simplifie tout. D'ailleurs, Fernand est le seul à en consommer, comme la harissa, le gingembre en poudre et le poivre de Cayenne.

– Alors, on y va ? demande-t-elle, toute guillerette.

T'as raison, ça vaudra mieux que de parler angliche. De toute façon, j'en suis incapable et ce n'est pas près de

145

s'arranger vu que voilà des semaines qu'on est au point mort sur l'anniversaire de Margaret et qu'on patauge dans les verbes irréguliers. Et ça, pour parler franc, j'en suis gavé, stop, finish! Contrairement à vous, princesse, je n'ai aucun lien affectif avec cette langue. Je n'y ai pas été initié par une nurse tout en douceur et gentillesse, mais par une mégère avec qui, depuis que je fréquente le lycée, je n'ai jamais connu le début d'un commencement d'une broutille de bon moment susceptible de me donner un zeste de vibrato émotionnel.

Nous longeons l'allée de terre battue entre les parcs à légumes jusqu'au couvert des noisetiers au fond du jardin où, dans un fouillis de mousse et de verdure, émergent des bouquets de clochettes blanches.

– Oh, mais vous en avez encore des quantités!

Françoise s'accroupit avec précaution pour ne pas les écraser, elle m'a laissé sa bombe et sa cravache que j'accroche à une branche basse pour l'aider à écarter les feuilles encore humides de la pluie d'hier. Le soleil qui s'est réveillé tard a décidé de se faire pardonner avant la tombée de la nuit. Nous sommes front contre front, enfin presque, ses cheveux effleurent mon bras, nos mains se frôlent, je me sens tout chose.

– Il ne faut pas briser les tiges, Gilbert, il suffit de les prendre à la base avec douceur et de tirer délicatement vers le haut, comme ça, regarde, elles glissent toutes seules hors de leur gaine!

Ma maladresse la fait gémir.

– Non mais, quel empoté, laisse-moi faire!

Elle ressemble à une petite fille qui cherche des œufs de Pâques, nos souffles s'emmêlent dans le parfum d'humus comme le chèvrefeuille au coudrier, à la vie à la mort.

146

En juillet il y aura des framboises et Françoise reviendra. À la fin de l'été, nous irons cueillir des fraises des bois et en automne, des noisettes.

En se redressant, elle approche le brin de muguet de son petit nez, en savoure longuement le parfum, puis elle pose ses lèvres sur la grappe de clochettes avant de me l'offrir. Bon sang, je n'ai même pas pris le temps de me laver les mains!

— Souvenir, dit-elle, garde-le, dommage que cela ne soit pas du myosotis…

— Pourquoi?

— Parce qu'en anglais on dit *forget-me-not.*

— Et ça veut dire?

— Ne m'oubliez pas.

— Une fleur qui s'appelle: *ne m'oubliez pas?*

— Oui, en allemand aussi d'ailleurs: *Vergissmeinnicht.*

Mais pourquoi est-elle aussi frimeuse? Elle se fatigue pour rien, elle me plairait davantage sans tralala.

— Ne me dis pas que tu parles aussi allemand!

— Moins bien que l'anglais, j'avoue, mais je me débrouille correctement, surtout depuis que je passe les fêtes de Pâques en Forêt noire.

Et c'est reparti pour une nouvelle volée de poudre aux yeux. Ah! les fêtes allemandes, Noël, par exemple, le fameux marché de Cologne, il faut avoir vu ça au moins une fois dans sa vie! Et Pâques, là-bas c'est toute une ambiance, on n'offre pas de cloches aux enfants, ni poules ni œufs, mais des petits lapins.

Et alors, ça change quoi, des petits lapins à la place des cloches et des œufs, l'essentiel c'est qu'ils soient en chocolat!

Mon pied vient de se prendre dans un entrelacs de lise-rons, je trébuche, me rattrape à l'épaule de Françoise, elle ne dit rien. Elle ne cherche pas à repousser ma main que le velours de sa veste hypnotise. L'étoffe est douce, la fille est belle. Bon sang, trop belle pour moi, j'en chialerais!

— Tu sais que tu as des yeux d'écureuil? dit-elle.

— Qu'est-ce que c'est des yeux d'écureuil?

— Des yeux noisette.

Ses paroles vibratoires font vaciller mon cœur. Mes intestins grêles et gros font des nœuds.

Je l'aime, oh que je l'aime! Embrasse-la, Gill, tout de suite, profite de l'aubaine sans remettre à demain. Sois un homme, bon sang!

Ses joues sont à portée de mes lèvres, pourtant Françoise me paraît encore plus éloignée que lorsqu'elle est absente. Nous sommes l'un contre l'autre, cachés par les branches, nous venons d'entrer dans un nid tapissé de duvet, plus haut que celui des pies, nul ne peut nous atteindre. Tout est possible et impossible. Emprisonné dans une camisole d'émotions troubles, je suis bon à rien.

— Tiens, dit-elle en m'offrant un autre brin, accroche celui-là à ta boutonnière, ça porte bonheur.

— Garde-le plutôt pour ton père!

J'ai lâché ça très vite, sans réfléchir. Terrifié par ma bêtise, je me mords les lèvres. Qu'est-ce qui m'a pris? Framboise se recule brusquement et me dévisage, plus sidérée que si je l'avais giflée. Un éclair de reproche fulmine dans son regard éperdu, elle serre les poings très fort, le brin de muguet n'est plus qu'une bouillie verte.

— Qu'est-ce qu'il vient faire ici mon père? souffle-t-elle.

On se le demande, vraiment! Le charme est rompu, j'ai tout gâché. Le miroir magique où se reflétait le début de notre belle histoire est en mille morceaux, sept ans de malheur!

Elle est au bord des larmes. Je devrais la consoler, lui faire un bisou de paix, lui montrer un autre visage, un autre moi-même, mais je ne peux que bredouiller :

– Ben... c'est-à-dire... ton porte-bonheur... Le muguet, j'veux dire... il va en avoir besoin, ton père. À cause des élections... Il est candidat, non ?

– Oh, ne te fais pas de souci pour lui, il gagne toujours.

12

– Cette fois, garçon, t'as touché le gros lot!

Si Fernand croit deviner que Françoise est tombée amoureuse de moi, il a tort. C'est raté. J'ai tout fait capoter, le chevalier à la triste figure a déçu sa Dulcinée. Et puis, le docteur Verdier va devenir un homme politique important, il ira s'installer à Paris. Framboise sera reçue à l'Élysée, elle fera la révérence au Grand Charles et tous les fils de ministres se disputeront le privilège d'inscrire leur nom sur son carnet de bal. De temps en temps, elle reviendra sur ses terres, elle passera me dire un petit bonjour, puis les visites s'espaceront et moi, héros pitoyable d'un roman de gare, je resterai sur le quai à agiter mon mouchoir en me traitant de pauvre couillon.

– Dans notre famille, personne ne s'est jamais fait renvoyer de son boulot, sache-le. T'es le premier à qui ça arrive et y a pas de quoi se vanter!

Ah, d'accord, il veut parler du conseil de discipline. Je suis désolé pour lui, mais il a encore tout faux, le *gros lot*, la peine capitale, c'est le renvoi définitif. J'essaie de lui expliquer que j'ai bénéficié de l'indulgence du jury grâce à mon prof d'histoire mais il n'a pas envie de m'entendre. Pourquoi remettre ça sur le tapis, alors?

Maman sert la soupe en silence, sa main tremble, la

louche tinte contre mon assiette, elle a failli la renverser sur mon pantalon.

– Assieds-toi correctement, Gilbert! grommelle Josiane qui se permet de m'inculquer les bonnes manières.

Personne ne lui a rien demandé, surtout pas Marie-Rose qui est trop occupée à contrôler ses nerfs. Je la connais, maman, elle a déjà endossé une part de ma disgrâce et se déplace sans faire de bruit comme si elle souhaitait qu'on l'oublie. Elle va ruminer l'événement une bonne partie de la nuit, peut-être lui faudra-t-il une nouvelle crise pour éliminer le trop-plein, et demain papa me dira que je veux la faire mourir. Nous mangeons sans appétit dans une ambiance de veillée funèbre. Il n'y a que Marcel qui se régale, il puise ses morceaux de pain trempés à grosses cuillerées qui débordent, il éclabousse la toile cirée, les repêche d'un geste expert et s'en calfate les deux joues avant de les gober en clapant de la langue.

À la fin du repas, Fernand s'abstient de fromage, il ne finit pas son verre de vin et m'annonce en refermant son Opinel:

– Ne crois surtout pas que tu vas te la couler douce pendant huit jours, mon gaillard!

À vrai dire, je m'y attendais un peu, pas grave, je l'aiderai. Ça tombe même plutôt bien car je sais que toute cette semaine il doit se rendre à Lille, place de l'Esplanade où le cirque Rancy vient de monter son chapiteau. C'est la troisième fois qu'ils font appel à lui. On nous offre des places, pas tout en haut des gradins, là où il faut se tordre le cou pour admirer les numéros, mais une loge rien que pour nous au bord de la piste. En galopant, les chevaux projettent un peu de sciure, on peut sentir leur odeur, ce sont des bêtes magnifiques, des acrobates capables d'exécuter des figures de haute école, surtout l'étalon andalou de Sabine Rancy, la directrice. Rouge d'orgueil, je ne pourrai pas m'empêcher d'expliquer aux spectateurs de la loge voisine que c'est mon père qui les a ferrés. S'il m'emmène avec lui, j'en profiterai pour visiter la ménagerie, et qui sait, les employés me laisseront peut-être nourrir les lions ou les otaries. En me débrouillant bien, je parviendrai même à me faufiler par les coulisses pour assister aux répétitions des musiciens, des trapézistes ou des jongleurs et je leur demanderai des autographes pour épater les copains.

– Marcel me donnera un coup de main. Toi, il faut que tu saches ce que c'est que d'aller travailler chez les autres. J'vais en toucher un mot à Émile, et aussi à Clovis par la même occasion, ils sauront bien trouver de quoi t'occuper, fais leur confiance !

C'est la loi des séries, adieu strass et paillettes ! Je ne connaîtrai pas l'envers du décor, je ne pourrai pas m'approcher des roulottes où se maquillent les clowns, il me faudra attendre comme n'importe qui la sonnerie des trompettes, les coups de cymbales, les feux des projecteurs et patienter jusqu'à l'entrée en piste de monsieur loyal en espérant que mon père ne me privera pas de sortie. Une récompense qu'il me faudra mériter, je suppose, en donnant entière satisfaction à mes employeurs. Avec Clovis, il ne devrait pas y avoir de problèmes, j'ai déjà participé à la moisson et à la récolte des pommes de terre, en plus il est sympa. À la boucherie, en revanche, je ne suis pas bien certain d'être à la hauteur, surtout si Émile m'emmène à l'abattoir ; d'après Fred, c'est encore plus terrible que des TP de sciences nat ! Et puis il y a madame Simone, la patronne, elle n'est pas commode. Je me demande bien en quoi je pourrais leur être utile, je ne supporte pas la vue du sang et je déteste tripatouiller la viande.

Papa est sorti, quelques détails à régler avec Émile et Clovis, tel que je le connais il va leur recommander la plus grande sévérité, l'avenir s'annonce sombre. Je rejoins Marcel dans le jardin, il boude parce que Yolande est allée au cinéma sans lui. Eh non, l'amour n'est pas une mince affaire! Il soupire. Nous soupirons. Pourtant c'est une belle soirée, la nuit n'est pas encore tombée, il fait chaud, les hirondelles poursuivent les moustiques en des loopings à couper le souffle. Déambulant, le nez en l'air, je me retrouve devant le parterre de muguet où les feuilles, en se redressant, ont effacé l'empreinte de nos pas.

Marcel se console en taillant un pipeau dans une branche de sureau. Depuis qu'il sait les fabriquer il en offre à tous ses amis. Il appelle ça des «turlutes».

– Pas pour Yolande, elle est méchante, Marcel l'est triste! Pour Nadège, le turlute... pour la jolie Nadège, ouais, on va faire la musique.

Et il se met à fredonner *Le P'tit Quinquin*:

J't'aquatrai l'jour de l'ducasse
Un Polichinelle cocasse
Un turlututu pour jouer l'air du capiau pointu

Il chante atrocement faux mais son visage rayonne, il se console vite, le frangin, mais à mon avis il se berce d'illusions, avec la voisine, il n'a aucune chance. La pétarade toute proche d'une Malagutti confirme mon pessimisme, Moreto vient faire sa sérénade. Marcel jette son bout de bois à moitié creusé, il a compris lui aussi, je lui conseille de ranger son canif.

153

– On ferait mieux d'aller se coucher, qu'est-ce que t'en penses?

– Non!

– Tu boudes?

– Marcel y reste ici.

Excellente idée, comme ça il sera au premier rang pour tenir la chandelle! À grands coups d'accélérations dans le vide, Moreto maltraite son moulin et jette un os à Ludwig. Puis il siffle, entre deux vrombissements, pour appeler sa belle. Je l'ai souvent vu faire, il se colle deux doigts sous la langue et lâche un truc strident à te déchirer les tympans. Cent fois j'ai essayé de l'imiter, sans succès. Nadège apparaît à sa fenêtre, le voyou reste en selle, vroum, vroum... Moteur! Tout est en place pour la scène de la rencontre.

Pourtant ils n'en sont plus là, ces deux-là ont dépassé depuis longtemps le stade de la cueillette du muguet. En guise de bouquet et de mots bleus, ils préfèrent le cuir et le twist. Nadège a posé un disque des Chats Sauvages sur la platine de son phono, j'entends les hoquets de Dick Rivers: *Twi-ist à Saint-Tropez!* La voix éraillée de la grand-mère impotente lui répond depuis la cuisine:

– Nadège, moins fort, ta musique de nègres!

Victorine retarde d'une génération, le jazz n'est plus dans le vent. Les musiciens noirs, les trompettes et les saxos Nouvelle-Orléans, c'est pour les croulants. Elvis Presley est blanc de blanc comme les Beatles, Johnny Hallyday, Eddy Mitchell ou Dick Rivers. À l'émission *Salut les copains*, il n'y en a que pour eux.

Pour clouer le bec à la vieille, Nadège pousse le volume à fond: *Twi-ist à Saint-Tropez!* Moreto a coupé les gaz. En grimpant sur le tas de ferraille, je peux détailler sa tenue.

154

Il s'est mis sur son trente et un, blue-jeans avec des rivets en plastique rouge et vert qui brillent sur les poches, on dirait des rubis et des émeraudes, ça fait riche. Il porte un blouson tout neuf resserré à la taille par une ceinture à grosse boucle chromée, une garniture de clous dorés plantés dans le dos dessine une guitare électrique, les épaules rembourrées lui font une carrure de déménageur, mais avec le col en fourrure synthétique relevé je pense qu'il veut se donner une allure d'aviateur, pilote de bombardier, quelque chose comme ça.

Complètement penchée par la fenêtre, Nadège secoue ses cheveux et se dandine en cadence. Si elle bascule, elle ne tombera pas de bien haut – sa chambre est au rez-de-chaussée –, ce sera pile dans les bras du caïd. Elle l'attrape par le cou, passe ses longs doigts aux ongles rouge émail dans sa banane gominée, il se laisse faire un moment avant de reculer d'un pas pour se donner un rapide coup de peigne, il l'a dégainé de sa poche revolver comme il aurait sorti un couteau à cran d'arrêt. Une précision qui en jette! On n'arrive pas à ce résultat sans entraînement, il a dû mentalement prendre des notes au cinéma et s'exercer ensuite des heures devant l'armoire à glace.

Nadège est sous le charme en acier trempé de son mec. Conquise, elle enjambe le rebord de sa fenêtre et va se blottir contre lui. J'ai à peine eu le temps d'apercevoir ses cuisses, en tout cas elle ne porte pas de bas, pas besoin, dès qu'il y a un rayon de soleil, elle range ses tubes de crème et se fait bronzer en bikini dans le jardin. Les jours où elle ne travaille pas, elle peut rester des après-midi entiers à s'y prélasser sans se soucier des passants. « Si c'est pas malheureux de voir des choses pareilles! » s'offusque ma mère.

Je ne suis pas de son avis, je trouverai même ça plutôt bien si toutes les filles du quartier en faisaient autant, le P'tit Belgique ressemblerait à la plage. Nadège a de très belles jambes, presque aussi longues que celles de Betty Boop, mais que ce soit avec l'une ou l'autre, je dois ruser pour en admirer les détails.

Quant à savoir si leur tirelire est potelée ou bombée, c'est une autre paire de manches! En tout cas Moreto, lui, y va franco et farfouille sous la jupe. Ah, il ne s'embête pas, celui-là! Je peux voir ses doigts ramper sous l'étoffe, ils se baladent devant, derrière, contournent la hanche, s'attardent sur les fesses. Au moment précis où ils s'embrassent à pleine bouche, les Chats Sauvages attaquent *C'est pas sérieux!* Pendant toute la chanson, leurs lèvres en ventouse restent soudées, comment font-ils pour respirer? Ils y vont à l'endurance, veulent savoir lequel des deux tiendra le plus longtemps.

C'est pas sérieu-eux... insiste Dick Rivers.

Fin du morceau, pause, grattement du saphir sur le microsillon, puis reprise de la caisse claire, accord de guitare et le groupe enchaîne avec *Je veux tout ce que tu veux.* C'est reparti! Ils se sont à peine décollés trois secondes pour changer de position, la tête de Moreto est maintenant inclinée sur la droite, son col de moumoute qui remonte écrase sa banane, il devrait se redonner un coup de peigne vite fait.

Je perçois des bruits de succion, parfois la langue pointue de Nadège sort un peu de la bouche de son copain et fait le tour extérieur de ses lèvres en léchant avidement. Elle semble pressée, comme en été, quand il fait si chaud que ta glace dégouline le long du cornet et que tu essaies de sauver ta boule vanille avant qu'elle ne soit transformée en flaque de lait. Au tour de Moreto, slurp… Il lui aspire la frimousse à pleines babines, sa langue cherche les creux, les bosses, les fissures, s'insinue dans les narines, déclenchant un rire chatouillé de Nadège qui s'étouffe aussitôt en un miaulement nerveux car le caïd a entrepris de lui masser les seins. Pour lui faciliter le travail, elle pivote. Libre de ses mouvements, il peut s'en donner à pleines pognes sous le chemisier.

Le problème maintenant c'est qu'ils me tournent le dos et que je ne vois plus rien. Toute cette agitation m'a donné soif, je suis moite. P'tiot-Biloute joue les durs dans mon slip, celui de Moreto doit faire pareil à moins qu'il ne soit étouffé par les fesses de Nadège qui l'écrasent tout en se tortillant. Ma respiration s'emballe, mes bronches chuintent, la douleur atroce qui me barre le ventre m'oblige à me plier en deux. C'est plus aigu qu'un point de côté quand tu n'arrives pas à finir un mille mètres et en plus ça lance de partout. Je dois être trop tendu, un ligament a dû céder quelque part. Mon petit doigt me dit que si P'tiot-Biloute acceptait de reprendre des proportions plus modestes, ça me soulagerait, mais rien à faire, dressé sur ses ergots, il reste tendu à bloc, plus fanfaron qu'un coq de combat. De l'eau froide! Je vais le calmer avec des compresses.

Coup d'œil par la fenêtre de la cuisine, maman fait de la couture et Josiane travaille à son nouveau roman, impossible de passer par là. Je pourrais encore me retenir de grimacer, mais si je monte me coucher avec deux gants de toilette mouillés, il y en a au moins une des deux qui va me demander des explications. Mieux vaut emprunter l'escalier extérieur du grenier et redescendre au premier étage par l'échelle de meunier qui débouche au fond du couloir. Ne pas oublier les compresses. À défaut de gants de toilette, je décroche de la corde à linge un torchon que je mouille au robinet de la buanderie, ça fera l'affaire. La crampe ne se détend pas, je progresse une marche à la fois en évitant les secousses, courbé comme un petit vieux perclus de rhumatismes. À mi-parcours, je me retourne, la Malagutti est toujours posée contre le mur d'en face mais les amoureux ont disparu. Ils sont sûrement allongés sur le lit.

La nuit vient de tomber, la chambre de Nadège est éclairée d'une faible lumière rouge comme si elle avait posé un foulard au-dessus de sa lampe de chevet pour adoucir l'ambiance. Même sourdine intime sur le phono où les Chats Sauvages ont cédé la place aux Platters. *Only you-ou-ou!*

Une cascade de rires répond à la voix chaude du chanteur. Victorine ne proteste pas, elle doit aimer les slows, ou alors elle roupille.

13

Nadège possède sûrement un phono perfectionné dont le bras se replace de lui-même au début du disque dès que le saphir arrive en bout de course parce que voilà plus d'une demi-heure que les Platters tournent en boucle. Deux chansons, toujours les mêmes: *Only you* et *The Great Pretender*. Je ne sais pas si ce sirop transforme les deux amoureux en loukoums, moi, en tout cas, il m'a mis les nerfs en pelote. En plus, la compresse a trempé mon pyjama, on dirait que j'ai pissé au lit. L'avantage c'est qu'en baissant sa garde, P'tiot-Biloute a soulagé mes spasmes abdominaux, mais je suis trop énervé pour dormir.

Quand je n'en peux plus de mijoter dans mes draps en tire-bouchon, je vais mettre le nez à la fenêtre. Pas un souffle de vent, on dirait que l'orage menace, pourtant la nuit est calme et le ciel sans nuages. La pleine lune qui fait la roue, étale sa blancheur de cire jusqu'au bois de Meurain. Dans les fossés et les mares, tous les clans de batraciens organisent un ramdam de chorales anarchiques, éructations, vocalises enrouées et sifflements qui déraillent. Mon réveil joue le métronome, on a dépassé le cap de minuit, aucune importance.

Soudain, dans la cour, une silhouette vient de surgir au coin de la forge. Instinctivement, je m'écarte de la fenêtre.

Un rôdeur chez nous, un dingue de modélisme qui viendrait piller la collection de Fernand? Peu probable.

La forme s'allonge, se rétracte, grandit pour rétrécir aussitôt, souple et mouvante comme des tentacules de mazout à la surface du canal. Je sais depuis longtemps que les spectres et les fantômes n'existent que dans les histoires à dormir debout. Ne nous fions pas aux apparences, je suis peut-être debout mais je ne dors pas. J'ai toute ma tête et les yeux bien en face des trous. Pourtant ces ombres chinoises qui s'étirent et se scindent comme des paramécies sous une lentille de microscope ne me rappellent rien de connu. C'est une ombre à la fois végétale et humaine dont les membres longs et tordus se confondent avec les branches noueuses de la glycine. Il y a des fourches, des ramifications, des brindilles, on dirait un buisson en balade, un arbre qui aurait largué les amarres pour se dégourdir les racines. Chez Nadège, la lumière rouge vient de s'éteindre, les Platters ne donnent plus signe de vie. J'entends une mob qui démarre. Moreto a dû pousser sa bécane jusqu'au coin pour s'esquiver incognito.

Pendant ce temps, la tache noire s'est encore allongée, elle s'est creusée vers le haut et glisse maintenant vers le halo du lampadaire de la rue qui l'absorbe, la digère, la transforme et le profil général prend tournure, les traits du visage se précisent et… Bon sang mais c'est Marcel!

Ce couillon a failli me faire peur, je ne m'étais même pas aperçu que son lit était vide. Marcel en train de danser au clair de la lune comme l'ami Pierrot, sauf que le frangin ne porte pas de tunique blanche à gros pompons noirs, il est complètement à poil. Et sa chandelle n'est pas morte. Loin de là! Bien plantée sous son nombril, elle jaillit roide et vigoureuse. Pour compléter le tableau, il s'est planté dans les cheveux des feuilles de platane et des brindilles de sapin retenues par un serre-tête qu'il a dû piquer à Josiane, il a ajouté quelques guirlandes de lierre qui lui descendent jusqu'à la raie des fesses.

Ça lui fait une couronne de verdure entre camouflage de guerre et parure de divinité rustique. Si c'était une fille, elle ressemblerait à la muse du printemps dans le tableau de Botticelli dont nous avons une reproduction dans notre Lagarde et Michard du XVIe siècle. Qui sait, bien que le bouquin favori de Marcel soit le manuel de géographie à cause des nombreuses images en couleurs, c'est peut-être là qu'il est allé puiser l'inspiration.

En revanche, j'ai quelques difficultés à identifier les sources du chant qu'il est en train de psalmodier. C'est grave, solennel et très répétitif. Au pif, je dirais crow ou mohican, une tribu des forêts en tout cas. Penché en avant, il avance au son grave d'un tambour chamanique qu'il est seul à entendre. À reculons, il traverse la cour en tournant sur lui-même et se rapproche de la rue. Pourvu qu'aucun passant attardé ne l'aperçoive dans cette tenue !

Je pourrais intervenir mais je crois qu'il vaut mieux laisser passer le souffle de folie comme avec les crises de maman. Patience et vigilance. Si la magie de Marcel peut vaincre les démons de Marie-Rose, pourquoi n'agirait-elle pas de même sur lui ?

D'un brusque coup de rein, le danseur pivote d'un quart de tour et sautille en crabe, alors, le sexe en apothéose, le front haut face à la nuit, il tend le bras vers la maison d'en face. Au moment où l'ombre démesurée de sa main atteint les volets clos de la fenêtre, un cri retentit et me glace le sang.

– Maowwww!

C'est un vagissement rauque et grave, une longue plainte de supplicié. D'abord, je pense à Maurice, le vieux mutilé de 14-18 qui vomit sa douleur dès que le baromètre descendant torture ses moignons mais non, il s'agit d'autre chose. Une galopade traverse le toit, chutes bondissantes, roulades et crissements de griffes sur les tuiles... Les chats! Ils hurlent à l'amour et se déchirent de caresses. Nuit féline. Marcel leur répond:

– Maowwww!

Un dialogue s'installe, le ton monte. Je m'habille en vitesse et à grandes enjambées prudentes, deux marches à la fois, je gagne la cuisine. Une courte pause pour écouter si rien ne cloche, ça va, tout est silencieux. Quand j'arrive dans la cour, mon frère a disparu. Qu'est-ce que c'est que cette histoire de fous? Il ne s'est quand même pas volatilisé.

Deux matous me filent entre les jambes.

– Maowwww!

Un écho éloigné prolonge la plainte. Je tourne la tête en direction du cri, il provient des pâtures, ce n'est pas un miaulement animal. Marcel! Incroyable, sa transe lui a collé des ailes.

Ça vient du blockhaus. Si le frangin va donner la sérénade à Paulo, il va se faire mal recevoir. Je dois à tout prix l'intercepter avant. À vélo, j'irai plus vite.

Mauvaise idée, Trisomic-Marcel est un coureur des bois, il va couper à travers tout, ramper sous les haies et sauter par-dessus les fossés.

Je me lance à sa poursuite, les yeux au sol, aussi attentif aux traces qu'un éclaireur indien. Au début, les empreintes sont faciles à repérer. Ici, une touffe d'herbe fraîchement arrachée, là, un carré de trèfle piétiné, plus loin, quelques pissenlits écrasés. Mais rapidement elles se perdent dans une herbe boueuse que les vaches de Clovis ont foulée et aplatie toute la journée. Heureusement la nuit est claire et je me fie à mon instinct. Je ne sais pas si j'ai des yeux d'écureuil, mais ce soir j'ai l'acuité visuelle de la chouette. Comment se fait-il alors que je n'ai pas su éviter le piège ?

Le sol s'est soudain dérobé sous mes pieds et je suis tombé à la renverse. Quelle claque pour mon orgueil ! Nid de poule, galerie de taupe, trou de rat musqué ? Ai-je glissé sur une bouse, une betterave pourrie, une matière encore plus immonde ? Inutile de chercher à comprendre, je ferais mieux de libérer ma cheville entravée par ce truc qui ne veut pas lâcher prise. Ce ne sont ni des touillons de ronces, ni de vulgaires bouts de fil de fer arraché d'une clôture, je me suis bel et bien fait choper la cheville par un nœud coulant. Un collet de braconnier.

– Maowwww !

Le cri lointain me nargue, Marcel continue sa course de chat garou vers le canal, il va passer devant la maison de madame Lilas, l'Algérienne disparue sans laisser d'adresse il y a deux ans.

Soudain, le faisceau éblouissant d'une lampe torche se pose sur mon visage et neutralise d'un seul coup ma vision de rapace nocturne. Un rai puissant de lumière crue vient de se refermer sur moi comme un second piège. Je ne bouge plus. Gill la chouette fasciné par un miroir aux alouettes, minable ! Une pluie de flammèches égratigne ma rétine et d'étranges images se mettent à défiler : chassé-croisé de projecteurs DCA, Paulo ravi d'avoir attrapé un voleur de poules, Raoul pressé d'en découdre avec les lascars qui pillent sa mine de détergents, ou alors Moreto... Il m'a surpris tout à l'heure en train de l'espionner, sur le moment il a laissé courir, maintenant on va s'expliquer. Belle occasion pour venger ses copains que nous avons bousculés l'autre nuit. Enfin, surtout mon père... Pas de baratin, je faisais partie de l'expédition punitive, je vais payer pour les autres. On va jouer au *Loup et l'Agneau*, si ce n'est toi c'est donc ton frère! Parlons-en de mon frère, tiens, il m'a mis dans un joli pétrin, celui-là!

– Vingt milliards de bordels de nom de cul, y a pas cinq minutes c'était l'grand qui cavalait la bite en feu et ach't'heure v'là le p'tit frère! OK boy, dis voir, y aurait pas ta cousine qui suivrait des fois? How, good, okay!

La suite de la phrase se perd dans un yoghourt inintelligible épaissi de grasseyements de chanteur de blues. C'est Bill l'Américain, Norbert Verstraet pour l'état civil, braconnier et poivrot, figure locale et pseudo-vétéran de l'Indochine. Il a travaillé un moment sur une base de l'OTAN en Belgique comme plongeur. Pas sous-marin, dans les cuisines. Depuis, il fait semblant de parler anglais. Toujours vêtu de treillis élimés, il arbore le tampon *US Army* frappé sur sa poche de poitrine comme si c'était la Silver Cross.

– N'aie pas peur, j'vais pas t'manger, boy, okay!

Il ne lui faut pas longtemps pour desserrer le collet, ses doigts ne tremblent pas. À cette heure-ci, il a sa dose, tôt le matin, c'est différent. Je l'ai déjà vu devant le rideau baissé de *Chez Florisse*, piaffant d'impatience en attendant l'ouverture, avant le genièvre qui décrasse, ses articulations jouant aux osselets.

– Te v'là libre, soldiar!

Je tourne la tête pour échapper à son haleine Gévéor et chlorophylle, un mauvais mélange. Les G.I. lui ont refilé le vice du chewing-gum, il en mâche à longueur de journée, des Hollywood, les meilleurs, il tient ça de source sûre.

– Bicauze c'est là qu'on les fabrique, garçon, comme le cinoche gangsters et p'tites pépées ! Okay ?

Là-dessus il bulle un globe géant qu'il claque en rigolant avant de renfourner la pâte verte d'un claquement de langue. Puis il mastique à grand bruit avec un petit air futé en baragouinant son charabia bourré de diphtongues. Je demande :

– Tu sais où il est allé mon frère ?

– Yeap !

Il bombe le torse, se frappe l'estampille *US Army,* histoire de certifier la solidité du renseignement. Bill a l'œil américain, il voit tout, il sait tout. Les communistes n'ont qu'à bien se tenir, il les surveille, ces vendus ! Au prochain débarquement, quand les boys reviendront nous sortir de la merde après l'invasion des chars bolcheviks, il aura neutralisé les réseaux dormants dans cette ville de traîtres. Parce que les *marines*, on aura encore besoin d'eux, il confirme, comme en 44, c'est devenu une tradition de se laisser bouffer l'herbe sous le pied ! On a eu les Boches, on aura les Cosaques, ils sont d'ailleurs déjà venus plusieurs fois étudier le secteur au siècle dernier, les Popov. Ils ont repéré la route, leurs divisions blindées n'attendent que le feu vert pour la conquête de l'Ouest. Si Uncle Sam nous lâche, on est cuits. De Gaulle prendra une fois de plus la poudre d'escampette et les guignols du contingent ne feront pas plus le poids qu'en 39. Notre armée est en loque, nos officiers laminés depuis l'Algérie.

On est devenus un pays de poltrons juste bons à lécher le cul de Moscou.

– Alors, il est allé de quel côté, Marcel?

Bill n'en finit plus de fanfaronner, il n'est pas pressé de me renseigner, tant qu'il fait mousser le suspense, il est le big boss. Il sort son Zippo, un briquet souvenir de sa période OTAN, avec l'aigle américain gravé dessus en doré. Il le contemple sous tous les angles, l'approche de ses grosses lèvres, souffle un peu de buée et fait briller le chrome sur son maillot de corps kaki. Puis il joue avec le couvercle, l'ouvre et le referme contre sa cuisse, puis sur le talon de sa godasse, clic-clac, comme ça, clic-clac, sans arrêt. Ça m'énerve pire que quelqu'un qui fait craquer ses jointures.

– Exkiouse-mi, boy, faut payer pour savoir, comme au poker! Tout se vend, tout s'achète. Bizness is bizness!

Si j'étais un adulte, il me refilerait l'information en échange d'un ou deux canons *Chez Florisse* demain matin, mais je ne suis qu'un gamin, il va devoir me tuyauter à l'œil. Ce qui ferait un total de deux services cadeaux en cinq minutes, j'abuse. Il doit réfléchir à un dédommagement qui serait dans mes moyens.

– Ta cousine...

Nous y voilà, le clodo madré entame les négociations. Qu'est-ce qu'il lui veut à Josiane, il espère quoi? Non mais, il s'est bien regardé!

J'y vais au culot:

– Elle n'aime pas les hommes, Josy.

Moue sceptique appuyée d'un clin d'œil narquois.

– Tu veux dire qu'elle est...

– Elle ne s'intéresse qu'aux livres.

– Et ta voisine, elle serait d'accord, Nadège?

Ses yeux gourmands se pourlèchent rien qu'à l'idée. Pour qui il me prend, Norbert? Je n'apprécie pas trop sa façon de profiter de la situation. Et puis je ne lui suis pas si redevable que ça! Après tout, s'il n'avait pas posé de collet, on n'en serait pas là. Trop commode de piéger les gens pour jouer ensuite les saint-bernard! Je pourrais être salaud et lui donner de l'espoir, lui dire que Nadège serait ravie qu'on lui donne des cours particuliers d'anglais pour comprendre ce que racontent les Platters. Mais comment peut-il ignorer que Moreto lui a mis le grappin dessus? Tout le monde est au courant.

Il a dû rater quelques épisodes de la chronique locale. C'est vrai qu'il se fait rare dans le quartier, Bill, depuis quelque temps. Quand on lui demande où il a été traîner ses guêtres, il plisse les paupières et, l'index sur les lèvres, confie à voix basse que c'est secret défense, guerre froide et plan Marshall.

— La CIA (il prononce ci-aïe-yeah), la CIA, les mecs, vous connaissez? Okay, j'en dis pas plus, chut! Silence is gold.

Il n'a pas besoin de mes services, quand on se prend pour un espion à la solde de Washington, on ne se laisse pas impressionner par une star de Monoprix. Facile d'imaginer la réaction du rival. Ni agent américain ni troufion de l'armée rouge, mais rital du Sud tendance mafia, qualification plus que suffisante pour éliminer un cow-boy de pacotille. Duel inégal, règlement de compte à OK Corral couru d'avance, Bill n'aurait même pas le temps de dégainer. Non, ce serait trop dégueulasse, autant mettre tout de suite cartes sur table.

— Elle est amoureuse de Moreto, Nadège.

— How, shit merde!

167

– Et Marcel, je peux savoir où il est allé maintenant?

La mine lugubre, il graillonne un sabir encore plus obscur que d'habitude que je parviens grosso modo à déchiffrer.

– Le château blanc, t'es sûr?

– Yeap.

Mauvaise nouvelle.

L'homme en colère

Quand il a reconnu le mongolien qui gambadait au clair de lune, il s'est dit que ça faisait une belle cible. Il l'a tenu en joue au bout de son fusil déchargé jusqu'à ce que les ténèbres l'absorbent de nouveau. Rien d'autre qu'un geste dérisoire, juste pour tuer le temps.

Ça faisait longtemps qu'il n'avait pas visé un homme ni ressenti une telle impression de puissance. Il fallait remonter aux années d'acier, aux tumultes et aux grabuges, fouiller la mémoire jusqu'à ces *no man's lands* de la civilisation où la barbarie reprenant ses droits, tout chasseur était un gibier en sursis. Mines, grenades, mitraille, la foudre qui éclate à ta barbe ou sous ton pied, la survie à la seconde près en équilibre sur le fil de l'épée. La vie jetée comme une balle perdue dans le maudit manège d'une roulette russe permanente... Excitant, grisant, mortel.

Danger de mort à chaque pas, en allemand on dit *Lebensgefahr* : danger de vie. Pas idiot, la vie est en effet beaucoup plus dangereuse que la mort.

Ça ne va plus du tout. Les premières pages se sont pratiquement écrites toutes seules, ensuite, la mécanique des souvenirs a commencé à faire des ratés et l'encre s'est épaissie. Au fur et à mesure qu'il progresse dans son histoire, il se répète, se contredit, il confond les dates et les lieux. Il a présumé de ses forces, seul, il ne s'en sortira pas. Il lui faudrait un secrétaire, quelqu'un capable de rétablir en clair tout ce qu'on lui dicte dans le désordre. À qui s'adresser?

Il a d'abord pensé à Dericker, l'épicier qui ne rate jamais l'occasion de se faire passer pour un homme instruit, mais tout bien considéré c'est un con, il serait fichu de mettre l'essentiel entre parenthèses pour raconter ses anecdotes de colombophile.

Josiane, peut-être? C'est un cerveau, la nièce de Fernand, elle a de l'instruction, il paraît même qu'elle écrit des livres… Et mignonne avec ça, ce qui ne gâte rien, mais comment lui présenter le projet? Il faudrait la mettre dans la confidence. Une femme, hum… délicat, elles ne savent pas tenir leur langue.

L'abbé Bitrou? C'est le boulot des curés après tout d'entendre les confessions. Mais il comprendra vite ses intentions et lui fera un sermon sur le pardon. Non, jamais un prêtre n'acceptera de devenir le complice d'une vengeance aussi justifiée soit-elle.

Il fait fausse route, personne ne l'aidera bénévolement. Pour éliminer Verdier, il faut le déshonorer, donc trouver quelqu'un qui aurait quelque chose à y gagner. Vu sous cet angle, le seul moyen est de mettre dans le coup l'un de ses adversaires politiques. Que propose le cheptel électoral?

Il y a ce type du MRP, un copain du maire, un avocat de Douai qu'on a parachuté dans la circonscription, ça pourrait le tenter. Non, trop gros morceau, inabordable. Voyons la suite.

Robet Debas, le bolchevik? Impossible, il n'écoute que les membres du Parti, les vrais de vrais, les cartés, c'est une question d'éthique personnelle.

Donc, Verdier mis à part, il n'en reste plus qu'un, Georges Delbeck, le candidat sortant, étiquette SFIO. Faut voir.

L'homme en colère essaie de réfléchir mais il n'a pas l'habitude de faire carburer ses méninges à une telle cadence, s'il continue comme ça, elles vont exploser. Du calme, une chose à la fois. La SFIO, c'est bien le parti de l'ancien maire, celui qui s'est fait blackbouler par son adversaire MRP, donc si en plus un gaulliste devait damer le pion à Delbeck, ce serait le pompon, une déroute humiliante !

La colère de l'homme se transforme en une excitation intellectuelle jubilatoire, il repique aussitôt à la bouteille. Il s'était pourtant promis… Plus tard, l'essentiel c'est d'avancer.

Par conséquent les radicaux ne devraient pas être fâchés de trouver un biais pour écarter Verdier avant le scrutin. Un désistement serait pour eux du pain béni. Reste à trouver le moyen de leur présenter le marché. Si toutefois ils daignent recevoir un obscur citoyen qui n'est même pas inscrit sur les listes électorales.

Et voilà un plan foireux de plus ! Un autre verre de gnôle pour noyer la déception.

C'est à ce moment-là qu'il a l'Idée.

Dieu protège les ivrognes et la gnôle inspire l'écrivain. La muse le sort de la mouise. Le visage d'un petit homme gris vient de percer la brume de son esprit surmené : Zeler, conseiller municipal de l'ancienne équipe. Voilà l'homme providentiel ! Il a travaillé chez lui l'an dernier, le prof cherchait un gars solide pour débarrasser le grenier et les dépendances encombrées de la maison qu'il venait d'acheter derrière le marché couvert.

C'est comme ça qu'ils s'étaient rencontrés. Zeler lui avait fait l'effet d'un type correct. Contrairement à la plupart des gens, il ne posait pas de questions embarrassantes, en plus, il payait bien.

14

Avant d'enfreindre le périmètre du château, je décide de fouiller les alentours, le sous-bois, la clairière, le sentier qui s'enfonce entre les jardins ouvriers jusqu'au chemin de halage. Rien, aucune trace de Marcel.

Au mieux, il sera rentré à la maison, calmé, et en ce moment il roupille. Sommeil du juste, innocent, bienheureux simple d'esprit à qui le paradis doit revenir en héritage. Demain matin, il se réveillera frais comme un gardon et aura tout oublié. Je suis bien bête de me faire du mouron ! Je ne suis que son frère après tout, je n'ai aucune part de responsabilité dans son existence. Ce qui n'est pas le cas des parents. Lesquels ont un peu trop tendance à se décharger sur moi comme si j'étais l'aîné. Le monde à l'envers !

Ça n'a pas été une bonne idée de mûrir trop vite, j'aurais dû me la jouer gnangnan, capricieux, petit dernier pataud et timoré, casser les assiettes qu'on me donne à essuyer comme si elles me glissaient des mains, me tromper dans la liste des commissions, oublier de vérifier la monnaie, laisser cramer les frites, bref, tout faire de travers et on m'aurait fichu une paix royale.

C'est vrai que je n'ai pas les deux pieds dans le même sabot, je m'y connais en crises d'hystérie, en chevaux, en maréchalerie et en jardinage. Je suis même assez déluré, au grand dam de ma mère, d'ailleurs, qui ne supporte pas plus mes airs bravaches que mes écarts de langage. Faudrait savoir! J'apprécierais assez qu'elle me dise ce qu'elle veut une bonne fois pour toutes. Si je suis encore un môme, il ne faut pas me confier Trisomic-Marcel! Elle assume avec Fernand et je me lave les mains de toutes les catastrophes que le frangin peut déclencher. Tout à l'heure, par exemple, je n'étais pas censé le surveiller, le marchand de sable était passé depuis belle lurette et s'il n'avait pas fait si lourd, si Moreto n'était pas venu peloter sa poule pratiquement sous mon nez et si P'tiot-Biloute s'était tenu tranquille au lieu de se cabrer dans mon slip comme l'étalon andalou de Sabine Rancy, je n'aurais jamais été témoin des transes érotiques de Marcel. Seulement voilà, le projecteur du hasard ne possède pas de marche arrière et une fois que le film se déroule on ne peut pas remonter le cours de l'histoire. L'impitoyable pellicule du temps, personne ne l'a jamais rembobinée.

Tout cela pour dire que ce soir je me suis encore laissé aspirer par le tourbillon mongolien. Ce demi-frère n'en est pas la moitié d'un! À la longue, il m'épuise. Tout bien considéré, le placement en institution spécialisée arrangerait tout le monde… Qu'est-ce que je raconte, moi? Si Fernand m'entendait penser il me collerait une semaine supplémentaire de travaux forcés!

Tiens, me revoilà devant cette vieille brouette sans roue abandonnée dans les orties, ça va faire au moins trois fois que je repasse au même endroit. En fait, sous l'influence inconsciente de la géométrie de Grimaud, je décris un triangle: clairière, jardins ouvriers, chemin de halage. A, B, C, toujours dans le même sens. Et maintenant je m'apprête à tourner en rond pour le circonscrire, pourquoi ? Facile à comprendre, je retarde exprès mes recherches dans le parc du château parce que je suis mort de trouille à l'idée de me faire pincer par le docteur.

Je ne vais quand même pas moisir au bord du canal jusqu'à l'aube ! Déjà qu'en plein jour, l'endroit ne respire pas la joie de vivre, je ne te dis pas l'ambiance au beau milieu de la nuit ! Comme l'a écrit je-ne-sais-plus-qui : « Un ruban d'eau sale balafrant comme un crêpe de deuil le reflet exsangue d'une lune cadavérique. » Il y a de quoi te coller des frissons d'angoisse. Je pense à tous les malheureux que cette flotte sournoise a engloutis, tous ces désespérés qui sont venus s'y jeter avec une pierre accrochée autour du cou pour couler plus vite. On raconte que sous l'Occupation, les nazis alignaient parfois les otages sur les berges avant de les mitrailler. Papa m'a dit qu'à la Libération on se livrait à des exécutions sommaires sous prétexte de justice. Crimes, vengeances, trop de fantômes hantent le secteur.

Un couinement aigu me lacère l'oreille. Une chauve-souris vire de bord au bout de mon nez, flap, flap, flap, trois battements d'aile et puis s'envole. Je pousse un cri de dégoût. Je me dis que c'est l'âme de Marcel. Il a trébuché dans le Styx, je ne le reverrai plus. Il ne sait pas nager, un faux pas et plouf… J'imagine déjà les gendarmes en barques, des gaffes à la main en train de sonder la vase.

Ça suffit ! Je ne suis qu'un idiot. Je me fais un cinéma d'épouvante niveau maternelle. Marcel a toujours eu horreur de l'eau, et puis l'Américain a bien dit qu'il l'avait vu se diriger vers le château, alors, qu'est-ce que j'attends ?

J'ai rejoint la route sans encombre, il ne me reste plus qu'à dépasser ce groupe de petites maisons avant d'at-

175

teindre l'entrée du parc. D'après mon père, elles appartiennent à la famille de madame Verdier. Cette cité ouvrière était occupée autrefois par les employés de l'usine d'engrais, maintenant qu'elle a fermé ses portes, le docteur les loue. Décidément, le fric lui tombe de partout !

Comme si cela ne lui suffisait pas encore, il a fait peindre des publicités sur les pignons. Il y en a une pour les bières Motte Cordonnier, une autre pour Dubonnet, mais celle que je préfère c'est Ripolin avec ses trois bonshommes à la queue leu leu, chacun peinturlurant la blouse de celui qui le précède. Ces réclames colorées me rassurent. C'est comme si, après l'épouvante du canal, je retrouvais un paysage familier.

Un chien se met à aboyer, je presse le pas jusqu'à la pancarte : *Entrée interdite*. Nouvelle frontière délimitée par des murs hérissés de tessons de bouteilles. À cette heure-ci la grille est fermée mais je peux jeter un coup d'œil entre les barreaux. Tout semble normal, ce n'est pas la maison d'un ogre qui séquestre les trisomiques exhibitionnistes pour les manger tout crus mais une bonne demeure bourgeoise et tranquille. Il y a encore de la lumière au rez-de-chaussée, sûrement dans le bureau du docteur, avec les élections qui approchent, il doit travailler très tard. Quand bien même aurait-il aperçu mon frère, il se serait contenté de nous prévenir ou d'alerter la police pour attentat à la pudeur. Je me rends compte que ça va faire plus d'une heure que je me monte le bourrichon pour des prunes.

Un ronronnement de moteur coupe court à mon indécision. Une voiture vient de s'engager sur la voie privée, ses phares balaient les pavés, se rapprochent, éclairent la grille, projetant la silhouette d'un vieux saule pleureur sur la façade du château. Je n'ai que le temps de me plaquer au sol derrière un massif de buis. Je reconnais la Morgan de madame Verdier, capote baissée. Le klaxon retentit, bref, impérieux, personne ne vient ouvrir. J'entends la conductrice maugréer, elle n'a pas l'air de bonne humeur, elle recommence, un coup plus appuyé cette fois. Le chien des voisins proteste.

– Voilà, voilà... On arrive !

Léon apparaît dans le cône de lumière jaune, un trousseau de clés à la main, son pantalon déboutonné, une bretelle pendante, une chemise enfilée à la hâte.

Pauvre vieux, le tirer du lit alors qu'il aurait été si facile d'ouvrir soi-même ! C'est sans doute une habitude de riches, on paie des serviteurs pour se faire servir, des cuisinières pour cuisiner, des nurses de Salisbury pour nurser les babies girls et des sœurs de la Sagesse pour les rendre sages quand elles ont grandi, logique tout ça.

– Vous en avez mis du temps !

Non mais, comment elle lui parle... Je tends le cou pour voir si cette égoïste a le même sourire méprisant que l'autre soir quand je l'ai aperçue près du passage à niveau, mais son visage est entièrement enveloppé d'une large écharpe en tissu écossais, je ne distingue que ses mains sur le volant, elle porte des gants. Sur une accélération nerveuse, la petite voiture pénètre dans le parc et le vieux jardinier referme aussitôt.

Tintin, Rouletabille, le capitaine Blake ou son ami Mortimer auraient bondi sur le pare-chocs arrière pour se cramponner à la roue de secours, moi, je suis resté planté comme un nigaud. Je n'ai plus qu'à contourner la clôture et tenter ma chance par l'étang.

Cinq minutes plus tard je retrouve mon petit coin de pêche à la grenouille au milieu des roseaux, l'endroit magique d'où je guettais les rares apparitions de Framboise avant que nous fassions connaissance pour de vrai. De là, juste après le vieux ponton vermoulu, il suffit de longer la berge sur une dizaine de mètres et, si on a bien fait attention de ne pas glisser dans la gadoue, c'est un jeu d'enfant de s'introduire dans la propriété du docteur.

Caressée par un petit vent tiède, l'herbe un peu trop haute de la pelouse miroite sous la lune comme les vaguelettes de l'étang qu'elle semble prolonger jusqu'à la terrasse du château. Tout est tranquille, mais sur cet espace aussi vaste et dégagé qu'un terrain de football, je vais me faire repérer. Il serait plus prudent de passer sous le couvert des marronniers qui séparent le parc du potager. J'inspire une grande bouffée d'oxygène comme si je m'apprêtais à traverser sous l'eau le grand bassin des Bains lillois et je fonce en direction de deux bâtiments tout en longueur construits à l'écart de la maison. J'y arrive, jambes flagada, et me glisse illico dans une allée desservant de part et d'autre des portes à deux ventaux coupés à hauteur d'appui. Les anciennes écuries.

Il y a là de quoi héberger un détachement de cavalerie au grand complet, Ouria n'est pas logée à l'étroit! La Morgan est garée sous un auvent à côté de la DS noire. À part le cliquetis du moteur en train de refroidir, tout est calme, pas de molosse à l'horizon. «Jusqu'ici tout va bien, dirait Bob Morane à son ami écossais, voyons ce que la suite nous réserve...» Pour Marcel, je suis fixé, j'ai maintenant la certitude qu'il n'a jamais mis les pieds dans les parages, alors, qu'est-ce que j'attends, Framboise? Ridicule. La princesse m'a oublié, elle dort à poings fermés dans son lit à baldaquin, embarquée sur le tapis volant des rêves fabuleux d'Amérique et d'ailleurs.

C'est décidé, je décampe.

Trop tard, quelqu'un approche. Le pas est régulier, lent mais trop léger pour être celui de Léon. Vite, je m'accroupis entre les deux voitures. Dans le rétroviseur extérieur de la Morgan j'aperçois madame Verdier qui se promène en fumant une cigarette, elle ne semble pas pressée de rentrer. Elle est si près que je peux sentir l'odeur pain d'épice de son tabac anglais. Pas moyen de reculer, si elle vient récupérer quelque chose dans sa voiture, je suis fait. Sans hésiter, je me jette à plat ventre sous la DS.

Fausse alerte, la châtelaine passe son chemin. Si seulement elle avait la bonne idée de regagner ses appartements, j'en profiterais pour filer. Mais où donc est-elle passée? En essayant de redresser la tête je me cogne à un longeron, pas facile d'y voir quand on est écrasé sous une voiture aux suspensions trop basses. Il faut absolument que je me sorte de là. En rampant d'abord, puis sur la pointe des pieds, je m'aventure jusqu'à l'appentis des poubelles masquées par une haie de forsythias. Madame Verdier n'a rien entendu, mais elle est toujours là, me coupant toute retraite. Bon sang, pourquoi ne va-t-elle pas se coucher au lieu de baguenauder comme ça, le nez en l'air? On dirait qu'elle fait du lèche-vitrines, son sac négligemment jeté sur l'épaule, les fesses en balancier comme les mannequins haute couture qui défilent au *Magazine féminin*. Elle longe une serre puis s'arrête au bord de la pelouse pour aspirer une dernière bouffée de fumée quelle exhale longuement vers le haut avant de jeter son mégot dans un parterre de tulipes. Elle ne va quand même pas passer la nuit à la belle étoile! Non, la voilà qui revient vers la maison. La situation s'améliore. Attention, à vos marques, prêt! Dès qu'elle me tourne le dos, je bondis hors des starting-blocks. Faux départ! Madame s'offre une nouvelle cigarette et au moment précis où j'entends le déclic de son briquet à gaz, une rangée de néons se met à clignoter à l'une des fenêtres du rez-de-chaussée faisant briller les cuivres d'une batterie de casseroles accrochée sous une hotte vitrée. La porte de service s'ouvre violemment sur un homme qui titube. C'est le docteur. En chemise, manches retroussées, le pan arrière hors du pantalon, mèche de cheveux en bataille, il se tient sur le seuil sans bouger, adossé au chambranle, une bouteille à la main, le visage congestionné.

— T'as vu l'heure?

La barbe en moins, on dirait le capitaine Haddock dans *Le Crabe aux pinces d'or*, complètement secoué après son atterrissage forcé au Sahara. Notre futur député n'est qu'un ivrogne comme les autres. Massif, le front obtus et la bouche tordue, il aboie:

— Bordel de merde, tu vas me dire où t'étais encore passée?

Et en plus, il s'exprime comme un charretier!

— Tu te fais du souci pour moi, maintenant, c'est nouveau!

D'une bourrade, le mari mécontent se décolle du montant de porte et risque quelques pas en avant. Il chancelle.

— Mon pauvre ami, imagine ce que penseraient tes électeurs s'ils pouvaient te voir en ce moment?

Ça compte pour du beurre vu que je n'ai pas encore le droit de vote.

La première baffe a failli dévisser la tête de la dame. Sous le coup, son écharpe s'est dénouée ainsi que ses cheveux rejetés brutalement en arrière. Son visage apparaît. Elle est très belle mais beaucoup moins que Françoise. Ce n'est pas une raison pour que cette brute la défigure! Je n'ai pas l'habitude d'assister à des scènes de ménage. Fred, c'est différent, parfois, quand il en a gros sur la patate, il me raconte les disputes mais il ne m'a jamais parlé de castagnes.

Une deuxième baffe, cette fois elle a failli perdre l'équilibre. Une troisième. Saisi d'effroi, je constate qu'elle ne cherche même pas à se protéger. Au contraire, elle s'expose en ricanant.

— Ne te gêne pas, mon p'tit chéri, continue, fais-toi plaisir!

Elle le nargue à la façon des gamins qui se prennent une rouste en hurlant «même pas mal!» pour sauver la face. À quoi ils jouent, ces deux-là?

— Vas-y, mon grand, montre que t'es un homme!

Le docteur jette sa bouteille qui se fracasse contre le mur, il avance, balançant ses bras devant lui, décontenancé comme un gorille pris au piège.

— Salope... traînée!

Les mêmes injures que je peux entendre très tard, les soirs de paie, quand les couples avinés soldent leurs comptes dans la rue en sortant de *Chez Florisse*. Au P'tit Belgique, on n'y fait plus attention, mais ici... Quand je pense que cet homme-là fait placarder sa photo dans toutes les rues!

— Tu vas voir, morue, comment je vais te le rectifier, moi, ton portrait de femme fatale, il va plus te reconnaître, l'autre empaffé!

Mains sur les hanches, elle s'esclaffe, c'est un rire sale, un rire de caniveau. Puis elle tend la joue, provocante, prend une pose de pin-up et dégrafe son chemisier. Verdier a reculé, on dirait qu'il a peur. Cacherait-elle une bombe entre ses seins? Je ne comprends rien. Je suis tombé sur des dingues!

Soudain, plus de son, plus d'image. Deux mains viennent de se poser sur mes yeux. Entre les doigts serrés, je ne distingue plus qu'un point de lumière à une fenêtre de la cuisine, comme une mire sur un écran de téléviseur. Je n'ai ni le réflexe de crier ni celui de me débattre. Léon? Non, ce sont des mains d'enfants, douces et tremblantes. Framboise, évidemment, elle m'a pardonné, elle n'ira pas à Paris, c'est merveilleux! Son ombre prolonge la mienne, nos haleines se confondent. Elle comble tous mes vides et je me laisse aller. Je voudrais qu'elle me câline encore et encore, qu'elle ne décolle plus de mon cou son visage trempé de larmes.

— J'ai honte, Gill, tu ne peux pas savoir comme j'ai honte!

Sa plainte, à peine soufflée, résonne comme le cri de détresse d'un petit animal blessé. Le bâillon de ses mains crispées glisse de mes yeux pour se lover entre mes lèvres.

— Ne dis rien, murmure-t-elle, surtout ne dit rien.

Ses bras m'enlacent, elle se serre plus fort. Son cœur soubresaute, le mien flageole, je suis heureux, malheureux, je suis les deux.

— Viens, Gill, ne restons pas ici.

Je me dégage doucement et nous nous retrouvons face à face. Les larmes qui se sont taries laissent dans ses yeux de minuscules étoiles de givre. La pâleur de son sourire me réfrigère.

— Suis-moi! Au fond des écuries, il y a une porte qui donne sur la cité ouvrière, tu pourras filer par là.

J'hésite.

— On ne peut pas les laisser comme ça, tu peux intervenir, toi, pense à ta mère!

— Je m'en fiche, c'est pas ma mère.

15

Exactement ce que je pensais, blotti dans son nid de feuillage et de guirlandes de lierre entremêlées, Marcel ronfle plus grave que notre vieux soufflet de forge. Il n'a même pas pris la peine d'ôter ses ornements de chaman. De sa course nocturne, il a rapporté un escargot clandestin, un petit jaune à stries noires. L'animal, qui s'est cramponné pendant toute la cavalcade, pointe ses cornes et s'enhardit à explorer l'oreiller. Si je ne mets pas un peu d'ordre dans ce déballage, maman va encore nous faire une histoire pire que pour la veste rincée à l'huile de vidange.

D'abord l'escargot, que je dépose dans le bac de géraniums accroché au rebord extérieur de la fenêtre, ensuite les parures. J'effeuille sa chevelure avec d'infinies précautions, une brindille à la fois, opérant du bout des doigts comme avec des baguettes de mikado. Marcel n'a toujours pas réagi.

J'ai beau me concentrer pour me sortir Framboise de la tête, c'est peine perdue. J'aurais dû insister pour la consoler, lui raconter mes aventures de sauveteur de grenouilles, par exemple. Ou bien lui démontrer, avec l'histoire de mon copain Fred et de madame Lilas, que l'amitié peut faire des miracles. Serrés l'un contre l'autre, nous aurions attendu le lever du jour, mais elle m'a supplié de partir. Pourquoi veut-elle toujours rester seule?

Framboise est seule comme toutes les reines et les princesses, isolée du monde, privée d'amitiés et de complicités, promise à un avenir qu'il ne lui appartient pas de choisir. Jadis on l'aurait bouclée au couvent en attendant le mariage arrangé pour raison d'État avec un aristocrate plus ou moins débile. Aujourd'hui on l'enferme chez les bonnes sœurs, à part les permissions de sortie hebdomadaires, rien n'a vraiment changé. Framboise a la malchance d'être venue au monde dans une famille riche et sans amour. C'est une héritière déshéritée.

Tout à l'heure, avant que je m'en aille, elle m'a confié que sa mère était morte. L'accident remonte à un peu plus de deux ans, la première épouse du docteur Verdier rentrait des Ardennes, elle se rendait souvent dans cette région avec sa fille. «Mais ce jour-là, maman était seule et quelque chose a lâché dans la direction de la voiture.» C'est dans ces termes que Framboise m'a rapporté les faits. «Si j'avais été là, elle aurait conduit moins vite, j'en suis certaine. Tu veux savoir pourquoi j'étais restée à la maison? Parce que je détestais sa nouvelle voiture, une Ford Mustang rouge. Oui, malgré le petit cheval sur la calandre, je la détestais parce qu'elle était liée à une dispute terrible entre mes parents. Oh, ça leur arrivait souvent, mais cette fois-là, je sentais qu'il y avait quelque chose de plus grave que d'habitude. Mon père était comme fou, il disait que personne n'avait le droit de le juger, surtout pas sa femme. Il répétait que tout ce qu'il avait fait dans sa vie, c'était pour notre bien à tous, pour notre standing. Comme cette Mustang, par exemple, le cadeau d'anniversaire qu'il venait de lui offrir. Maman lui a répondu qu'elle n'en demandait pas tant… Pendant la semaine qui a précédé son départ dans la vallée de la Meuse, elle n'a pas desserré les dents, elle ne mangeait plus avec nous, elle avait changé de chambre et restait enfermée toute la journée dans un petit salon. J'avais beau frapper à la porte, la supplier de m'expliquer ce qui l'avait mise dans cet état-là, elle n'ouvrait pas, elle ne voulait pas que je la voie pleurer. Ah, cette maudite voiture de malheur! Je me suis souvent demandé si maman n'a pas fait exprès de la détruire. Il y a beaucoup de virages en épingle à cheveux dans les Ardennes, en plus, avec la pluie, les routes sont glissantes… tu comprends? Elle n'a pas pu sauter à temps, elle roulait trop vite… parce que je n'étais pas là.»

J'ai dit à Framboise que pour se débarrasser de sa voiture, on n'est pas obligé de la précipiter dans un ravin, méthode casse-cou réservée aux cascadeurs qui doublent les acteurs dans les films d'action sauf Jean Marais. Il existe beaucoup d'autres moyens moins risqués.

Pauvre Framboise, c'est un rude manque de chance que de perdre sa mère à cause d'une bagnole de sport. Je réalise toute la chance que j'ai, moi, d'être venu au monde dans une famille modeste dont le seul véhicule est un vieux fourgon Citroën qui ne dépasse pas le soixante-dix à l'heure, avec un père raisonnable et une mère qui n'a pas le permis de conduire. Certes Marie-Rose a les nerfs malades, mais Marcel et moi contrôlons la situation, elle vivra au moins jusqu'à cent ans. Je n'en dirai pas autant de l'autre, là, cette mère de substitution aux allures de pin-up très vulgaire qui conduit pied au plancher dans sa décapotable. À force de rouler à tombeau ouvert, elle pourrait bien y tomber tête la première un de ces jours. Cette fois au moins, Framboise ne se sentirait pas coupable.

Trois heures du matin. Je vais être frais pour ma première journée de travail! Toutes ces émotions m'ont creusé, je vais aller inspecter le garde-manger.

En passant devant la chambre de Josiane, je perçois des petits gloussements, ça ressemble à des rires étouffés. Des rires retenus de jeune fille bien élevée qui pouffe derrière ses mains écartées en éventail. Je colle mon oreille à la porte, rectification, ce ne sont pas des rires mais des halètements. Comme si elle courait.

Elle doit faire un rêve sportif, lancée dans un sprint échevelé, elle allonge ses dernières foulées jusqu'à la limite de sa résistance. Ou cinématographique, héroïne d'Hitchcock embarquée dans une intrigue déconseillée aux cardiaques, elle tente d'échapper à une effroyable machination. À moins qu'au plus profond de son sommeil, sa fibre romanesque ne la travaille encore. Le steamer descend toujours le Mékong, mais au salon des premières, une sombre atmosphère de mystère et d'angoisse a remplacé les touffeurs enfumées. L'homme en smoking blanc n'est pas du tout celui qu'on croyait être. Barbara l'a surpris en grande conversation avec un type louche, le genre pilleur de temples khmers. Ils parlaient d'une livraison de nouvelles pensionnaires pour l'établissement de madame Li à Saigon. À ce moment précis, la jeune femme s'aperçoit, mais trop tard, qu'on a versé un narcotique dans son drink. Quand elle reprend ses esprits, elle est ligotée et bâillonnée sur la couchette d'une cabine, celle de l'homme en smoking blanc bien sûr, elle pressent le sort effroyable qui lui est réservé. Fille publique dans un bordel colonial... Plutôt mourir que de sombrer dans cette infamie! Elle tire sur les liens qui entament la chair de ses poignets. Elle n'en peut plus, sa respiration s'accélère encore...

Josy a poussé un petit cri.

Incroyable la puissance des rêves! Elle a mal, j'en suis sûr. J'entrouvre sa porte. Josiane est allongée en travers de son lit, et elle gigote, en effet, elle se tortille et se démène mais nul lien ne l'entrave. Ses jambes sont libres, ses pieds labourent les draps repoussés en boule, elle est nue et ne montre que son dos.

Bon sang, débarrassée de ses vêtements de mémère, ma cousine révèle un corps de vraie femme, je n'aurais jamais cru ça d'elle! Des courbes, des creux, des rondeurs, exactement comme les filles de l'album interdit, avec une taille très fine et des fesses joufflues éclairées par la lune qui brille par la fenêtre ouverte. Les deux cercles blancs superposés dessinent un grand huit qui emporte mon cœur dans des vrilles de montagnes russes. Josiane se trémousse, une main glissée entre ses cuisses, l'autre agrippée à ses cheveux. Recroquevillée, les genoux remontés, elle creuse ses reins en un long mouvement régulier qui lui arrache de petits gémissements. Ça y est, elle recommence à haleter. Sa tête roule à droite, sa tête roule à gauche. Le rythme s'emballe, monte et grimpe encore.

Crac!

Zut, j'ai fait grincer le parquet! Josiane se retourne et m'aperçoit, se plie aussitôt en deux et ramène un paquet de draps contre ses seins.

– Gil... Gilbert, mais... mais qu'est-ce que tu fais là?

Pris de court, je me fige, incapable de répondre parce que je viens de comprendre. J'y ai mis le temps mais c'est bon, tout est limpide. J'ai surpris ma cousine en train de se caresser la tirelire et je ne saurais trop dire quel effet ça lui a fait. Dans ses soupirs, j'ai cru deviner autant de délice que de douleur.

Josiane, quoi qu'il en soit, affiche un authentique bonheur. D'accord, elle n'est pas spécialement ravie de me voir, mais je ne décèle aucune trace d'agressivité dans son attitude, c'est dingue! J'ai pourtant cassé l'ambiance, en croyant bien faire, certes, parce que ses cris ressemblaient un peu à ceux de maman lorsqu'elle perd la boule. J'étais inquiet, voilà tout. Il n'en reste pas moins que j'ai crevé sa bulle intime en y goûtant, je l'avoue, un rude plaisir. C'était la première fois que je contemplais le corps d'une femme nue pour de vrai, je veux dire autrement qu'en photo, et j'ai gagné au change. Quand je pense que je me suis rincé l'œil sur des magazines de pin-up inaccessibles, que je me suis échauffé les sangs sur du papier et de l'encre alors que j'avais, à domicile, à peu près l'équivalent en chair et en os! Chaque samedi, en me cachant dans la buanderie où Fernand a installé une douche rudimentaire, j'aurais pu observer ma cousine sous toutes ses coutures, mais il aurait fallu que je la considère comme une créature de sexe féminin.

– Qu'est-ce que tu fais là?

– Je... je ne dormais pas, j'ai entendu des petits cris... j'ai pensé que tu étais malade.

– Malade!

– Que tu avais une crise d'appendicite. Ou une septicémie aiguë avec décollement de la plèvre.

Son rire éclate d'un seul coup comme une grenade offensive, dans tous les sens, avec des larmes et des postillons, aucune retenue! Ah, elle se bidonne, Josy, bouche béante jusqu'aux amygdales. Elle est tellement secouée qu'elle bascule sur le côté en oubliant de serrer les genoux. Mon regard de chouette fouille aussitôt l'entrebâillement mais les cuisses se referment, aussi promptes que l'obturateur d'un appareil photo. Ce clin d'œil diabolique m'éblouit pire qu'un éclair de flash et j'ai à peine le temps d'évaluer le périmètre du triangle ABC.

L'homme en colère

Son béret à la main, très gêné, il s'est décidé à aborder monsieur Zeler, mais il ne savait pas comment présenter la chose. Le vieux prof l'a mis à l'aise tout de suite.

— Des souvenirs de guerre, mais bien sûr que ça m'intéresse!

— C'est-à-dire que j'en ai pour un moment et puis...

Le prof a fait «tuut-tut-tut... pas de chichis entre nous», puis il l'a invité à venir admirer sa maison remise à neuf.

Après deux Ricard, le visiteur se décide enfin à exposer l'objet de sa démarche en résumant au plus court. Zeler l'écoute sans l'interrompre, à la fin il demande:

— Détenez-vous les preuves de tout ce que vous avancez?

— Tout ce qui faut!

L'ancien conseiller municipal est ferré. La perspective de jouer un tour de cochon à Verdier n'est pas pour lui déplaire.

— Vous désirez garder un style épistolaire?

— Ça veut dire quoi?

— Sous forme de lettre, comme vous avez écrit jusqu'à maintenant.

— Je préfère.

— Vous ne voyez pas d'inconvénient à ce que je tape votre récit en deux exemplaires?

– Au contraire.

Monsieur Zeler tape avec ses dix doigts, à toute vitesse, laissant parler son interlocuteur sans sourciller ni s'autoriser la moindre remarque, comme un juge instruirait son dossier. Impartial. L'homme sait qu'il a fait le bon choix. Sans aide, pour rédiger autant de notes, il lui aurait fallu plusieurs nuits de migraine tandis que là, en une seule séance... chapeau!

Il est rentré vers une heure du matin avec une quinzaine de feuillets précieusement cachés sous sa chemise. Dans un sens le prof a eu une bonne idée de garder une copie pour ses archives personnelles, deux précautions valent mieux qu'une.

«Avoir une femme dans la peau, toubib, en être marteau à s'en cogner la tête contre les murs, tu connais ça, toi? Devenir une larve, accepter les pires humiliations, abdiquer toute fierté et multiplier les conneries, tu as vécu ça dans ta vie, docteur? Moi, oui.

«Avec Denise, j'ai joué avec le feu et je me suis brûlé. Elle m'a battu sur mon propre terrain, plus forte que moi, la garce! Parce que j'avais l'habitude des femmes, je surestimais mes talents, je croyais mener la danse mais elle m'a vite ensorcelé. Je suis devenu son pantin. Elle me tenait au bout de ses ficelles et je n'agissais plus qu'en fonction de ses humeurs. C'est elle qui m'a poussé dans la soutane sulfureuse de l'abbé Gantois. Parrainé par son frère, j'avais rejoint leurs rangs à dire vrai assez clairsemés. Ma foi en leur cause était assez tiède mais ils n'avaient pas les moyens de faire la fine bouche. Propagande, collage d'affiches, réunions, distributions de tracts, je participais à tout ce qu'on me demandait pour les beaux yeux de ma blonde.

190

«Quelle femme, nom de Dieu, je n'avais jamais connu une telle furie! J'avais quitté ma piaule, Georges s'était un peu poussé pour nous laisser de la place, il occupait la chambre à côté de la nôtre et nos pirouettes tumultueuses l'empêchaient de dormir. On aurait pu mettre une sourdine à nos ébats mais je ne t'apprends rien, Verdonck, les amoureux sont égoïstes.

«Le mariage n'était plus à l'ordre du jour, mon engagement dans l'Association des Flamands de France avait servi de caution suffisante. Rien ne pressait, on avait le temps de voir venir, d'autant plus que la guerre devenait imminente. Quand Georges a été mobilisé, nous avons eu la maison pour nous seuls.

«J'étais réformé, pas lui. La perspective d'aller combattre les Allemands le rendait malade et son intention était de déserter à la première occasion, mais les événements ne lui ont pas laissé le temps de mettre son projet à exécution, il a été tué à Dunkerque en mai 1940. Très affecté, l'abbé Gantois organisa une veillée funèbre à la mémoire de ses militants morts dans cet abominable conflit fratricide. Denise s'est assez vite consolée, elle n'a porté le deuil que quelques semaines. Dommage, en tailleur et bas noirs, avec son chapeau à voilette, elle était encore plus excitante!

«Côté boulot aussi, j'avais le vent en poupe. Ce qui restait de l'armée française avait été emmené en captivité; à l'usine, on manquait d'hommes. Grâce à Gantois qui avait le bras long, je me suis retrouvé promu chef de bureau sans mal ni douleur. Une réussite éclair qui en fit tousser plus d'un. Les jaloux n'avaient pas tort car je ne possédais effectivement pas les qualifications nécessaires. Mais la direction qui n'ignorait rien des accointances du

Vlaamsch Verbond avec l'occupant était bien obligée de m'accepter sans protester. On me craignait. On me respectait. Le patron me saluait chapeau bas, les flatteurs me ménageaient, et pour la première fois de ma vie je savourais en secret les privilèges et les petits plaisirs qu'apporte le pouvoir. Je commençais enfin à mesurer qu'en militant pour ces illuminés, j'avais fait un choix qui valait tous les diplômes et les meilleures références professionnelles.

«Bien entendu, je devais faire des concessions, me conformer à l'idéologie du mouvement et obéir à sa ligne de conduite. Le plus pesant pour moi était d'assister aux réunions aussi nombreuses qu'assommantes où il fallait subir les prêches interminables du curé et de ses acolytes. Toi, surtout, le plus instruit de l'équipe, dont le chef appréciait particulièrement le zèle et le bagou.

«Je me souviens en particulier d'un comité restreint où j'ai dû me farcir tes fastidieuses analyses du livre de Gantois, *Le Règne de la Race*, notre manuel de référence. Rappelle-toi, Verdonck, ce catéchisme délirant, ne me dis pas que tu y croyais! Moi, j'avais au moins l'excuse de défendre mon bifteck, mais toi... Quand j'y repense: *La race deviendra au XXe siècle le fondement des États et cette révolution des temps modernes se fera au profit du germanisme et par le germanisme au sens le plus large du mot...* Nous incluant, nous, les Flamands, en tête du cortège, cela va de soi!

«Ce livre était farci de principes ahurissants, je peux encore t'en citer quelques-uns de mémoire: *Le racisme est dans la tradition du christianisme. C'est le racisme qui honore l'œuvre divine.* Pas mal, ce raccourci permettant de justifier le racisme au nom des Évangiles! Donc pas de pitié pour les Juifs, assassins du Christ: *Un Juif baptisé cesse d'être de religion israélite, mais il ne se transforme pas pour autant en*

192

Occidental. Il reste ce qu'il est : un Sémite. Les Asiatiques et les Noirs, même racaille ! *Un Annamite chrétien reste un Annamite, un nègre baptisé n'en est pas moins nègre.*

« Te souviens-tu de votre charabia à propos de la *"statolatrie jacobine"*, la *"latinolatrie"* des intellectuels, l'*idéologie bassement démocratique* et l'*égalitarisme ethnique* ? Je suppose que pour piger, il fallait avoir assimilé pas mal de connaissances, c'est te dire à quel point, moi l'ignorant, je pataugeais dans ce foutoir de notions dont je ne retenais qu'une chose : j'avais du bol d'être né Flamand et chouchou des Boches. Preuve en était l'extraordinaire amélioration de mon sort ces derniers mois, si ce n'était là qu'un avant-goût de ce qui m'attendait, un brillant avenir s'ouvrait au-delà de mes plus folles espérances. Le reste n'était que littérature soporifique, monotone à en mourir, je bâillais en vous écoutant pérorer, mais tout bien pesé, c'était bien peu de chose comparé aux bénéfices matériels que j'en retirais. Je n'en demandais pas plus.

« L'an dernier à la braderie, j'ai déniché un exemplaire du chef-d'œuvre de notre cher curé, tout cela ne nous rajeunit pas, n'est-ce pas ? En le feuilletant, j'ai retrouvé un certain passage que tu nous avais abondamment commenté à l'occasion d'une table ronde. Toujours en petits comités d'initiés, hein, parce que ces thèses hardies, vous n'osiez quand même pas trop les développer dans *Le Lion des Flandres*, notre revue destinée à un plus large public. Ouvre-les yeux, toubib, je t'en recopie quelques extraits : *Les avocats nègres siègent au Palais-Bourbon, sont promus secrétaires d'État. [...] Les jeunes gens, à la caserne, connaissent la honte de se mettre au garde-à-vous devant des fils d'esclaves. [...] Ils sont livrés dans la fleur de l'âge au bon plaisir des brutes syphilitiques à peine extraites de leur bled algérien et élevées au*

193

rang de sergents de l'armée française. Leurs sœurs sont promises en mariage à quelque Adonis congolais, anthropophage dans sa jeunesse. Un vaste État noir se forme ainsi de Paris à Tombouctou. Ce style-là était accessible et je retenais surtout que plus on dégagerait de métèques, plus il y aurait de la place pour les gens comme moi.

«Mais vous ne vous en preniez pas qu'aux bronzés, la France profonde n'était pas logée à meilleure enseigne, et là, même dans la revue, vous y alliez à fond les manettes. *La France, un État dominé par les Méridionaux qui ont conquis les leviers de commande non par leur supériorité culturelle mais par habileté sémitique. [...] Un pays sans véritable culture, sans pensée historique valable. [...] La République ? Un régime où le nègre est considéré comme l'enfant de la maison et le bicot l'enfant chéri de la famille impériale, tandis que les descendants des libres Flamands sont livrés au beau plaisir de proconsuls aux petits pieds ! [...] Les Français ? Une race abâtardie et abrutie par l'alcool et la bestialité, un peuple qui a fait de Maurice Chevalier, de Joséphine Baker, de Tino Rossi, des héros nationaux, et de Bach, un comique troupier ! [...] Les jeunes Français ? Des zazous avachis qui ne rêvent que d'aller au bal !*

«Quel orateur tu faisais ! Je me souviens encore de tes leçons d'histoire. La rage qui te submergeait rien qu'à évoquer le désastre de Bouvines (1214) : *Terrible bataille où le sort des armes avait décidé que la France ne resterait pas germaine mais deviendrait latine, où la vieille souche "franke" des pays de langue d'oïl se voyait condamnée à être submergée par les Aquitains et les Auvergnats, tous bâtards d'Arabes qui amèneraient leur culture dissolvante...*

«Denise qui assistait à nos causeries te regardait déjà d'un œil humide. Est-ce grâce à elle qu'en janvier 1941 je vis débarquer un type jovial qui me proposa d'entrer au

RNP? Le Rassemblement national populaire de Déat et Deloncle, le seul parti politique collabo vraiment pistonné par les Allemands. Le gars s'empressa d'ajouter que devenir membre ne m'obligeait pas à quitter le *Vlaamsch Verbond*. Au contraire, m'assurait ce faquin, il n'y avait que des avantages à en tirer, alors j'ai dit pourquoi pas. Je devenais en quelque sorte un multicartes comme les représentants de commerce qui bouffent à plusieurs râteliers. Je n'ai pas eu à le regretter. Je me suis installé à Lille avec Denise et je n'étais pas fâché qu'elle soit enfin éloignée de tes charmes de beau parleur.

«Après la tristesse d'Armentières, quel changement! La capitale des Flandres, véritable plaque tournante des permissionnaires allemands, était devenue un centre de distractions. Parallèlement aux activités de prestige, orchestre, opéra, conférences, organisées dans le but de transformer la ville en vitrine culturelle germanique, toute une vie nocturne s'était développée pour satisfaire le bonheur du troupier. Tout y était conçu pour le plaisir du soldat, reprises des courses hippiques au Croisé-Laroche, salles de spectacles populaires, théâtre de boulevard. L'heure du couvre-feu était retardée, les bistrots ne désemplissaient pas, bobinards et beuglants refusaient du monde.

«On m'a offert un poste de permanent au siège du parti installé rue Faidherbe. Une planque de toute beauté et grassement payée. À part préparer des distributions de tracts, veiller à l'organisation pratique des meetings ou diriger les sections d'intervention dirigées contre les francs-maçons ou les commerçants indésirables, je n'avais strictement rien à faire. Mieux encore, nous étions logés boulevard Vauban, juste en face du jardin, dans un bel appartement meublé qui avait appartenu à un bijoutier juif absent de la région pour une durée indéterminée. Cerise sur le gâteau, je m'étais très vite fait suffisamment de relations pour m'introduire dans un réseau de marché noir qui écoulait des produits de luxe, parfums, tabac, vins fins, bas nylon et même tissus anglais introduits je ne sais comment en zone interdite! Les Boches me refilaient tous les laissez-passer nécessaires pour circuler de jour comme de nuit, j'avais mes entrées partout, le pognon coulait à flots, on vivait comme des princes.

«Début juillet, soit une quinzaine de jours après le déclenchement de l'opération Barberousse contre l'URSS, la toute neuve LVF, la Légion des volontaires français contre le bolchevisme, a ouvert ses locaux dans le même immeuble que le RNP. Elle fut inaugurée par son président en personne, Eugène Deloncle, qui comptait de nombreux soutiens à Lille. À l'automne de cette même année, il devait s'opposer à Déat, brouille qui fit éclater le parti.

«Comme en pratique cela ne changeait rien, je n'ai même pas essayé de comprendre les raisons profondes de cette querelle; tant que mon niveau de vie n'était pas affecté, je ne me sentais pas concerné. Les chefs se disputaient âprement le pouvoir, c'était leur problème. Je n'avais pas à m'en mêler. De nouveaux partis se sont créés, comme le Mouvement social révolutionnaire dirigé par un certain Bedet, un truand notoire, déserteur, propriétaire d'un bar louche et gros bonnet du marché noir couvert par la police allemande. Tu l'as bien connu celui-là, n'est-ce pas, docteur? Enfin jusqu'à ce qu'il tombe en disgrâce. Un sacré magouilleur, Bedet, plus hitlérien que le Führer, il menait sa barque dans tous les cloaques, arrosait les huiles et obtenait en retour les meilleurs avantages, matériel boche, bagnoles et même des cartes nationales socialistes qui valaient tous les passeports diplomatiques. Je sais de quoi je parle, il m'en a procuré une et je ne te raconte pas toutes les portes que ce bout de carton m'a ouvertes. C'est encore lui qui m'a conseillé d'apprendre l'allemand. Un investissement, qu'il disait. J'ai un peu rechigné, évidemment, tu connais mon goût modéré pour l'étude, mais je m'y suis mis et ma foi, quand on parle un dialecte néerlandais depuis l'enfance, l'allemand rentre assez vite.

«Je suivais les cours du soir au *Frontbuchhandlung*, l'institut culturel de la Grand-Place, et au bout de quelques mois, sans aller jusqu'à parler couramment, je me débrouillais assez bien. Mon accent faisait sourire, et alors! Quand j'hésitais sur un mot, je le remplaçais par son équivalent en flamand et neuf fois sur dix on arrivait à se comprendre. Les Boches étaient flattés, là encore, Bedet avait vu juste, et je me suis ouvert l'accès à de nouveaux réseaux. Tous les soirs Denise et moi étions de sortie, soirées huppées, banquets, clubs privés, elle adorait cette nouvelle vie, elle évoluait dans le grand monde comme si elle y avait toujours vécu. Fallait la voir frétiller parmi le gratin de l'*OFK 670,* l'*Oberfeldkommandantur* qui commandait le Nord et le Pas-de-Calais. Tous ces gradés la dévoraient des yeux, sanglés dans leurs uniformes comme à la parade, ils se bousculaient autour d'elle, les plus jeunes bombaient le torse et claquaient des talons, les vieilles badernes en avalaient leurs monocles.

«Qu'est-ce que je pouvais faire sinon laisser courir? Ces salopards étaient en pays conquis et ils se payaient sur la bête, ce sont les lois de la guerre. J'étais cocu mais protégé, jaloux mais plein aux as. Je n'ai jamais su combien de mecs elle s'est payés, au bas mot, je dirais que tout l'état-major y est passé. Comme je n'étais pas en position de me rebiffer, je fermais les yeux en rongeant mon frein. D'une certaine façon, Denise travaillait pour moi, elle me refilait des tuyaux intéressants, favorisait mes petits trafics, nous étions devenus un couple infernal, ni plus ni moins que l'association d'un mac et d'une pute de luxe. Le pire c'est que je l'avais tellement dans la peau que j'étais incapable d'aller me consoler ailleurs. Je ne dormais plus, je passais mes soirées solitaires à boire et à fumer. Elle rentrait à l'aube, parfois plus tard, fatiguée, usée, ses robes empestant le tabac froid et l'eau de toilette masculine, des cernes jusqu'au milieu de la figure.

«Alors nos engueulades tournaient au vinaigre, nous en venions aux mains. Mon dépit enragé l'amusa jusqu'à ce jour où, ne sentant plus mes forces, j'ai cogné plus fort que d'habitude. Elle se releva à moitié assommée, furieuse, le visage tuméfié et l'arcade sourcilière éclatée, mais elle n'était pas de celles que la violence peut mater. Elle m'a menacé de tout aller cafter à ses petits copains, des durs, car elle ne fréquentait pas que les pères tranquilles de la Wehrmacht, elle se frottait aussi aux fringants jeunes premiers de la Waffen-SS. Me faire passer pour un résistant ou, plus grave, un espion gaulliste infiltré au RNP aurait été pour elle un jeu d'enfant, elle avait appris à manier le mensonge et la perfidie avec une virtuosité qui me terrorisait. Une dénonciation, une seule plainte, et la Gestapo me tombait sur le paletot.

«Pour tromper ma solitude, je recherchais les endroits très fréquentés. Les établissements respectables comme le *Bellevue* ou le *Café de la Paix*, point de chute des honnêtes "souris grises" accompagnées de leurs fiancés, sous-officiers administratifs pour la plupart, mais aussi les endroits plus louches, la *Taverne de Roubaix*, ou le *Bar de Monaco* près de la place des Reignaux, lieux de rendez-vous des filles à soldats. Denise n'était rien d'autre, finalement.

«Quelques semaines plus tard, j'ai commencé à la filer, je ne tenais plus en place, je voulais savoir où elle allait, qui elle voyait, je notais les adresses de ses amants, j'échafaudais les plans de vengeance les plus miteux tout en sachant que je n'aurais jamais le courage de les mettre à exécution.

«L'étincelle qui a mis le feu aux poudres, Verdonck, c'est quand j'ai découvert que toi aussi, tu couchais avec elle.»

16

En préparant mes tartines, maman me trouve une mine de papier mâché, Josiane lui explique que les garçons de mon âge font souvent des rêves tourmentés.

– Tu veux dire des cauchemars?

– Pas exactement, répond la cousine en me couvant d'un regard malicieux.

Je pique du nez dans mon bol de café au lait. Je n'en reviens pas, en une seule nuit, Josiane s'est métamorphosée! Elle a l'œil vif, un teint de pêche et la lèvre vermeille, ses petits plaisirs nocturnes lui ont fait un effet de jouvence.

Marie-Rose s'assied à côté de moi.

– Quelque chose te turlupine, mon grand?

Et voilà, elle va encore se mettre martel en tête, il ne manquait plus que ça! Avec ses sous-entendus, sa nièce a encore réussi à l'inquiéter, c'est malin. Elle connaît sa tante, quand même, elle aurait pu faire attention! Pour ma mère, un sommeil agité ne peut qu'être la cause toujours alarmante d'un dysfonctionnement de l'organisme, mauvaise digestion, fièvre de croissance, rythme cardiaque anormal, ou bien symptome de problèmes personnels non résolus, secrets trop lourds à garder, contrariétés ou angoisses diverses. Les turbulences de la libido, les douleurs abdominales dues aux enthousiasmes de P'tiot-

Biloute ou les démangeaisons chroniques qu'on serait tenté d'apaiser, n'existent pas. La question a été réglée une fois pour toutes à l'apparition de mon premier poil sexuel.

– Ne touche jamais, malheureux! En aucun cas, quoi qu'il arrive!

Son air terrifié m'a ôté toute envie d'essayer. J'en ai déduit que le zizi était un objet tabou. De là, l'impérieuse nécessité de la culture physique et des lourds travaux domestiques ou de jardinage car l'oisiveté est la mère de tous les vices. Le salut réside dans la saine fatigue qui endort la bête sommeillant en chacun de nous. La réveiller, la flatter avec complaisance, répondre favorablement à ses demandes de caresses conduit tout droit à des dégâts irréparables pour l'organisme et l'équilibre mental. Ça peut rendre fou, rachitique, sourd ou aveugle selon les cas, tout dépend des saisons, du calendrier rituel catholique ou des cycles astraux.

Ce que Marie-Rose appelle les «sales manières» équivaut à ce que l'abbé Bitrou qualifie «d'atteintes à la pureté du corps et de l'âme» et l'Évangile de «luxure», péché mortel qu'il convient de confesser sans délai sous peine de souillure indélébile et de châtiment éternel. Au catéchisme, on nous avait distribué un petit bouquin édité par le diocèse intitulé *Tu seras un homme*, avec interdiction formelle de le commenter entre nous. Ce fascicule dépourvu d'illustrations ou de schémas explicatifs dans lequel je me suis néanmoins plongé avec une curiosité avide aborde la sexualité avec un tel lyrisme et en termes si édulcorés qu'en définitive, j'en suis ressorti guère plus éclairé que je ne l'étais en abordant la première page. Pas le moindre passage croustillant. Les auteurs anonymes, sans doute des prêtres condamnés au célibat, nous recommandent de garder notre pureté et notre innocence pour celle qui deviendra notre épouse devant Dieu. Donc, attendre la nuit de noces. Seule notre compagne légitime aura l'insigne privilège de faire naître en nous un merveilleux besoin de procréation d'une intensité telle que, portés l'un vers l'autre par un Souffle divin (sans doute le frère jumeau du Saint-Esprit qui fit éclore le Fruit dans les entrailles de la Vierge Marie), nous ne ferons plus qu'un seul corps soudé par le sacrement du mariage *per saecula saeculorum*. Dans l'attente de cette céleste fusion, le meilleur antidote aux tourments de la chair est encore de réciter le *Pater* ou le *Confiteor*, en latin de préférence, afin que le Créateur du Ciel et de la Terre ne nous soumette pas à la tentation et nous délivre du mal.

Marie-Rose, pour sa part, préfère réitérer périodiquement ses mises en garde en termes plus prosaïques. Elle répète que si je me touche le zizi, il restera toujours petit et que j'aurai l'air d'un con le jour du conseil de révision où les futurs conscrits sont obligés de défiler tout nus devant les médecins militaires. Point final.

Les filles, au moins, n'ont rien à craindre de tout cela, elles! Dégoûté par tant d'injustice, je demande où est Marcel.

– Il est allé au cirque aider ton père.

Le cirque, c'est vrai, j'avais oublié. Et là, je me détends d'un seul coup, ça lui irait bien de faire le clown, à ce sagouin! S'il répétait sur la piste le numéro qu'il m'a fait hier soir, la direction l'engagerait séance tenante. Évidemment il faudrait l'habiller un peu, un slip en peau de panthère, genre Tarzan, serait du plus bel effet.

– Dépêche-toi, Gilbert, Émile va t'attendre, je te rappelle que tu travailles, aujourd'hui!

Josiane émet un petit gloussement moqueur. Je sors de table, mais au moment où je passe la porte, elle m'agrippe par la manche.

— Viens un peu par ici, toi, j'ai deux mots à te dire.

Je la suis dans la cour, pas trop rassuré. Qui sait ce qu'elle est encore capable d'inventer pour me taquiner?

— Si tu t'avises de raconter à quiconque ce dont tu as été témoin cette nuit, je rapporte aux parents tout ce que je sais sur ton compte.

Mes craintes étaient fondées, il s'agit bien d'une menace. Comme je déteste le chantage, je me rebiffe.

— Et tu sais quoi, hein?

En guise de réponse elle chantonne, les yeux en l'air et l'air de rien, toute joyeuse, une tête à claques! Je ne tiens plus en place.

— Allez, explique-toi nom d'un chien!

— Tout!

Comment tout? Ce n'est pas possible, elle bluffe! Hélas non, elle est au courant de mes turpitudes les plus secrètes, mes balades au cimetière, Violette, mes conversations avec Fred à propos de Betty Boop et surtout, l'album secret! Si elle crache le morceau, mon père me casse les reins.

— Veux-tu que nous parlions de cette sale manie que tu as de reluquer Nadège quand elle se paie du bon temps avec cette petite frappe de Moreto?

Non merci, je me rends.

Bon sang, cette chipie cachait bien son jeu, quelle hypocrite! Sous ses airs de ne pas y toucher elle fourre son nez partout. Belle mentalité! Je vis depuis des années à côté d'une espionne.

Dix minutes plus tard j'arrive à la boucherie au moment où Fred boucle son cartable. Je me surprends à l'envier.

Rapidement, il m'explique la tournée, un circuit de six à sept kilomètres qui doit être bouclé avant onze heures pour que les clients aient le temps de préparer leur repas. Il est encore possible de livrer à la dernière minute, c'est-à-dire entre onze heures trente et midi grand maximum, les trucs qui se cuisent à la poêle comme les côtelettes, les saucisses ou les biftecks, mais pour le pot-au-feu, les carbonades ou le ragoût de mouton, j'ai intérêt à me pointer avant neuf heures si je ne veux pas me faire jeter. Droite derrière son tiroir-caisse, madame Simone rappelle son fils à l'ordre :

– Cesse donc de bassiner ton copain avec tes conseils, il est assez grand pour se débrouiller tout seul. File maintenant, tu vas être en retard !

Un ton qui n'admet pas de réplique. Mon père m'a prévenu, c'est un chef, madame Simone, heureusement que je ne dois pas l'assister au magasin. L'après-midi, il est prévu que je donne un coup de main au commis. Bien que je ne sache pas à quoi on va m'employer, j'espère qu'à l'atelier, nous serons bien tranquilles entre hommes.

– Gilbert, tu attends dehors s'il te plaît, Francis va s'occuper de toi dans deux minutes.

Sans aller jusqu'à m'offrir un petit café, elle aurait pu au moins me dire bonjour. Elle est rugueuse, la bouchère ! Frédéric m'a dit un jour que c'était sa façon de cacher son manque d'assurance. Comme elle ne s'est jamais habituée dans ce quartier, elle épuise avec les clients tout son stock de politesse de sorte qu'il ne reste plus rien pour ses proches. Dois-je en déduire qu'elle me considère déjà comme quelqu'un de la famille ?

Tiens, Fred n'est pas encore parti, il a fait un arrêt chez Dericker pour acheter des Malabars.

– Hep, Gill, t'en veux un ?

Pas de refus. Il prend son temps pour déballer le sien afin de ne pas déchirer l'image de la collection Mickey qui colle toujours un peu au papier sulfurisé. Il est comme ça, Fred, il a commencé à regarder sous les jupes des filles un an avant moi, il m'a tout appris des pin-up, je sais qu'il a même déjà touché Violette et il conserve des vignettes publicitaires de gosses. J'ai parfois du mal à le cerner.

— Grouille-toi, je dis, tu vas te faire remonter les bretelles par le surgé.

— Pas la peine! On n'a pas musique ce matin, l'aviatrice est absente.

— Alors pourquoi tu pars si tôt?

— J'ai une leçon de conduite.

Voilà autre chose! Une leçon de conduite qu'il me dit, ce crâneur, comme s'il était en âge de passer le permis. Tu parles, quel coup tordu est-il encore en train de manigancer? Mon scepticisme teinté d'envie lui procure un immense plaisir et il me laisse mariner un moment avant d'expliquer que Béru va lui prêter sa pétoire. Ouais! Enfin, plutôt celle de son frère qui fait son service en Allemagne depuis novembre. En réalité Béru s'appelle Péru, on lui a collé ce sobriquet rapport à sa corpulence de moine fromager et en hommage à l'adjoint du commissaire San-Antonio.

— Une Flandria toute neuve, tu te rends compte!

— C'est mieux qu'une Malagutti?

— Un peu, mon neveu, fabrication française! Et puis, comme dit mon père, si on ne fait pas travailler nos ouvriers, ils ne mangeront plus que des patates et des nouilles.

Changeant brusquement de sujet, il revient à la tournée car il se rappelle avoir vu sa mère peser une entrecôte pour le *Chat Beauté*.

– T'as pas oublié, j'espère... la parfumerie, rue Gambetta? Je t'ai parlé de la patronne, tu sais bien, le canon! Les entrecôtes, ça cuit en cinq minutes, tu n'auras qu'à la livrer en dernier, comme ça, t'auras tout le temps pour mater, sacré veinard!

– Oui, mais à cette heure-là, elle ne sera plus en robe de chambre vaporeuse!

– Tant mieux, elle portera sûrement quelque chose d'encore plus sexy, c'est une coquine, tu sais.

Cette fois il est parti. Je retourne au magasin où madame Simone accueille les premiers clients. Je reconnais la femme de Maurice, le musicien, une vieille ronchonne qui se lave une fois l'an, et Solange, tout le contraire, une fille qui pourrait faire du cinéma. Elle est radieuse, dans ses yeux brille le même soleil que dans ceux de Josiane ce matin, au réveil. Je me demande si elle s'est livrée toute la nuit aux mêmes contorsions que ma cousine. Ça m'étonnerait, Solange est mariée, en plus elle a un amant, personne n'est censé le savoir mais tout le monde en parle.

En attendant que Francis apporte le panier, je mâche pensivement mon Malabar. Au premier ballon, j'aperçois Paulo qui sort de la ferme au volant du *nouveau tracteur de Clovis*, un John Deere pas encore crotté.

– Alors, *garchon*, on fait *queuette*?

Traduction: on fait l'école buissonnière?

Je réponds à son bonjour. C'est un vrai rustique, Paulo, un sanglier solitaire qui grogne plus qu'il ne parle, mais il ne joue pas au petit chef comme la mère de Fred. À tout prendre j'aurais préféré travailler à la ferme. Voilà Francis.

– Alors, t'as bien compris le circuit? J'ai placé audessus du panier les paquets qui urgent. Ton premier client c'est le *Plat d'Étain*, n'oublie pas. Tu ne peux pas te tromper, la patronne a écrit les noms et adresses sur chaque emballage.

Merci madame Simone.

Même avec la selle rabaissée, le vélo de livraisons reste difficile à diriger, je n'ai pas l'habitude de manœuvrer des engins dont la roue avant n'est pas du même diamètre que l'autre. Très mal fichu, vraiment. Il va me falloir un bon moment pour m'habituer à ce système de freinage débile, pas de manettes au guidon, pas de câbles, pas de patins, rien d'autre qu'un moyeu très compliqué qui bloque la roue dès qu'on pédale à l'envers. Juste avant que je me mette en route, Émile me dit qu'il n'y a rien de mieux par temps de pluie. Peut-être, mais si la chaîne saute, ça va être coton de la remettre en place, elle est complètement enveloppée avec le plateau et le pignon dans un carter en fer blanc retenu à la fois au cadre et à la fourche par une bonne vingtaine d'écrous placés à des endroits inaccessibles. En plus, avec toute la charge qui pèse sur le porte-bagages avant, je vais être déséquilibré à chaque coup de pédale. D'après Francis, on s'y fait vite à condition d'éviter les mouvements brusques. Quand il m'a vu partir en zigzag il a crié :

– Roulez jeunesse... le plus dur, c'est le départ, après t'es sauvé !

Le problème c'est que le principe des livraisons impose des arrêts fréquents. Je serai donc pratiquement toujours en situation de redémarrage. Je n'ose même pas penser au désastre si je me casse la gueule. Tout cet étalage de boucherie répandu sur la chaussée avec les chiens et les chats des alentours se ruant à crocs et à griffes. Ce serait l'événement de la semaine, un truc à mettre dans le journal.

17

Jules est tout étonné de me voir avec une sacoche de livreur en bandoulière. Je n'ai pas pu éluder la question de sorte que maintenant, la moitié des clients est au courant de ma disgrâce. Tout en tirant ses premiers demis pression de la matinée, le patron approuve la décision de mon père.

– Il a eu rudement raison, Fernand, de te mettre au boulot, pas vrai les gars?

D'un bout à l'autre du comptoir, un murmure d'approbation court sur toutes les lèvres blanches de mousse.

– Comme ça, il saura ce qu'c'est que de se r'trousser les manches, renchérit un boulanger.

Paroles pleines de sagesse que s'empresse de ratifier un peintre en bâtiment.

– Surtout qu'au lycée, à les laisser assis comme ça toute la journée, c'est le meilleur moyen d'en faire des fainéants!

J'ai droit aux félicitations de la compagnie qui semble heureuse de m'accueillir dans la confrérie des travailleurs. Jules me glisse discrètement dans la poche un généreux pourboire et me souhaite bonne route.

À *La Bascule*, un autre café dîneur prioritaire pour cause de viande en sauce, la patronne refuse de régler à un gamin qu'elle n'a jamais vu. Émile ne l'a pas prévenue, non mais, on ne paie pas comme ça, rubis sur l'ongle, n'importe qui, ce serait trop facile ! Faut dire que je me suis pointé en même temps qu'Alphonse, le marchand de charbon qui doit traverser le bistrot, ses sacs d'anthracite sur l'épaule, jusqu'à l'entrée de la cave, au fond du couloir à gauche, juste avant les toilettes. Ça fait beaucoup de tintouin et de poussière en début de journée pour cette honnête bistrotière qui vient de passer la serpillière.

Je remonte la rue Pasteur où Émile a une grosse clientèle de retraités. Petites commandes, petits paquets, petites sommes payées en menue monnaie. Une rombière soupçonneuse consent à m'ouvrir au cinquième coup de sonnette.

– J't'ai encore jamais vu, toi, d'où qu'tu sors ?

Furieuse d'avoir été dérangée en pleins préparatifs culinaires, elle brandit une tête d'ail en marmonnant des imprécations en patois. Elle doit me prendre pour un vampire. Je lui offre un large sourire histoire de la rassurer sur la longueur de mes canines, mais elle me lorgne encore un bon moment par-dessus ses verres demi-lune avant de sortir ses sous.

Sur le seuil de la maison voisine aux volets kaki, un ancêtre rébarbatif m'attend de pied ferme. Tout en rallumant sa pipe, il tique sur ma coupe de cheveux trop négligée à son goût.

– Y s'embauchent des *Biteulzes* maintenant pour faire l'garçon boucher ! J'te passerais nom de Dieu tout ça à la tondeuse, moi, et sans traîner !

Là-dessus, il s'énerve, crachote dans sa pipe dont le tuyau se met à baver, mais plus il aspire, plus le fourneau renvoie un bruit répugnant de succion. Soudain hors de lui, toussant et crachant, il m'informe sur un ton d'adjudant-chef qu'il a fait Verdun, lui, la Marne et toute la campagne de Belgique, pas comme certains... Que les Boches, on n'en a pas zigouillé assez, la preuve, après s'être torchés avec l'Armistice, ils ont remis le couvert en 39, mais avec lui, ils sont tombés sur un os. Comme tous les cheminots, il leur a rendu la vie duraille! Ah, pour ça, il en a saboté des aiguillages! Résistant de la première heure, pas comme certains... Quand je serai passé chez le coiffeur, il promet de me montrer son musée personnel, et peut-être même sa cave. Il y planque encore quelques caisses de grenades à manche dont il ne va plus tarder à se servir si ces petites crapules de blousons noirs n'arrêtent pas de faire pétarader leurs saloperies de *bobylettes* sous ses fenêtres! Je tremble pour Fred et son copain Béru.

– Leur faudrait une bonne guerre!

Sans me laisser le temps de noter la commande du lendemain, il claque la porte en criant qu'il s'arrangera avec le patron comme d'habitude, vu qu'il ne fait pas confiance à la jeunesse.

Dans le quartier de la mairie, les clients sont moins hargneux. Commerçants, pour la plupart, ils me règlent sans rechigner en me laissant de bons pourboires, surtout l'opticien dont le fils est dans la même classe que moi. Il me reste encore toutes les cités ouvrières regroupées autour de la savonnerie et des carrelages Villeroy et Bosch. Je tire de leurs tâches domestiques des ménagères en bigoudis et tabliers à fleurs. Certaines nettoient leur trottoir à grande eau, d'autres, juchées en équilibre instable sur des chaises en formica, astiquent leurs vitres, d'autres sont encore en peignoir. Chez elles, ça sent le café bouilli, le chou-fleur ou l'oignon frit. Les couloirs étroits sont encombrés de vélos ou de voitures d'enfants, parfois on m'invite à entrer dans la cuisine où la table du petit déjeuner n'est pas encore débarrassée, on me demande de ne pas faire attention, on est débordées, les journées ne sont pas assez longues. On s'inquiète de l'absence de Francis.

– Il n'est pas malade, au moins?

Tout le monde l'apprécie. Un brave garçon, très serviable, toujours un mot aimable, surtout je ne dois pas oublier de lui dire bonjour de la part de Ginette, d'Arlette, de Paulette, de Georgette... Elles semblent toutes folles de lui.

Onze heures et demie, j'ai presque terminé. Il ne me reste plus qu'à livrer le *Chat Beauté*.

Tiens, la boutique est vide, ce n'est sans doute pas l'heure des achats de luxe. Curieuse enseigne quand même pour une parfumerie; d'après Fred, c'était autrefois un magasin de chaussures, une enseigne reprenant le titre du célèbre conte de Perrault, l'actuelle propriétaire s'est contentée de remplacer l'adjectif. Une femme du P'tit Belgique sort de chez Pingouin Stemm avec une provision de laine à tricoter.

– Alors, Gilbert, on s'habitue?

Les nouvelles vont vite. Je pose mon engin contre le mur mitoyen pour ne pas rayer la vitrine. Plus bas, je reconnais la DS noire du docteur Verdier garée devant l'échoppe du cordonnier. M'étonnerait fort qu'il soit malade, celui-là, comme dit mon père, c'est un vieux dur à cuire.

Je pousse la porte de la parfumerie qui s'ouvre dans un tintement de carillon et je pénètre dans un univers de flacons, de tubes, de fioles et de petits pots disposés sur des étagères en verre comme des collections de bibelots pré-

212

cieux. Un intérieur que Marie-Rose qualifierait de maison de poupées. Mais de très vieilles poupées alors, porcelaine jaunie et vêtements naphtaline. J'ai l'impression de retrouver l'un de ces carrousels Belle Époque, manèges de chevaux de bois et de cochons roses qui tournaient encore, quand j'étais tout petit, au son de l'orgue de barbarie, et que la vogue des autos tamponneuses et de la pop-music a écartés progressivement des ducasses. Un miroir ovale accroché derrière le petit comptoir de couleur parme me renvoie l'image de ma tignasse ébouriffée. J'essaie d'aplatir mes épis, peine perdue, il faudrait les mouiller. J'utiliserais bien le gros vaporisateur de démonstration *Capricci* de Nina Ricci, ça ressemble à de l'eau de Cologne mais s'il s'agit d'un parfum plus corsé, je vais sentir la cocotte et la splendide créature se moquera de moi.

À qui peut-elle bien ressembler, madame *Chat Beauté*? Aux speakerines de la RTF, élégantes et tout sourire même quand elles annoncent un film fortement déconseillé aux jeunes téléspectateurs? L'an dernier, à la foire commerciale de Lille, j'ai vu Jacqueline Cora! Elle signait ses photos comme une vraie star. Autour d'elle, il y avait autant de monde qu'au Furet du Nord quand Hergé en personne était venu dédicacer ses albums. J'ai même trouvé ça injuste parce que travailler dix minutes par jour pour annoncer les programmes c'est quand même moins difficile que d'inventer des bandes dessinées. N'empêche que j'ai fait la queue comme les autres pour approcher une vedette de la télévision. Elle essayait de se montrer sympathique, simple et sans manières, mais il ne faut pas essayer de jouer au plus fin avec moi, j'avais deviné tout de suite que c'était pipeau. La parfumeuse va-t-elle devoir se forcer elle aussi pour me faire bonne figure, ou bien

213

n'aurai-je droit qu'à son mépris glacé? Papa se méfie des femmes trop belles, il est peut-être superstitieux mais il ne croit pas aux miracles. Il dit que pour fabriquer un être humain, la nature ne dispose que d'un nombre d'atouts limités, si tout est distribué sur le physique, il ne reste plus rien dans le cœur.

En tout cas, qu'elle soit affable ou arrogante, madame *Chat Beauté* n'est pas méfiante, voilà cinq bonnes minutes que je poireaute dans son magasin et elle ne s'est toujours pas manifestée. Quelqu'un de malhonnête aurait déjà pu se servir tranquille et repartir les poches pleines. Je toussote bruyamment histoire de signaler ma présence. Rien ne bouge. Je lance un appel timide:

– Il y a quelqu'un?

Pas de réponse. Je déteste ce genre de situation, raison de plus pour me décider. Soit je pose mon paquet et tchao, soit je jette un coup d'œil dans l'arrière-boutique cachée par cette lourde tenture en velours grenat à côté du présentoir *Nivea*. La première solution serait la plus simple. Et aussi la moins courageuse. La seconde m'amènerait à enfreindre l'une des règles de la politesse élémentaire qui interdit de s'introduire chez des inconnus sans y avoir été invité.

Et alors, je ne vais quand même pas me dégonfler si près du but! Fred ne manquera pas de me poser trente-six mille questions, c'est sûr, me demander si la parfumeuse m'a offert le thé, si elle était habillée sexy, tout ça...

Je pénètre dans une pièce assez spacieuse éclairée par une fenêtre donnant sur une cour intérieure aux murs couverts de lierre. Ce n'est ni une réserve, ni un débarras, on dirait une loge d'artiste comme on en voit parfois à la télé quand les journalistes interviewent un comédien juste avant le spectacle. Ce sont les trois rampes d'ampoules électriques encadrant un grand miroir qui m'y font penser, ainsi que la console encombrée de bocaux, de pinceaux, de houppettes, de ciseaux aux formes biscornues et de poudres colorées disposées en éventail sur une palette. On dirait du matériel d'artiste peintre. C'est vrai que la parfumeuse est aussi esthéticienne, cette pièce doit lui servir d'atelier. À part mon cœur qui bat le tam-tam de guerre, le silence est total.

Je viens de me fourrer dans l'ambiance des *Cinq dernières minutes*, sauf qu'avec Bourel, c'est lointain, en noir et blanc, et qu'on est bien tranquille sur sa chaise pendant que les personnages se débrouillent avec leurs histoires louches. Cette fois, je suis passé de l'autre côté de l'écran, un cadavre m'attend peut-être à l'étage. Mon ventre se creuse, je sens mousser la peur. Même angoisse que la nuit dernière au bord du canal. Encore pire parce qu'ici, je suis enfermé, pris au piège, alors autant en finir, et vite!

Franchissant l'escalier en quatre enjambées, je débouche sur un palier étroit. Il n'y a qu'une porte, entrouverte, qui laisse filtrer des bribes de conversations; je m'approche. La voix féminine est douce et bien posée, la voix masculine, je la connais, c'est celle du docteur Verdier. Plus rauque que d'habitude, éraillée, culottée d'alcool. Rien de surprenant, après la nuit qu'il a passée! Qu'importe, l'énigme est résolue, avec mes histoires de cadavres dans le placard je me suis encore monté le bourrichon pour rien. Cette brave dame attendait le médecin et elle a tout bonnement oublié de pousser le verrou de sa boutique.

Toutefois deux détails me chagrinent, d'abord leurs propos n'ont strictement rien de médical, ensuite, contrairement à l'usage, c'est surtout le docteur qui parle.

On dirait qu'il est venu demander des conseils comme on chercherait de l'aide auprès d'un vieux copain quand ça va mal. Il raconte que sa femme le rend dingo, qu'ils se disputent tous les soirs, que ça devient intenable. Il ne ment pas, je pourrais lui servir de témoin. De temps en temps la dame glisse un mot pour l'encourager à continuer. Ils semblent très intimes, il l'appelle Odette.

La porte n'est pas suffisamment entrebâillée, j'ai beau écarquiller les yeux je ne découvre qu'un angle très réduit de la pièce. J'aperçois les franges d'un tapis oriental, un canapé aux pieds galbés, un bout de commode de style tarabiscoté avec du bronze et des clés à pompons dans les serrures. Le décor est aussi vieillot qu'au rez-de-chaussée, cela évoque les décors rococo où se déroulent les aventures de Rouletabille, des lieux étouffants et empoisonnés de secrets. Le docteur n'est pas dans mon champ visuel mais je l'entends marcher de long en large, ses semelles de cuir grincent sur le plancher, puis ses pas sont étouffés par le tapis, parfois il marque un temps d'arrêt devant la commode et recommence.

– Calme-toi, Victor, tu me donnes le tournis!

Victor! Mais pourquoi l'appelle-t-elle *Victor*? Il se prénomme bien Jacques, le docteur Verdier, c'est imprimé partout en long et en large sur ses affiches!

Oubliant toute prudence, j'élargis le cran de la porte de quelques millimètres. Zut, la parfumeuse me tourne le dos! Elle est assise à une table ronde où sont étalées des cartes à jouer plus longues que celles qu'on utilise pour la belote. Je dirais qu'elle fait une réussite où qu'elle essaie de prédire l'avenir comme le faisait Victorine autrefois. Elle était douée, notre voisine, toutes les femmes du quartier venaient la consulter. Je me dévisse le cou, mais tel que je suis placé, mon regard bute sur un haut dossier de chaise surmonté d'un volumineux chignon à la Brigitte Bardot.

– Les lames ne m'ont jamais menti, mon pauvre Victor!

Les *lames*! J'en reste bouche bée, pourquoi parle-t-elle de *lames*? Elle tire les cartes, elle ne lance pas des couteaux...

– Elle ne t'a jamais aimé, mon p'tit chou, je t'avais prévenu mais tu n'en as fait qu'à ta tête, comme toujours!

Mon *p'tit chou*, à présent... Mystère et boule de gomme. Mais ce n'est plus le moment de réfléchir, danger, le docteur endosse sa gabardine et prend sa mallette! Je bats en retraite.

Au bas de l'escalier, j'hésite entre sortir ou me planter innocemment devant le comptoir. Si je pousse la porte, le carillon va tinter, il ne faudra donc pas la refermer mais la maintenir ouverte en attendant que la parfumeuse apparaisse, elle croira que je viens d'arriver. C'est le meilleur choix. Vite, guiling-diling-diling! L'air de la rue me refroidit la tête, ça va mieux, le problème c'est le paquet de biftecks. Je l'ai tellement serré que le jus de viande a fait se déliter l'emballage. Je vais devoir présenter à la cliente un truc informe et assez ignoble de papier pâteux imprégné de bidoche tiède. Les voilà! Le docteur me reconnaît immédiatement, ses petits yeux ironiques fixent ma cicatrice à la tempe, son œuvre de charcutier.

– Gilbert! Qu'est-ce que tu fais là?

La stupeur me coud les lèvres. Tout est serré, coincé, embouteillage total. Parce que je viens d'apercevoir la parfumeuse de face et là... là... quel choc mes aïeux!

J'en ai la jugeote vitrifiée. Salopard de Fred, il va me le payer, ah, il s'est bien foutu de ma gueule avec sa miss univers qui rendrait jalouse la prof de dessin! Madame *Chat Beauté* n'est ni Brigitte Bardot, ni Jacqueline Cora, encore moins une pin-up digne d'entrer dans l'album interdit, c'est la sœur jumelle du bibendum Michelin, un tas de graisse qui doit dépasser le quintal. Vue de derrière, avec ses mains soignées et son chignon acrobatique, on ne pouvait pas soupçonner que le reste n'était que bajoues, mentons, pneus et bourrelets. Elle a une tête de gros mannequin d'étalage affublé d'une perruque en filasse de chanvre, tout est rond et boursouflé, le nez en patate, les lèvres charnues, les pommettes en poires, les lobes d'oreille en gouttes d'huile, le tout enduit d'un plâtras appliqué à la truelle. Les sourcils complètement épilés sont redessinés au pinceau, deux fins traits noirs qui se prolongent jusqu'aux tempes. Les paupières papillotent sous le poids des cils durcis en épines. On dirait des petites visières de casquettes redressées. J'en oublie le mystère *Victor*. Les pieds cloués au sol, je ne peux que tendre à bout de bras mon paquet sanguinolent. Goguenard, le docteur me demande si, comme les Huns, j'ai voulu attendrir les biftecks sous ma selle. Très drôle ! Le monstre vient à mon secours :

– Ne l'accablez pas, docteur, regardez-le, le pauvre, il est tout timide.

Comment une voix aussi douce peut-elle sortir de ce gosier goitreux ? Je ne suis pas timide, madame, seulement très ébranlé. Mon vieux Fred, numérote tes abattis !

– Eh bien, Gilbert, parle, on ne va pas te manger !

Ce serait plutôt à lui de s'expliquer, surtout devant ses électeurs, leur dire par exemple pourquoi Jacques Verdier devient *Victor* ou mon *p'tit chou* quand il rend visite à cette grosse dondon qui le vouvoie en présence des autres.

L'homme en colère

« Tu avais disparu de la circulation depuis quelque temps, oh tu ne me manquais pas, fripouille, tu pouvais allègrement aller te faire pendre ailleurs ! J'avais suffisamment de soucis personnels pour ne pas m'inquiéter de ton sort. Nous étions en mars 1942, les Allemands remettaient sur le tapis leurs vieux projets séparatistes et annexionnistes, le dada de Gantois, ton maître. Comme vous étiez orfèvres en la matière, je suppose que les autorités avaient besoin de vos lumières.

« Le *Vlaamsch Verbond* réactivait sa propagande avec, entre autres, l'installation en zone rattachée de mouvements collaborationnistes belges. En avril, la SS venait de créer une nouvelle association auprès des populations polonaises du bassin minier du Nord et Pas-de-Calais. En effet, une bonne partie de ces mineurs avait travaillé dans les fosses de Westphalie avant d'émigrer en France et pratiquait la langue des vainqueurs. La *Volksdeutsche Sprach Gemeinschaft Nordfrankreich* était née. Le but était de constituer une véritable enclave ethnique germanophone en zone française.

« Un de mes contacts m'apprit que le dossier avait été confié à deux toubibs de Valenciennes, j'ai oublié leurs noms, un moment j'ai cru que tu faisais partie du lot, mais il s'est avéré que non, tu n'étais pas encore assez important. Tu avais dû te contenter de missions subalternes, des mises en place de cellules *Volksdeutsche* animées par des permanents grassement payés. Vos adhérents accédaient au statut de membres de la communauté germanique, ils recevaient une carte d'identité spéciale qui, en les soustrayant à la législation française, leur permettait de se livrer impunément au marché noir. Ils percevaient en outre des salaires majorés et des rations alimentaires à gogo.

« Évidemment, en faisant miroiter de tels avantages, le recrutement ne posait pas trop de problèmes. Mais bravo quand même, docteur, vous faisiez du bon travail. J'ai cru comprendre que tu t'occupais tout spécialement de mettre sur pied des groupes de jeunesse hitlérienne afin de préparer de futurs cadres du mouvement.

« Parallèlement, bon nombre d'écoles françaises avaient été reconverties en écoles allemandes avec des instituteurs venus d'outre-Rhin. Ce travail de terrain t'éloignait malheureusement des fastes de la grande ville, alors tu t'étais arrangé pour obtenir de tes chefs l'autorisation de revenir régulièrement te ressourcer à Lille, qui t'en aurait blâmé? C'est au cours d'une de ces permissions que j'ai retrouvé ta trace.

« Tu disposais d'un logement de fonction installé au deuxième étage d'un hôtel particulier de la rue Royale, en comparaison, mon appartement de standing faisait un peu «logement social» comme on dit de nos jours. Imagine ma rogne quand j'ai compris qu'à chacune de tes escales, Denise venait t'y rejoindre.

« J'ai vu rouge. Pourtant, au stade où en était notre relation sentimentale, tu me diras qu'un amant de plus ou de moins n'avait plus grande importance. Détrompe-toi! Ce que me faisaient subir les Boches, j'étais contraint de l'accepter, mais d'un type de mon village, un sale petit con gâté pourri dont les parents, en leur temps, avaient déjà fait subir à mon vieux les pires humiliations, je ne pouvais pas le supporter. Imaginer tes sales pattes en train de se poser sur le corps de ma femme faisait naître en moi des envies de meurtre. Alors, j'ai craqué. En une seule nuit j'ai brûlé tous mes vaisseaux, j'étais monté trop haut, ma chute a été définitive.

« Ce soir-là, j'ai suivi Denise jusque devant ton domicile et, comme n'importe quel détective privé, je me suis embusqué dans ma Citroën.

« Je regardais les fenêtres faiblement éclairées au deuxième étage. J'imaginais le tintement des flûtes de champagne, vos rires malsains, le parfum des cigares. Je n'étais pas rentré chez moi, j'ignorais quelle robe Denise portait sous son manteau, je me disais qu'elle était nue, qu'elle était venue sans rien pour satisfaire un de tes caprices, pire encore, qu'elle avait choisi quelques sous-vêtements émoustillants.

« Le bon sens aurait été de te la laisser, cette chienne, de l'abandonner à ses turpitudes, de retourner vite fait à mes lucratives occupations et d'oublier toute cette merde. Mais plus j'essayais de faire le vide dans ma tête, plus le visage de ma femme collé contre ton ventre revenait me narguer.

« Grâce à la bouteille de cognac que j'avais emportée, j'ai tenu jusqu'à une heure du matin dans l'habitacle clos de ma bagnole noyé dans la fumée des deux paquets de gauloises que j'avais grillées l'une après l'autre. Avant d'en entamer un troisième, je suis sorti, tenant d'une main ferme la manivelle du cric dont je comptais me servir comme d'un pied de biche.

« Il n'y avait pas de concierge, le résident du rez-de-chaussée était absent et personne n'a réagi au craquement de la porte d'entrée quand je l'ai forcée. J'ai grimpé jusqu'à ton palier et là, j'ai hésité. Dans mon ivresse tisonnée de haine, il me restait encore assez de lucidité pour comprendre que je me trouvais au seuil de l'enfer.

« Ta porte a cédé à mon premier coup d'épaule et j'ai traversé le vestibule. La table du salon était encore encombrée des restes de votre petite collation d'amoureux, champagne évidemment, j'avais vu juste, assiettes de petits fours, foie gras, jambon espagnol, charcuterie italienne, tout le nectar du marché noir. J'ai couru jusqu'à ta chambre.

« Alertés par mon entrée fracassante, vous aviez eu le temps d'enfiler en hâte les premiers vêtements qui vous étaient tombés sous la main, un caleçon pour toi, une combinaison pour elle. Tu étais en train de décrocher le téléphone, j'ai arraché le fil. Je devais être effrayant avec ma manivelle, ton sourire dissimulait mal ta peur, tu ne crânais plus, docteur ! Tu n'avais pas envie de mourir, la vie était trop belle, les temps trop prometteurs, le Reich accumulait les victoires, Hitler tenait l'Europe sous sa botte, ta carrière prenait son envol, il aurait été stupide que tout soit brisé à cause d'une banale histoire de cul.

« Ma douce et belle non plus n'en menait pas large, sa cicatrice lui cuisait encore et elle me connaissait assez pour sentir que dans l'état où j'étais, je pouvais d'une seconde à l'autre commettre les pires conneries. Mais j'étais trop retourné pour profiter avantageusement de la situation. Je vous fixais, à la limite de l'hébétude, écœuré, pétrifié, brandissant mon arme de fortune sans trop savoir comment la manier.

«Longtemps, par la suite, je devais me remémorer cette farce tragique qu'un peu de sang-froid aurait pu annuler. Avoir semé la panique dans ta garçonnière était déjà une revanche suffisante. J'étais malheureusement trop bouleversé pour replacer les choses à leur juste dimension. Si tu t'étais tu, peut-être aurais-je fait demi-tour, mais il a fallu que tu ouvres encore ta grande gueule. Pour ne pas perdre la face devant ta maîtresse, je suppose, pour jouer encore une fois les grands seigneurs qui cherchent à racheter un moment de défaillance par une posture supérieure.

«Tu m'as ordonné de sortir, m'as dit que mon petit numéro était bien réussi mais que ta patience avait des limites. Ah, ce mépris, Verdonck! Il me semblait revoir ta mère drapée dans sa dignité de bigote lorsque mon père l'avait prise en flagrant délit d'ignominie. Tu oubliais que tu n'étais pas en position de force. J'avais l'avantage et je pouvais te buter avant de liquider la pouffiasse. Crime presque parfait, même pas passionnel, tout le monde en ville savait que je laissais Denise vivre sa vie, que j'étais un garçon ouvert, complaisant, un cocu idéal, alors pourquoi aurais-je fait une exception cette fois plutôt qu'une autre surtout quand ma gagneuse allait se rouler dans les draps d'un homme susceptible de me rapporter gros? Mieux, personne ne m'avait vu entrer et je pouvais trouver dans mes relations dix témoins qui, correctement dédommagés, jureraient sur *Mein Kampf* que nous avions passé la soirée au bordel ou ailleurs.

«Tu aurais été bien inspiré de la boucler. Et la blonde itou. Parce qu'elle a ramené sa fraise, elle aussi, elle s'est

223

approchée de moi toute froufroutante, toute frémissante et m'a invité à venir m'allonger avec vous. Elle espérait s'en tirer en me proposant une partie à trois, ce furent ses dernières paroles!

« Mon bras s'est détendu et le coup est parti tout seul, la manivelle l'a atteinte derrière la tête, un endroit fragile, elle s'est affaissée sur le tapis. Je n'ai rien entendu craquer mais j'ai vu le sang qui lui sortait de tous les orifices.

« "Tu es content?"

« C'est tout ce que tu as trouvé à dire, salopard! Tu l'as regardée crever sans même penser à décoller tes fesses du matelas.

« Alors je me suis approché du lit, l'arme haute, mais comme je m'apprêtais à frapper, la porte de la salle de bains s'est ouverte sur un capitaine de la Luftwaffe qui me tenait en respect avec son Lüger d'officier. Il m'ordonna de poser la manivelle et de lever les bras.

« Le gars s'exprimait dans un français impeccable. Je ne l'avais jamais rencontré auparavant. C'était un jeune type, un pur spécimen de la race supérieure, grand et large, blond, athlétique. Je n'ai pas compris immédiatement qu'il avait participé à vos galipettes avant que je ne vienne gâcher la fête. De toute évidence le bel athlète, qui avait tenu à se doucher après la gaudriole, pouvait maintenant refaire surface, propre et net, indifférent. La mort violente d'une putain française ne l'émouvait pas davantage que l'abattage d'une volaille. Alors de quoi se mêlait-il? S'il avait vraiment voulu éviter un meurtre, il se serait manifesté plus tôt.

« Sans te consulter ni même t'adresser un seul regard, il m'a proposé un marché. Tu n'existais plus, tu n'étais que quantité négligeable, le Reich prenait les choses en main. Il s'engagea à ne pas prévenir la police, en échange de quoi je devais me débrouiller pour faire disparaître le cadavre avant le lendemain et me présenter avant dix heures au bureau de recrutement de la LVF. Le 638ᵉ régiment d'infanterie de la Wehrmacht, essentiellement composé de volontaires français, s'était fait décimer en décembre 1941 pendant la campagne de Moscou, le front russe réclamait des troupes fraîches et comme les amateurs ne se bousculaient pas au portillon, tous les moyens étaient bons pour reformer les bataillons. L'Allemagne avait besoin de moi. Si je faisais preuve de bonne volonté, je pouvais me racheter par cet engagement héroïque, en revanche si je refusais, j'étais bon pour la peine de mort.

« "Je vous laisse le choix entre une fin de voyou ou un destin héroïque, cher ami, c'est à prendre ou à laisser."

« Beau chantage, splendide retournement de situation, tu sauvais ta peau, Verdonck, mais il s'en était fallu d'un rien ! Sans l'intervention providentielle de l'aviateur, parole, je t'aurais défoncé le crâne. Avoue que tu avais quand même eu chaud, l'autre ne s'était pas précipité pour épargner Denise et tu pouvais craindre à juste titre qu'il t'accorde la faveur de la rejoindre dans l'autre monde.

« Vous m'avez regardé rouler son corps dans le tapis et souhaité bonne chance quand je suis sorti, mon fardeau sur l'épaule. J'agissais dans un état second, sans songer à ce qui adviendrait si, une fois dehors, je croisais une patrouille. Mais tout s'est bien passé, si l'on peut dire. J'ai déposé le cadavre dans le coffre puis j'ai remonté la rue Royale jusqu'aux abattoirs, un secteur où il n'y avait pas de bâtiments administratifs. Ensuite j'ai tourné et tourné encore. Je venais de tuer la femme que j'aimais, ma vie basculait dans le fait divers cradingue, j'étais un assassin !

Je ne savais pas s'il fallait me débarrasser du corps, je ne savais pas si je devais m'engager dans les troupes allemandes ou me livrer aux autorités, je ne savais plus rien. De toute façon mon sort était scellé, d'un côté comme de l'autre j'étais mort, me dénoncer revenait tout bonnement à précipiter l'exécution.

«Je roulais dans les rues désertes du vieux Lille, des quartiers sordides peu fréquentés par les permissionnaires en goguette. Vidé, incapable d'y voir clair, même pas certain de vouloir en finir. J'ai longé la Deûle, l'idée peu originale m'était venue d'y jeter Denise mais comme je n'avais rien pour le lester, le paquet aurait dérivé jusqu'à l'écluse et aurait été repéré au passage de la première péniche.

«Alors j'ai pris la direction des faubourgs, Saint-André, Lomme, Loos... J'ai contourné la maison d'arrêt pleine à craquer de résistants et d'otages mélangés aux détenus de droit commun, une prison qui pouvait m'accueillir dès le lendemain et où on me laisserait croupir quelque temps en attendant le bourreau. Aurais-je droit à la cérémonie de la guillotine ou serais-je liquidé dans les fossés de la citadelle d'une rafale de mitraillette dans le dos ? Il m'appartenait d'être très vite fixé là-dessus, j'y étais presque résigné, il suffisait pour cela de me constituer prisonnier. Chez qui ?

«Le choix ne manquait pas, il y avait la police française, bien sûr, mais aussi le siège de la Gestapo, boulevard de la Liberté ou la *Feldkommandantur*, place de la République. Je pouvais aussi me jeter sur la première patrouille venue et montrer au chef le contenu de mon coffre. Décidé à mettre un point final à cette lamentable histoire, je suis revenu à Lille en passant par l'avenue de

Dunkerque, mais au dernier moment, juste avant de m'engager dans la rue Jacquemars-Giélée qui m'amenait en ligne droite jusqu'à la préfecture, je me suis dégonflé. J'ai appuyé sur le champignon et je me suis enfui par la rue des Postes.

«Passé le cimetière du sud et le carrefour de *L'Épi de Soil*, j'étais en rase campagne, c'est comme ça que je me suis retrouvé à Bourdain, au bord du canal, dans un coin tranquille, près d'un petit château blanc, tu vois de quelle bâtisse je veux parler, Verdonck?

«Pas un chat, il faisait doux pour la saison, une belle nuit, j'ai stoppé à l'entrée d'un chantier abandonné, il y avait des briques, des sacs de ciment durcis par l'humidité, des moellons, plus qu'il n'en fallait pour envoyer le corps par le fond. En ouvrant le coffre, j'ai été saisi d'une nausée acide. Au cours du trajet, le tapis s'était déroulé et Denise, dont je n'avais pas pris la peine de clore les paupières, me fixait de son regard éteint.

«L'estomac au bord des lèvres, je l'ai retournée sur le ventre. Puis j'ai lesté ce linceul de fortune de tout ce qui me tombait sous la main avant d'en replier les bords que j'ai cousus de fil de fer jusqu'à obtenir une sorte de sac grossièrement ficelé. Assommé par cette nuit d'horreur dont la charge écrasait ma nuque, cassé, plié en deux, j'ai tiré mon fardeau jusqu'au bord du canal. Avant de le pousser du pied, j'ai écrasé mes poings fermés contre mes oreilles, je ne voulais pas l'entendre gifler la surface de l'eau.

«Pressé d'en finir, je me suis pointé à la LVF dès l'ouverture des bureaux. Je ne pensais même plus à l'aviateur mais ce fils de pute était au rendez-vous, il m'attendait, j'ai signé.»

18

Madame Simone a vérifié mes comptes, ils étaient justes, au centime près. Ainsi que le prévoyaient nos accords, j'ai empoché l'excédent, presque dix francs. Pas mal pour un début.

– Ne va surtout pas t'imaginer que l'argent soit toujours aussi facile à gagner, a remarqué la bouchère.

Facile! J'aurais bien voulu la voir sur son vélo qui défie les lois les plus élémentaires de la sécurité routière. Tenue de route épouvantable, braquage limité, freinage capricieux, une horreur! Je ne m'attendais pas à des félicitations, j'ai déjà trop roulé ma bosse pour que l'ingratitude des adultes puisse encore me surprendre, mais la froide indifférence de Simone m'a quand même fichu un petit coup au moral. Elle m'attend en fin d'après-midi pour la plonge. Jusque-là, j'ai quartier libre.

Maman a préparé une omelette aux champignons avec des pommes de terre sautées et de la salade; puisque papa et Marcel passent la journée au cirque, nous mangeons en tête à tête. Je lui parle des vieux ronchons, surtout du rescapé des tranchées qui prépare sa revanche en sous-sol et aussi du *Chat Beauté*. Marie-Rose n'a jamais mis les pieds dans cette boutique. Pour elle, le maquillage, c'est bon pour les femmes qui n'ont rien d'autre à faire. Depuis que je fouille dans son sac à main, ça va faire un bail, je lui connais le même tube de rouge à lèvres à peine entamé et le poudrier doré que papa avait gagné au stand de tir à la ducasse. Sur sa table de chevet trône un très joli flacon de parfum datant de ses fiançailles, il est aux trois quarts plein, je me demande parfois si elle s'en met quelques gouttes pour sentir bon quand papa a l'œil luisant et que j'entends grincer leur vieux sommier longtemps après qu'on nous a envoyés au lit, Marcel et moi.

– Elle est comment, cette femme, demande-t-elle quand même, jolie ?

Je pouffe dans ma laitue mimosa.

– Tu devrais aller voir, elle vaut le déplacement, c'est une grosse tarte au teint crémeux avec des cheveux en pièce montée. À mon avis elle aurait dû être pâtissière !

Réprimande immédiate, ce n'est pas charitable de se moquer des gens, ils sont comme ils sont, la discussion est close. Et moi, je suis trop crevé pour répliquer. Un rude coup de barre. Il commence à y avoir du flou dans mes perceptions, le cadre familier de la cuisine prend le large. Il s'estompe dans une brume de chaleur, je décolle lentement, entraîné vers les hautes sphères par des centaines de ballons gonflés à l'hélium comme le petit Parisien dans *Le Ballon rouge*, ce film de Robert Lamorisse que l'abbé Bitrou nous projetait souvent à l'époque où je fréquentais le patronage. J'aimais aussi *Crin blanc*, une autre histoire d'évasion, celle d'un jeune pêcheur accroché à la crinière de son étalon camarguais qui échappe à de patibulaires gardians. Je pense à Ouria, Framboise la monte à cru, elle galope dans les vagues du delta du Rhône. Suspendu à mes ballons multicolores, je les suis, le vent nous pousse dans la même direction, nous traversons les océans jusqu'à l'île de Paul et Virginie où nous vivrons de noix de coco et de bananes.

– Tu ne manges pas ta banane?

– ...

– Oh, Gilbert, je te parle!

La voix de Marie-Rose est un souffle d'air frisquet. Mon bouquet l'hélium perd de l'altitude et je descends à la vitesse d'un parachutiste dont la coupole s'est mise en torche. Ouria et Framboise disparaissent dans la mangrove, un rideau de palétuviers vient de se refermer sur elles. Le sol monte vers moi à toute allure, trop vite, et comme un albatros saoulé d'azur, j'atterris en roulé-boulé.

– Tu ne tiens plus debout, mon pauvre garçon, va donc faire une petite sieste.

Bonne idée, surtout que je dors peu ces derniers temps. Machinalement, je commence à débarrasser la table, maman m'arrête.

– Laisse donc, je vais m'en occuper.

En me levant, je suis saisi d'un tel vertige que je dois me rattraper à un dossier de chaise, Marie-Rose qui me tourne le dos ne s'est aperçue de rien. C'est une oscillation générale, rapide et légère, accentuée par un bourdonnement dans les oreilles. J'ai encore l'impression de rouler. Sous mes pieds, le carrelage est aussi dur que les pédales du vélo de livraison. Le circuit n'est pas encore bouclé, il me reste une dernière étape, mon lit. Mais la pente est raide, un virage serré au départ suivi de treize marches et pas de dérailleur pour faciliter la grimpette. Ma chambre, enfin! Maman a tout rangé, j'ai de la chance, les draps doivent être bien tendus, ils sont frais, je m'y glisse tout habillé.

Crin blanc, Ouria et des millions de ballons rouges m'emportent aussitôt vers un monde où l'avenir n'est pas un défi qu'il faut relever à coups de bons résultats scolaires, un monde sans prof d'anglais acariâtre, sans docteurs qui te recousent à vif, une contrée enchantée dont Trisomic-Marcel est le roi. Mon frère me propose une chique, Framboise me déconseille d'essayer, elle m'offre des rondelles d'ananas que nous croquons à belles dents. Nous courons dans les dunes sans nous soucier des oyats qui piquent les mollets. C'est marée basse, le vent forcit, tiède et salé. Aïe, un grain de sable vient de se loger sous ma paupière! Ils sont des milliards en suspension, flottant dans les rayons d'un soleil qui s'emballe. Je cligne des yeux pour m'en débarrasser, rien à faire. Notre évasion ne serait-elle qu'un fiasco? On dirait. D'ailleurs Marcel nous fausse compagnie, paraît que sa copine Yolande a besoin d'un coup de main au comptoir. Framboise aussi doit me laisser, pour profiter du voyage, elle s'est échappée de la salle d'étude en trompant la vigilance des sœurs. Si la mère supérieure s'en aperçoit, elle la gardera en retenue deux dimanches de suite. Le prochain rendez-vous est fixé ce soir même sous les noisetiers. Nous nous séparons devant la pharmacie de mademoiselle Vandenette. Christine, la préparatrice, me fait asseoir près de la balance. C'est une très jolie fille, elle aurait pu poser dans les magazines de pin-up. J'espère que plus tard, Framboise portera aussi des blouses blanches dont le tissu devient presque transparent à la lumière.

La bonne fée se penche sur le berceau de mon œil, elle me caresse le front, écarte mes cheveux, se rapproche encore, sa poitrine frôle mon épaule.

— Détends-toi, tu verras, ça ne fait pas mal.

Elle a la même voix duveteuse que la madame *Chat Beauté.*

Je me détends. Son visage n'est plus qu'à une portée de bisou. Du bout des doigts, elle retrousse ma paupière.

– Elle est là cette poussière, mais dis donc, on dirait un grain de sable, tu es allé à la plage ?

Le coton imbibé de sérum glisse sur la peau, aussitôt la douleur disparaît.

Un rayon oblique traverse la fenêtre et brûle mon oreiller, il fait chaud, j'ai dormi d'un sommeil de brute, la raideur de P'tiot-Biloute m'en est témoin. Le génie du rêve s'en est retourné dans sa lampe merveilleuse, il a laissé sur mon visage bouffi des traces sculptées aux plis d'oreiller, signes de piste qu'il suivra lors de sa prochaine visite.

– Mais tu as l'œil enflé. Montre-moi ça !

Maman a des doigts de couturière, agiles pour enfiler les aiguilles, mais d'une grande maladresse dans les opérations médicales.

– Tu me fais mal !

– Je ne comprends pas, tu n'avais rien quand tu es rentré… Ce n'est quand même pas dans ton lit, j'ai encore battu ton matelas la semaine dernière !

– C'est à cause du vent dans les dunes de mon rêve.

– Au lieu de dire des bêtises, passe-toi l'œil sous le robinet.

J'obéis, ça soulage un peu, l'idéal serait de faire un saut jusque chez mademoiselle Vandenette mais on m'attend à la boucherie et puis j'ai hâte de retrouver Fred Hamster. J'ai deux trois mots à lui dire au sujet de la belle Odette. Manque de chance, il n'est pas encore rentré du lycée, sa mère m'apprend qu'il devait passer chez le dentiste après les cours. Le pauvre! Comparé au supplice de la fraise, une poussière dans l'œil c'est de la gnognote. Je vais lui accorder un sursis.

Madame Simone me passe un tablier en toile ciré et je descends à l'atelier où Francis est en train de verser des cristaux de soude dans une grosse marmite d'eau bouillante. Sur le plan de travail s'empilent des moules à pâtés, des plats en pyrex, des terrines en faïence et diverses pièces métalliques provenant des broyeurs démontés et des poussoirs à saucisses. Tout est gras, gélatineux, collant de substances molles et de fibres de viande séchées, Francis plonge tout cela dans sa bassine et frotte énergiquement à la brosse de chiendent, il travaille sans gants de protection. Éberlué, je lui demande comment il peut supporter une telle température.

– C'est un métier, p'tit gars, tiens, attrape ce torchon!

Même sortis de l'eau de vaisselle, les moules d'aluminium restent brûlants, mes mains rougissent, la vapeur me donne des suées, j'en oublie mon œil endolori. Francis s'époumone sur *Le Mexicain* de Marcel Amont.

– *En guise-seu, en guise-seu en guiiiii-iiii-iiii-zzze de paraso-o-ol!* Chante avec moi, camarade, la vie est belle... D'après la patronne, tu t'es débrouillé comme un chef, c'matin! Estime-toi heureux, parce que les compliments, ici, c'est plutôt rare... *Voici venir Cristobal mon Dieu qu'il est fier-er!*

Sans interrompre son ouvrage, éclaboussant de savonnage la pile de plats que je viens à peine d'essuyer, il m'encourage à pousser la romance. Parfois, entre deux couplets, il me pose une question sur la tournée: le vélo, les retraités, le vieux fou, ses copines Paulette, Ginette, Lucette... Mine de rien, il en arrive au *Chat Beauté*:

– Elle est gentille, hein, madame Leroux?

234

Son petit air futé en dit long, il est de mèche avec Fred, bien sûr. Je suis le bizuth, le dindon de la farce. Ça suffit, les plaisanteries les plus courtes sont les meilleures. Muré dans un silence indifférent, je m'applique à la tâche. Mais Francis n'entend pas renoncer.

– Alors, raconte! Tu l'as trouvée comment, la parfumeuse?

– Je l'ai trouvé chez elle, si tu veux savoir.

– Ah, ah, t'es un comique, toi! Pareil que ton copain Fredo, pas vrai? Mais il t'a pas tout dit...

Soudain sérieux, le commis pose sa brosse en équilibre sur le bord du baquet et, me regardant bien en face, baisse d'un ton pour me confier:

– Odette Leroux est une femme tondue.

À peine si je tique. C'est cela, oui, tondue, rasibus, lisse comme un genou, chauve comme une souris volante, il peut y aller, en faire des caisses, ma jobardise a des limites!

– Et moi, je suis Joselito, l'enfant à la voix d'or, Roberto Benzi, le jeune prodige, tout ce que tu voudras...

– Tu ne me crois pas?

– Non môssieur.

– Pourtant je n'invente rien.

– Mais tu l'as bien regardée? Elle a un chignon énorme, on dirait un bonnet de grenadier frisé au petit fer, une fois dénoués, je suis sûr que ses cheveux lui tombent jusqu'aux fesses!

– Forcément, ça fait un sacré bail qu'on lui a mis la boule à zéro, tu penses bien que sa tignasse a eu tout le temps de repousser.

À l'heure du repas, j'interroge mon père:

– C'était quoi, les femmes tondues?

235

Il en avale sa soupe de travers. Le velouté tomate de chez Knorr lui repasse par les trous de nez à la grande joie de Marcel qui, allergie aux fauves de la ménagerie Rancy ou conséquence de ses escapades nocturnes, est rentré avec un rhume carabiné.

— Ouai-ais! Fernand-baba, l'a aussi des *mouquiles*!

— On dit de la morve, Marcel, corrige Josiane, pas des *mouquiles*!

Deux longues stalactites dégoulinent dans la cuillère du frangin qui les renifle avec bonne humeur.

— Marcel, mouche-toi! ordonne la maîtresse de maison.

Dégoûtée, Josiane fait mine de quitter la table. Ma mère hausse les épaules, toussote, triture une croûte de pain, je la sens mal à l'aise. Les loufoqueries de Marcel ne sont pas en cause, il nous a habitués à pire. Donc c'est de ma faute. L'exubérante surprise de mon père, la froide réserve de Josy et l'attitude croche de ma mère laissent penser que j'ai touché une corde sensible. Mauvaise vibration, fausse note dans la paisible harmonie domestique. Leurs réactions ne ressemblent pas à celles que je suscite d'ordinaire en cas d'impertinence, on dirait que j'ai entrouvert la porte d'un lieu malodorant d'où sort un petit air vicié. Un ange passe, la robe en loques, l'auréole de traviole, ses ailes froissées sentent le moisi.

Raclements de gorges, on s'enlise dans l'embarras, on s'épie, l'œil soupçonneux, ce n'est pas le genre de la maison. Chez nous, la règle du jeu prévoit plutôt le déballage collectif, l'engueulade libératrice ou la danse de Saint-Guy maternelle suivie de l'exorcisme rituel. Pour sortir de l'embouteillage, Fernand m'interroge comme il donnerait un coup de klaxon:

– C'est un client d'Émile qui t'a donné une leçon d'histoire de France?

– Pas exactement...

Mon intuition me conseille de taire les circonstances qui ont amené Francis à évoquer le sujet. «Des femmes qui *allaient* avec les Allemands, a précisé le commis, tu penses bien qu'à la Libération, elles sont passées à la casserole!» Intrigué, je lui ai demandé de préciser de quelles casseroles il s'agissait et il s'est borné à répéter qu'on les avait tondues, «Rasées, ces salopes, comme des bagnards, elles l'avaient pas volé!»

En vérité Francis ne savait pas grand-chose. Il ne garde aucun souvenir de cette joyeuse époque où, si mes calculs sont exacts, il avait à peine un an, aussi ne fait-il que répéter ce qu'on a bien voulu lui raconter. C'est la raison pour laquelle, ce soir, j'ai tenté en toute innocence d'en apprendre davantage de la bouche de mes parents. Et je constate que loin d'être anodine, cette question plonge en réalité ses racines dans un passé qu'on souhaiterait enterré à jamais, comme ces mauvaises herbes profondément enfouies à l'époque des labours mais qui refleurissent aux beaux jours, fières de leurs épines urticantes. À ce stade du malentendu, il devient évident qu'il faut résister à la tentation de mentionner madame Leroux. Si j'avais su, je me serais mordu la langue qui n'a pas sa pareille pour se délier aux moments inopportuns.

– Alors, on t'écoute! ordonne Fernand.

Trop tard, j'en ai trop dit et pas assez. Je n'ai pas d'autre choix que de noyer le poisson.

– Ben oui... des hommes chauves, ça existe, regarde Florisse qui n'a plus un poil sur le caillou, mais les femmes... Je veux dire, pourquoi on ne voit jamais de femmes chauves?

– T'as pas dit *chauves*, t'as dit *tondues*.

– C'est pareil.

– Pas tout à fait.

Sommé de m'expliquer, je grappille au petit bonheur des idées dans les aventures de Tintin et Milou et les grand-guignolades des Marx Brothers, des trucs abracadabrants que je bricole à toute vitesse en un scénario truffé de gags qui, je l'espère, permettra de m'en tirer à bon compte après une ou deux pirouettes.

– Ce matin, la barrière du passage à niveau était baissée et j'ai chopé une poussière dans l'œil à cause d'une vieille locomotive à vapeur qui faisait des manœuvres. Résultat, j'ai dû finir la tournée avec une paupière enflée...

Voilà une introduction complètement hors sujet. Je vais encore m'embarquer je ne sais où. Je cherche un biais pour rattraper le cap. Férocement impassibles, les parents ne me lâchent pas d'une pupille. Marcel roule sur la toile cirée des boudins en mie de pain imbibée de salive.

– La suite, s'impatiente Fernand.

Pour enchaîner les événements jusqu'à la femme tondue en espérant qu'ils s'emboîteront à peu près, ça ne va pas être de la tarte ! Donc... euh... donc, sur le pont de bois, il y avait un vent à décorner les bœufs. Il soufflait du canal et j'avais un mal de chien à rouler droit. Les passantes faisaient de leur mieux pour éviter qu'il ne soulève leurs jupes, sauf une, une femme toute maigre qui s'en fichait. Ouais, parfaitement, elle retenait ses cheveux à deux mains. Ça m'a semblé bizarre, alors j'ai mis pied à terre. Sous sa robe, elle portait une sorte de short en dentelle qui descendait jusqu'aux genoux. C'était moins osé que de se montrer en petite cùlotte, c'est peut-être pour ça qu'elle se souciait surtout de sa coiffure, n'empêche que tout le monde se moquait d'elle. Surtout Adolphe, le marchand de charbon, qui a ralenti son cheval pour mieux se rincer l'œil. Quand elle s'en est aperçue, elle a quand même lâché sa permanente pour rabattre sa robe en vitesse. Manque de chance, au même moment il y a eu une bourrasque plus forte que les autres et ses cheveux se sont envolés. Je veux dire sa perruque, bien sûr, car je venais de comprendre que cette pauvre femme avait le crâne aussi lisse qu'un cul de bébé et j'étais trop abasourdi pour rigoler. En revanche les autres ne s'en privaient pas. La moumoute tourbillonnait comme le précieux papyrus de Kih-Oskh poursuivi par Philémon Siclone, l'égyptologue fou, sur le pont du bateau dans *Les Cigares du Pharaon*. Alors je me suis mis à courir derrière cette boule de poils qui voltigeait dans tous les sens. La dame trottinait du mieux qu'elle pouvait mais elle n'avait aucune chance. Pensez-vous que les passants nous auraient aidés ? Surtout pas, ils prenaient trop de plaisir à nous regarder batailler avec le vent qui s'amusait bien lui aussi ! Quand le postiche a atterri sur la tête du cheval, l'animal effrayé est parti au galop si brusquement qu'Adolphe a basculé à la renverse dans ses sacs d'anthracite.

– Bijou, ça m'étonne, intervient mon père, c'est un calme, d'habitude il lui en faut davantage pour l'effrayer !

– Oui mais là, c'était pas ordinaire… Enfin bref, pour finir tout est rentré dans l'ordre, le marchand de charbon a repris la situation en main et la pauvre dame, honteuse et confuse, a pu récupérer sa perruque. En remontant sur mon vélo, j'ai entendu une petite grosse qui disait à son amie que tout ça lui rappelait les *femmes tondues*… Voilà, vous savez tout.

J'estime m'en être honorablement tiré mais, à part Josiane qui affiche une discrète moue de satisfaction, le public ne semble pas avoir gobé mes salades. Je me tais, à mon tour d'attendre des explications que j'estime méritées.

— Oui, bon, eh bien tout ça c'est de l'histoire ancienne, conclut Marie-Rose d'une voix frileuse, tu ferais mieux d'aller au lit, demain tu te lèves tôt!

Et c'est de nouveau le silence, à peine troublé par les reniflements goulus de Marcel qui, tout en modelant sa mie de pain, a profité de mon récit pour liquider la boîte de Vache qui rit.

Comment se fait-il que personne ne veuille répondre à mes questions dans cette maison? Et qu'est-ce qu'ils ont tous à scruter le fond de leurs assiettes comme s'ils y cherchaient un poil de perruque échappé de la tête de Bijou?

— Cette pauvre dame que tu as aidée, je pense qu'elle doit suivre une chimiothérapie, suggère ma cousine.

— Une chimio... quoi? demande Fernand fâché depuis toujours avec les mots savants.

— Chimiothérapie, il s'agit d'un nouveau traitement très violent contre le cancer, en général les médicaments font tomber les cheveux. Cette malheureuse doit être très malade, tu as bien fait, Gill, de ne pas te moquer d'elle.

Pendant que mes parents approuvent d'un hochement de tête distrait, elle me fait comprendre d'un clin d'œil appuyé qu'il vaut mieux nous en tenir à cette version pour ce soir.

19

Une heure plus tard, Josiane me rejoint dans ma chambre. Je suis seul, Marcel s'est planté devant la télé en compagnie des parents. Avec *Cinq colonnes à la une* ils en ont pour deux heures, facile, mon frère adore les reportages de guerre, nous pouvons discuter en paix.

– Je n'ai pas cru un mot de ton histoire, Gill, tu t'en doutes.

– T'as raison, surtout qu'elle était un peu tirée par les cheveux.

– Parlons sérieusement, qui t'a parlé des femmes tondues ?

L'époque de nos chamailleries est révolue. Depuis la dernière nuit, nous n'avons plus grand-chose à nous cacher. À part, peut-être, l'épisode de l'espionnage dans les appartements privés d'Odette Leroux que je préfère garder pour moi. C'est curieux mais sans aller jusqu'à dire qu'elle est mignonne, je lui trouve un petit quelque chose d'attirant, maintenant, à ma cousine, j'ai presque envie de l'embrasser. Mais le moment est mal choisi, surtout qu'elle fronce les sourcils et vient de reprendre son air d'institutrice.

– Dis-moi, vous avez étudié la Seconde Guerre mondiale au lycée ?

Je réponds que ce n'est pas exactement à notre programme mais que j'ai encore de bons souvenirs de la communale.

Et puis Zeler se charge de nous rafraîchir la mémoire, il est alsacien et nous a expliqué combien l'histoire de sa famille est étroitement liée aux conflits avec l'Allemagne. En janvier, il a ouvert toute une série de parenthèses dans ses cours afin de nous parler des projets d'amitié élaborés par les ennemis d'hier. Dans le cadre des rapprochements franco-allemands, Bourdain a été jumelé avec Jülich, une petite ville proche d'Aix-la-Chapelle.

Les communistes auraient préféré que cela se fasse avec la RDA. *Chez Florisse*, Robert Debas s'est fait un devoir de rappeler que l'Allemagne était divisée en deux. L'Ouest aux mains du capitalisme impérialiste comme la France où les ouvriers sont scandaleusement exploités par le patronat et l'Est, pays de justice sociale et de réelle démocratie. Émile et mon père n'étaient pas d'accord et les discussions se sont vite envenimées.

Évidemment, Fred et moi tenions pour nos pères que monsieur Debas accusait d'être, en tant qu'artisans indépendants, les suppôts de la réaction et du poujadisme petit-bourgeois.

Il a fallu que les clients du bistrot s'y mettent à plusieurs pour retenir Fernand qui voulait lui voler dans les plumes, vu qu'il n'est pas poujadiste et encore moins réactionnaire mais gaulliste et fier de l'être.

J'avais du mal à suivre, il y avait dans leurs propos pas mal de trucs qui m'échappaient aussi ; quelques semaines plus tard, quand Zeler a abordé les différences entre la RFA et la RDA, je n'arrêtais pas de lever le doigt. Fred se fiche pas mal de tout ça, tout ce qu'il voit c'est que le jumelage de notre lycée avec celui de Jülich va nous permettre de choisir des correspondants. On peut leur écrire en allemand, en anglais ou en français, tous nos profs s'accordant pour dire qu'outre-Rhin, les élèves sont beaucoup plus doués que nous pour les langues étrangères. Ils sont aussi plus sportifs, plus disciplinés, plus travailleurs, bref, beaucoup mieux que nous sous tous rapports. Aussi avons-nous tout à gagner en liant des relations d'amitié qui, un jour, tisseront la trame de la future Europe. Même l'abbé Bitrou nous y encourage. En plus, à Jülich, leur bahut est mixte, *fifty-fifty*, alors que le nôtre reste masculin à quatre-vingts pour cent. C'est pourquoi Fred est très intéressé par ce projet. Sur sa fiche de vœux, il n'a sélectionné que des filles en regrettant toutefois que des photos n'aient pas été jointes à la liste. Josiane m'interrompt:

– Je suppose qu'on vous a touché un mot de la Résistance?

– Le prof nous a un peu parlé des maquisards et de la bataille du rail.

Je lui raconte l'intervention très remarquée de Vasseur qui en avait déduit qu'à l'époque la France devait ressembler au Far West et que les gosses avaient bien de la chance de pouvoir jouer aux cow-boys pour de vrai.

L'anecdote ne fait pas rire ma cousine.

– Une guerre n'est pas un western, Gill, ça ne se résume pas à un affrontement entre les gentils et les méchants.

Entièrement d'accord, j'ai toujours trouvé par exemple que John Wayne avait une tête de truand. Qu'on lui fasse jouer les redresseurs de torts ne change rien à l'affaire.

Elle ajoute que l'Histoire a préféré laisser dans l'ombre pas mal de faits sordides qui ont entaché la Libération.

Règlements de comptes personnels, rivalités entre voisins, querelles de famille, concurrence professionnelle, intérêts financiers, magouilles diverses, vengeances mesquines, dépits amoureux et jalousies meurtrières.

– J'avais cinq ans à l'époque, je ne comprenais pas ce qui se passait mais je me souviens d'une femme que des hommes traînaient dans la rue comme ils auraient brandi une prise de guerre. La belle victoire ! On lui avait arraché sa robe et sa combinaison et elle marchait tête baissée, morte de honte, sa poitrine offerte aux regards concupiscents, entre deux rangées de braillards, hommes et femmes confondus qui la huaient, la giflaient, la couvraient de crachats. Sur la place de l'église, un petit comité d'accueil l'attendait. Un photographe s'apprêtait à immortaliser l'événement et le coiffeur armé de sa tondeuse enfilait une paire de gants en caoutchouc en expliquant à la cantonade que des mesures d'hygiène s'imposent quand on doit défricher une tignasse de pouilleuse. Il avait pourtant une réputation de père tranquille, c'était un petit homme discret toujours poli avec les dames, je ne sais pas ce qui lui a pris ce jour-là mais il était métamorphosé, défiguré, terrifiant... On aurait dit un fauve qui se pourlèche les babines en guettant sa proie. Tu ne peux pas t'imaginer !

– Détrompe-toi, j'imagine fort bien !

Je pense aussitôt à monsieur Ledoux, notre as du ciseau, installé lui aussi place de l'Église à côté de la grande maison du notaire, et je frémis. C'est un gros bonhomme rougeaud et pas commode qui épie les enfants de ses petits yeux porcins tout en leur demandant sur un ton plein de soupçon s'ils ont été bien sages avec les grandes personnes. Sans cesser de les dévisager, il promène lentement son rasoir recto verso sur le cuir anglais enduit de pâte à affûter jusqu'à ce que la lame étincelle. Quand, pour me rafraîchir la nuque, il me demande de baisser la tête et que je sens crisser le fil tranchant sur les petits cheveux derrière mes oreilles, la seule image qui me traverse l'esprit est celle de la guillotine. Et plus moyen de l'en chasser! Alors, mâchoires serrées, décidé à mourir en homme, je me résigne à mon triste sort sans offrir à l'exécuteur la joie perverse de se délecter de ma terreur. Quand c'est fini, c'est toujours avec étonnement que je redécouvre ma tête bien accrochée à mes épaules. Mais quelle tête! Complètement dégagée dans le cou et autour des oreilles mais trop touffue au-dessus, genre coupe au bol comme Jeanne d'Arc ou Du Guesclin, un désastre! Tant pis, je ressemble à un palmier certes, mais je suis intact.

Il n'y a pas si longtemps encore, je me raccourcissais moi-même les mèches aux ciseaux pour retarder la date fatidique où ma mère m'enverrait chez lui. Avec les adultes, il adore commenter l'actualité. Selon lui, le Grand Charles manque de poigne, c'est un ami des nègres et des Arabes. Malgré son uniforme, il a trahi la vocation de l'armée qui doit agir selon la manière forte. Résultat, affaiblissement de la France, blousons noirs et musiques de sauvages, zazous et yé-yé qui ne se coupent même plus les cheveux, c'est la décadence!

– En quelques coups de tondeuse, reprend Josiane, il lui a mis le crâne à nu, puis l'infernale procession a recommencé. Les badauds hurlaient, l'insultaient, les gosses lui jetaient des cailloux. Les plus excitées étaient les femmes, surtout celles dont le fils était mort en 39 ou pas encore rentré de captivité. Je n'étais qu'une petite fille et toute cette violence m'épouvantait. Cette foule en colère grondait comme un torrent dans lequel j'avais peur de me noyer. Alors, serrée contre ma grand-mère, je cachais mon visage dans son tablier. Mais j'entendais tout, des cris, des hurlements. On la traitait de profiteuse de guerre, de putain, de traînée, de souillon, de fille à soldats, de Gretchen mal lavée ! Plus tard, j'ai interrogé ma mère et quand elle m'a raconté ces événements en détail, horrifiée, scandalisée, j'ai découvert qu'elle avait, elle aussi, participé à ce lynchage. Oh, ça n'a pas été facile de lui tirer les vers du nez, elle avait relégué cet épisode sans doute le plus honteux de sa vie dans un coin obscur de sa mémoire, mais au fur et à mesure qu'elle feuilletait cet album de souvenirs sordides, une sale excitation la gagnait.

– Mais qu'est-ce qu'elle avait fait de si grave, cette femme ?

– On lui reprochait de s'être vautrée dans le vice pendant que le pauvre monde, victime des restrictions, était grugé par les voleurs du marché noir. Selon ma mère, c'était bien peu payer que de se retrouver la boule à zéro, cette femme méritait la peine de mort. En réalité son seul crime avait été d'aimer un soldat allemand, un Boche ! Un brave gars d'après une voisine, un type qui ne voulait de mal à personne. Avant de s'enfuir, il avait promis de revenir la chercher quand le monde se serait calmé. Je crois qu'il a tenu parole mais la pauvre fille n'avait pas supporté le choc, quelques mois après son humiliation publique, elle s'est jetée sous un train.

Alors Odette Leroux aurait été, elle aussi, la victime d'un amour interdit ! Pourquoi pas, dans sa jeunesse, elle était peut-être jolie, et puis jadis les hommes aimaient les grosses. Betty Boop dit que les canons de la beauté ont

246

beaucoup varié au cours des siècles, elle a même consacré une leçon sur le sujet avec diapositives à l'appui. La prof nous a aussi montré une photo représentant la troupe des vedettes du Moulin-Rouge du temps de Toulouse-Lautrec. Elles avaient des silhouettes grassouillettes, à se demander comment elles pouvaient danser le french cancan en levant très haut la jambe pour montrer leurs dessous fanfreluches! Il paraît que les hommes en étaient fous dingues, que des princes russes allaient même jusqu'à se battre en duel pour leurs beaux yeux, alors que chez nous, au bal du 14 juillet, je suis sûr qu'elles feraient tapisserie toute la soirée.

De qui a-t-elle bien pu être amoureuse, Odette Leroux, d'un Allemand... du docteur? C'est vrai qu'ils sont très intimes, elle l'appelle Victor et lui tire les cartes mais cela ne prouve rien. Surtout qu'il est français, donc elle avait le droit de l'aimer sans risquer de se faire tondre. En plus, sous l'Occupation, le docteur Verdier était prisonnier comme Émile, mon père et tous les hommes de leur génération.

– Tu crois que la patronne du *Chat Beauté* a connu l'amour fou avec un soldat allemand?

– La parfumeuse? Mais pourquoi me parles-tu de cette dame?

– Parce que si j'ai abordé le sujet des femmes tondues, ce soir, c'est à cause de Francis, le commis d'Émile, il m'a dit qu'elle *allait* avec les Boches.

– Ah, c'est donc ça! Peut-être... de toute manière cela ne nous regarde pas.

Josiane en a les larmes aux yeux, je sens bien que ces histoires la remuent. Plusieurs fois elle me répète combien c'est terrible de s'apercevoir que sa propre mère ne vaut finalement pas mieux que les autres. D'ailleurs, je me demande comment je réagirais personnellement si j'apprenais que Marie-Rose avait été elle aussi autrefois une furie assoiffée de vengeance réclamant à tue-tête la peine de mort pour une malheureuse sur qui tout le monde s'acharne. Une virago pareille à ces cinglées crevant de jalousie et d'ennui parce que leur mari était mort ou simplement parti sans laisser d'adresse. À choisir je préférerais qu'avant de rencontrer papa, elle soit *allée* avec un Allemand. Un gentil garçon comme celui qui est revenu chercher sa fiancée dans ce village ignoble où le hasard de la guerre l'avait conduit. Mais j'y songe…

Mais bon sang c'est bien sûr que ce serait possible !

Contrairement à Framboise, elle ne m'a jamais parlé de sa *vie antérieure*. Aucune trace de son passé, pas une photo, rien. Tout ce que je sais c'est qu'elle était orpheline à onze ans et que la vieille tante qui l'a élevée est morte quelques mois après ma naissance.

Ce flash de clairvoyance m'a rendu tout flagada, comme si j'avais pris un coup de froid. J'éternue plusieurs fois de suite, en rafale.

J'entends des bruits de vaisselle cassée et des tempêtes de cris. Tous mes repères se mettent à zigzaguer, mes neurones jouent au ping-pong et ma raison divague. Je me dis que ma mère a peut-être fait partie de ces pauvres créatures livrées à la férocité de la foule en délire. J'ai honte, j'ai peur, je la vois ramper sur les pavés de la rue, accablée d'injures et couverte de crachats.

Bon sang, Marcel ! Il est né en 45, le frangin, ça pourrait coller !

Même que son vrai père, on n'en a jamais parlé. Il est même tellement classé top secret que les rares fois où je

tente de lui donner un visage, je ne peux me le représen-
ter que masqué. Enveloppé des bandes Velpeau de
l'Homme invisible ou dissimulé sous un drap comme un
fantôme. Un spectre d'une remarquable discrétion.

Quand je surveille Marie-Rose lors de ses crises, j'essaie
parfois de surprendre le nom de l'inconnu, au cas où il
lui échapperait. Sans succès. Même soumise au supplice
de ses nerfs électrisés, elle ne dit rien. Zeler nous a parlé
de la façon dont la Gestapo avait traité Jean Moulin, ce
héros qui, en dépit des plus ignobles tortures qui lui
furent infligées, n'a jamais trahi ses camarades. Maman
n'avouera jamais rien non plus. Les coups de poing
qu'elle s'assène sur le ventre n'expriment rien d'autre
que sa rage d'expier.

– Mais qu'est-ce qui t'arrive, Gill, tu es tout pâle!

– Rien, sans doute Marcel qui m'a refilé son rhume.

Hou là! cette migraine soudaine! Dans mon crâne
transformé en marmite de sorcière mijote une soupe
immonde, mais plus la température grimpe plus je gre-
lotte, plus ça brûle et plus je claque des dents.

– Rallonge-toi!

Josiane ramène les couvertures sur moi.

– Tu veux une tisane, de l'aspirine?

Je refuse tout net, je dis que ça va passer. Tout ce que je
désire c'est qu'elle ne me laisse pas seul, j'ai besoin d'entendre sa voix et de sentir sa main dans la mienne. Alors
elle m'explique que l'amour est une épreuve si cruelle
parfois que les bêtises qu'il nous amène à faire méritent la
clémence. Entre la fureur d'aimer et la folie, la frontière
est infime. Josy me raconte la légende de Psyché et
d'Éros, comment l'amour, force de vie, devient destructeur. Les épreuves, la souffrance et la mort. Éros et

Thanatos, je sais, Choucroute a vaguement abordé le sujet. Tout cela est un peu compliqué mais je crois ma cousine sur parole parce qu'en ce moment précis, l'amour inconditionnel que je ressens pour maman me remue jusqu'aux fibres et ravage ma jugeote. J'ai réfléchi trop loin, dépassé les bornes, je me suis aventuré dans des songeries trop lourdes pour mon petit cerveau. Je suis châtié de ma témérité par la fièvre qui me met la tête au bain-marie.

20

Un souffle de vague feuillage trace des arabesques aux carreaux. Toute la nuit, transporté par une ferveur maladive, j'ai attisé ma fièvre jusqu'à la brûler. Quand elle est retombée en pluie de cendres, toute envie de dormir m'avait quitté. Je me sens apaisé, presque joyeux, je pardonnerais au monde entier, même aux profs qui m'ont renvoyé. La présence de Josiane ne m'est plus nécessaire. Elle, au contraire, a encore grand besoin de confidences. Alors, je la laisse raconter, je lui dois bien ça. Quand ma cousine est lancée, on ne peut plus l'arrêter. Surtout qu'en amour, elle est balaise, enfin son rayon se limite aux amours littéraires, parce que pour ce qui est des autres, son cœur est en jachère.

Papa a raison, elle ferait bien d'oublier un peu ses livres et de se décider à vivre. Trop de romans, trop de personnages et de modèles à suivre la gênent aux entournures. Tristan et Iseult, Roméo et Juliette, Lancelot et la reine Guenièvre, elle en parle comme si elle les avait connus personnellement. Elle m'a démontré que les grandes passions conduisent droit au chaos. La mort au bout du trajet, obligé! Rien de surprenant qu'avec des idées pareilles elle soit restée vieille fille. C'est peut-être pour se consoler qu'elle remplit ses cahiers d'idylles enchantées.

– Et mes parents, alors ? que je lui ai rétorqué.

Ce n'est pas une belle réussite amoureuse ce coup de foudre qui tient la distance depuis presque vingt ans ? Elle a roulé des yeux pleins d'étoiles et de rêves soulignés par un de ces sourires mi-figue mi-raisin qu'on adresse aux enfants qui commencent à douter de l'existence du Père Noël. Ah, si jamais Choucroute nous colle une disserte sur la question, je vais épater la galerie ! Je citerai la princesse de Clèves et le duc de Nemours, Julien Sorel et madame de Rénal, rien que des amours impossibles, des larmes, du sang, de la volupté, avec en prime la mort ou la retraite au couvent. Du malheur, encore du malheur et toujours du malheur ! L'amour qui grince et fait tourner bourrique. Sans oublier les épouvantables schémas des passions à sens unique ! La machine infernale du destin qui s'acharne, tous les entrelacs de la déprime sublime, Andromaque, Esther, Phèdre, Bérénice, tout le harem cyclothymique des petits classiques Larousse et son cortège de pleureuses. Amours impossibles, passions coupables et souffrances garanties. La tragédie à l'amidon, menton coincé dans une minerve et parapluie vissé dans le dos, sapée en alexandrins calibrés telle qu'il convient de la déclamer gravement à l'école ou au théâtre.

Josiane me raconte tout ça parce que, évidemment, j'ai fini par lui avouer que Framboise était le grand amour de ma vie. Alors, pleine de bonnes intentions, elle essaie de me mettre en garde. Elle veut m'enfoncer dans la tête que les sentiments excessifs sont une maladie très grave. Cherche-t-elle à m'éviter de futurs déboires auxquels selon ses théories, bien sûr, je ne couperai pas ? Je n'en sais rien mais une chose est sûre, elle me fatigue. J'en ai soudain ma dose des hyménées cruels et des funestes destins. Je ne

suis pas comme son héroïne Barbara, cette évaporée enti-
chée d'un bellâtre en smoking blanc. Je ne voyage pas sur
le Mékong, moi, j'habite au bord de la Deûle, une rivière
dégueulasse qui charrie des blocs de mousse nauséabonde
quand les usines vident leurs fosses de merdes chimiques,
et Framboise n'est qu'une pauvre petite fille riche reléguée par une belle-mère indigne dans un pensionnat-pri-
son. Je ne suis ni général romain en disgrâce, ni sonneur
de cloches à Notre-Dame. Tout au plus, je partage avec
Julien Sorel de vagues origines de cul-terreux, mais loin de
convoiter la femme du maire par arrivisme naïf, je suis
amoureux sincère de la fille du futur député.

J'ai fini par m'assoupir.

Ce matin, il fait beau, j'ai l'impression de sortir de
l'œuf. Le jaune du soleil qui éclate dans les nuages battus
en neige me fait oublier l'haleine fétide des vieux bouquins. Je me suis rendu au travail le cœur léger et tout en
pédalant, je me moque des amours dépitées. Framboise
nourrit à mon égard de très nobles et très purs sentiments. Et je le lui rends bien. Les tragédies ne sont pas de
nos âges.

Seconde journée de livraison, je suis maintenant habitué à la lourde direction du vélo. Le circuit est le même
qu'hier, si tout se passe bien, je devrais finir plus tôt mais
je n'ai pas la tête au travail. Parvenu à la mairie, je m'aperçois que j'ai raté un client en amont. Il s'agit bien sûr du
grincheux nostalgique de la Grande Guerre, demi-tour.
Le vieux me certifie que si j'étais enfant de troupe, on
m'apprendrait la ponctualité et je me mettrais au garde-à-
vous devant les vétérans. J'ai droit une nouvelle fois à un
rictus inquisiteur suivi d'un vibrant éloge de la tondeuse.

Voilà un instrument qui commence à me persécuter, j'acquiesce néanmoins avec déférence, l'ironie au bord des lèvres.

– Au revoir, monsieur, bonne journée!

Il n'y a rien aujourd'hui pour madame Leroux, pourtant je ne peux pas m'empêcher de faire un détour par la rue Léon-Gambetta où je m'accorde une pause chewing-gum devant la cordonnerie voisine du *Chat Beauté*. Cette femme m'intrigue, j'ai mille questions à lui poser mais c'est un peu délicat. Il faudrait endormir sa méfiance et l'amener en douceur à évoquer ses souvenirs. Je prétendrais que c'est pour le journal du lycée, une enquête sur les parfums et les soins esthétiques. Justement, Choucroute nous a lu *L'Éloge du maquillage* de Charles Baudelaire, l'homme du spleen, encore un gai luron, celui-là! Ce serait l'occasion de demander l'avis d'une spécialiste.

En longeant la vitrine, il m'a semblé que quelqu'un s'affairait devant les rayonnages du fond. La silhouette m'a paru trop svelte pour être celle de la parfumeuse. Odette aurait-elle embauché une vendeuse? En rasant le mur, je me rapproche. C'est Framboise! Elle a beau me tourner le dos, aucun doute, c'est bien elle, je la reconnaîtrais en plein smog. Hier, le père, aujourd'hui, la fille, c'est décidément un rite, chez les Verdier, de se rendre dans cette boutique chaque jour à la même heure; pourvu que le docteur ne soit pas là lui aussi! Inventaire rapide des voitures en stationnement, pas de DS présidentielle en vue, par contre la petite Morgan est garée au coin de la rue devant le magasin d'électroménager, lustrée, décapotée, chromes flamboyants, j'aurais pu la remarquer plus tôt.

Par avance gêné que la princesse puisse me surprendre dans mes occupations de garçon boucher, je recule prestement vers mon vélo. Trop tard! Digueling, la porte vient de s'ouvrir.

– Gill, quelle surprise!

Framboise serait-elle dotée d'un sixième sens aussi affiné que celui de Marcel? Si je pouvais, j'affecterais l'air détaché du promeneur arrêté un instant devant la cordonnerie. Une bien belle vitrine en effet, avec ses souliers d'exposition aux semelles flambant neuves, ses embauchoirs en bois vernis, ses guirlandes de lacets et ses boîtes de cirage Kiwi en pyramide! J'aime l'odeur du cuir, je passerais des heures à observer l'artisan appliqué à son ouvrage, sa façon inégalable de porter à sa bouche les petits clous qu'il ressort un à un pour les planter d'un habile petit coup de marteau, la précision de son coup de main lorsqu'il manie le tranchet ou le grattoir, sa dextérité lorsqu'il...

– Qu'est-ce que tu fais avec cette sacoche en bandoulière?

Je transporte mes économies, ma belle, mon portemonnaie ne suffisait pas. J'ai cassé ma tirelire pour t'acheter des pantoufles de vair valides après le douzième coup de minuit.

– Il est à toi, ce vélo?

Je lui offre un sourire tremblant.

– C'est un emprunt.

– Avec ce gros panier?

– Pas commode à détacher, tu vois, ça prend trop de temps, et puis...

– Pour livrer la viande c'est plus pratique, pas vrai?

Elle a tout compris. Il ne me reste plus qu'à révéler la piteuse vérité. Le conseil de discipline, tout ça.

– Pourquoi on t'a renvoyé?

Au point où j'en suis, autant tout dire. Je raconte mes aventures dans la salle de sciences nat avec Fred Hamster, la façon dont il s'en est tiré, ce lâcheur, même qu'il a bien failli se faire pincer lui aussi mais cette nuit-là, sa bonne étoile le protégeait, alors que la mienne était en éclipse totale.

– Tu as risqué ton avenir pour sauver des grenouilles?

– Et aussi des souris blanches.

– Pour des souris blanches et des grenouilles!

Mais je ne me trompe pas, c'est bien l'admiration qui actionne dans ses yeux les grandes roues illuminées du carrousel! J'ai tant de mal à y croire que l'espace d'une seconde j'ai cru qu'elle se fichait de moi. Pas du tout, pas la moindre morsure de sarcasme, elle est sincère, elle me regarde bouche bée, émerveillée comme si j'étais Zorro en personne. Transporté d'orgueil, je joue les modestes.

– Oh, tu sais, c'était pas si difficile.

– Quand même!

Eh oui, quand même... tout à fait d'accord, fallait oser! Je suis comme ça moi, doté d'une générosité n'ayant d'égal que ma témérité, incapable de faire la sourde oreille aux cris des petites bêtes opprimées. C'est plus fort que moi, comme mon père, j'ai en horreur les cages, les aquariums, les zoos, les hôpitaux, les centres d'éducation pour trisomiques et les prisons en général. Quant aux psychopathes de la vivisection, les expérimentateurs fous qui infligent à des fins soi-disant pédagogiques des tortures aux cobayes sans défense, je voudrais qu'ils soient punis, expédiés dans un désert de caillasse dépourvu de vie animale, ils en seraient réduits à brouter les rares lichens, et si malgré tout leurs scalpels venaient à les démanger, ils pourraient toujours se disséquer entre eux.

Elle m'écoute, proche de l'extase, je suis son héros, le défenseur des batraciens, des petits rongeurs, de la veuve, de l'orphelin et des femmes tondues. Robin des Bois, Cartouche, Fanfan la Tulipe, Till Eulenspiegel. Elle va me proposer de devenir son champion et de porter ses couleurs aux prochains tournois. Je vais me surpasser, promis, vaincre des dragons, désarçonner des tyrans et décrocher la lune. En attendant la sonnerie des hérauts en livrées, je biaise:

— Tu es venue acheter avec ta belle-mère?

— Non, elle est à côté, à *La Fée du logis,* elle se renseigne sur les nouvelles machines à laver.

Petite pensée pour Marie-Rose qui lessive encore à l'ancienne. Quand je gagnerai ma vie, je lui en offrirai une, moi, de machine, une ultramoderne qui nettoie, rince, essore et repasse en un clin d'œil.

— Je fais surtout collection des bouteilles de parfum miniatures, reprend-elle, j'en ai déjà une centaine, rien que des grandes marques.

— Moi, c'étaient plutôt les images pieuses.

— N'importe quoi!

— Pas du tout, à l'époque du catéchisme, pour une interrogation écrite sans faute, l'abbé Bitrou nous en offrait une. Quand on en avait dix, on pouvait les échanger contre un portrait de Jean XXIII.

— Et tu l'as eu?

— Deux fois, j'étais incollable en histoire sainte! La première, je l'ai offerte à ma mère, l'autre, à notre voisine Victorine.

Alors, puisque je suis si malin, qu'est-ce que j'attends

pour amorcer mon enquête sur la parfumeuse? J'en suis encore à me creuser la tête à la recherche d'une accroche plausible, quand Framboise me tend une perche.

– Ta mère est cliente ici?

– Je ne pense pas, ma cousine peut-être, mais madame Leroux achète sa viande chez Émile et je... justement, je la trouve bizarre.

– Bizarre?

– Étrange, si tu préfères.

– Tu veux dire qu'elle ne ressemble pas vraiment à l'idée qu'on pourrait se faire d'une esthéticienne parce qu'elle n'est pas très jolie, c'est ça?

Clairvoyante, cette fille, elle lit dans mes pensées sans recourir aux cartes ni à la boule de cristal. J'approuve timidement.

– D'accord, admet-elle, mais autrefois, elle a été très belle. Monte deux minutes, je vais te montrer quelque chose.

Dois-je comprendre qu'elle m'invite à l'étage, que nous allons fouiller l'appartement? Une perquisition comme dans les films policiers? C'est plus que je n'en espérais mais je trouve le procédé encore plus désinvolte que téméraire. Si madame *Chat Beauté* rentrait à l'improviste, on aurait l'air fin. Framboise écarte mes réticences:

– Ne crains rien, elle est sortie faire ses courses, elle en a pour une bonne heure, c'est une bavarde, Odette.

– Et elle te confie sa boutique, comme ça?

Bien sûr qu'elle lui fait confiance, qu'est-ce que je crois! Elle la connaît depuis qu'elle est toute petite. Et puis je livre bien de la viande, moi, pourquoi ne pourrait-elle pas tenir une parfumerie? Ce n'est pas la première fois, en plus.

– De toute façon, à cette heure-ci, c'est très calme, j'en profite pour repérer les nouvelles marques et inspecter les tiroirs au cas où il y aurait de nouveaux échantillons.

J'ai à peine franchi le seuil que Framboise referme la porte vitrée, digueling-ling, pousse le verrou et retourne aussitôt la petite pancarte indiquant au verso que le magasin est fermé.

– Vas-y, fais comme chez toi !

– Mais je SUIS chez moi !

Avec le même petit air détaché que l'autre jour quand elle évoquait ses voyages aux Amériques et sa nurse de Salisbury, elle ajoute en se haussant du col :

– Ce magasin nous appartient, ainsi que les deux étages, Odette n'est que locataire.

Poussée par l'orgueil aristocratique d'une héritière qui a décidé d'en mettre plein la vue au fils du forgeron, elle me donne un rapide aperçu de son patrimoine. J'apprends que le docteur Verdier possède une villa au Touquet, un chalet à Megève, des immeubles de rapport à Lille, Roubaix et Tourcoing.

– En fait, papa n'a pas besoin de travailler.

– Tant mieux pour lui.

– Certains biens nous viennent de la famille de ma mère et sont déjà à mon nom. Rien que dans cette rue, j'ai trois maisons...

Comme Cadet Rousselle... elle en a de la chance ! J'espère pour elle que les siennes ont des poutres et des chevrons.

21

Elle me précède, je la suis dans l'escalier, tenaillé par l'envie de regarder sous sa jupe plissée, genre kilt avec une grosse épingle par-devant. Elle sent la lavande et la verveine relevées de citron vert, une fraîcheur printanière de sorbet. Ses chaussettes torsadées en laine écrue remontent jusqu'aux genoux. Mon cœur cabriole. Sur le palier, elle se retourne, je n'ai pas stoppé à temps, nos poitrines se retrouvent l'une contre l'autre et je tressaille au contact électrique des petits seins fluets qui pointent sous le pull en shetland. Je m'écarte vivement.

  – Qu'est-ce qui t'arrive ?

  – Je crois qu'il vaudrait mieux redescendre.

  – Calme-toi, on ne fait rien de mal.

Songerait-elle comme moi à toutes les délicieuses bêtises que nous pourrions commettre si l'un de nous osait rien qu'une seconde vaincre sa timidité et briser le carcan des convenances ? Je fuis l'éclat pénétrant de ses yeux. Si je maintiens le contact, elle va percer mes pensées secrètes. Ah, ce parfum ! Mon regard caresse plus bas, vole en rase-mottes pour échapper aux radars comme les avions de chasse, épousant le relief du terrain, les courbes et les rondeurs. Framboise frissonne. P'tiot-Biloute manifeste roidement son enthousiasme, d'un coup d'épaule, je ramène ma sacoche par-devant, la monnaie cliquette.

– Tu es riche, dis donc.

Dans le salon, je reconnais la table ronde et la commode rococo. Tiens, il y a aussi un piano. Framboise me désigne un cadre posé bien en évidence sur une console. Le format est identique à celui de notre portrait de Jean XXIII, c'est une photo en noir et blanc comme on peut en voir à la vitrine du Ciné-Vog montrant les vedettes dans les meilleures scènes du film de la semaine. D'ailleurs la jeune femme en robe très décolletée qui pose devant un micro en forme de raquette ressemble à une actrice, je lui trouve l'air un peu chipie de Vivien Leigh dans *Autant en emporte de vent*, chevelure en cascade ondulée et petit nez pincé. Au-dessus du portrait est écrit en caractères gras:

LE BELLEVUE
Récital ODETTE LAMOUR
En soirées. Du 15 au 30 novembre.

Et en plus petit, en italique: *Il est conseillé de réserver.* Suivent l'adresse, Grand-Place à Lille, et un numéro de téléphone.

Le Bellevue, je connais, c'est le beau cinéma où je suis allé voir *Les Dix Commandements* avec ma mère et *Rio Bravo* avec mon père. En tout cas, si j'en juge d'après les couleurs passées du prospectus, l'époque où on y donnait aussi des récitals ne date pas d'hier. Framboise explique que dans les années trente et quarante, les plus célèbres artistes s'y sont produits: Damia, André Dassary, Lucienne Delyle...

261

– Tu en sais des choses !

– Je suis curieuse de nature, j'adore écouter les conversations des grands surtout lorsqu'ils évoquent leurs souvenirs. Et puis, avec Odette Lamour je suis à bonne école.

– Tu veux dire que...

– Mais oui, c'est la même, c'était son nom de scène, admets que ça sonne mieux qu'Odette Leroux !

– Peut-être, mais en reprenant son vrai nom, elle a perdu au change, cette brave dame, je veux dire physiquement...

– C'est ça, moque-toi, en tout cas, dans la région, elle a connu des heures de gloire, tu sais qu'elle a été plusieurs fois à l'affiche avec Maurice Chevalier, Armand Mestral, Tino Rossi, Georges Milton...

Tu parles d'un hit-parade ! Personnellement, je n'en connais que deux, Tino Rossi et Maurice Chevalier à cause de *Petit Papa Noël* et de *Prosper Yop la boum*. Mes parents aiment bien mais nous n'avons pas les mêmes goûts.

– Regarde un peu l'autographe en bas.

En lettres au tracé prétentieux, je lis : *Avec toutes mes félicitations, madame, pour votre immense talent,* signé d'un certain Sacha Guitry.

– C'est qui ce type ?

Déconcertée par mon inculture crasse, Framboise se frappe le front du plat de la main, lève les yeux au ciel et s'adresse aux murs à la troisième personne :

– Il ne sait même pas qui est Sacha Guitry, celui-là ! Non mais c'est dingue, on n'y croit pas, il faut tout lui apprendre !

Je me renfrogne illico. Au lieu de faire sa bêcheuse et

de jouer les Scarlett O'Hara, elle ferait mieux de se montrer plus claire dans ses explications. Je n'ai pas la gueule de Clark Gable ni sa fine moustache de gigolo, mais je pourrais lui rabattre son caquet et lui citer les paroles de Rhett Butler : *À vivre dans le passé, on finit par mourir.* Et toc ! Je vis en direct, moi, dans le présent, je regarde vers l'avenir et les gloires éteintes du music-hall, je m'en balance.

– Ça va, ne fais pas ta mauvaise tête ! Moi non plus, jusqu'à ce qu'Odette me montre cette photo, je n'avais jamais entendu parler de Sacha Guitry. C'est un homme de théâtre très connu, acteur et metteur en scène, il a aussi écrit plein de pièces et réalisé quelques films où il tient le rôle principal.

Elle ajoute que ce monsieur accumulait aventures sentimentales et mariages. Un vrai Don Juan.

– Il a aussi épousé madame Leroux ? je demande.

Ma candeur lui coupe le souffle.

– Elle n'était pas assez célèbre pour lui ! Remarque, je suppose qu'elle n'aurait pas été contre !

C'est clair, le grand homme n'avait pas de temps à perdre avec une petite artiste de province. Ma naïveté a quand même des limites. On n'imagine pas Dick Rivers tomber amoureux d'une fille du P'tit Belgique au cours d'une tournée dans le Nord, même si c'est la reine du quartier ! Le mariage le plus mondain qu'on ait vu chez nous a été celui d'une ouvrière de la savonnerie avec un coureur cycliste professionnel. Ce n'était ni Louison Bobet ni Jacques Anquetil, juste un Flamand inconnu qui n'a jamais fait mieux que neuvième au Paris-Roubaix. Le Tour de France, n'en parlons pas. Ils ont quand même posé devant *Chez Florisse* en compagnie du maire, la photo a paru dans *La Voix du Nord* et nous avons tous été très fiers.

– Si Sacha Guitry avait emmené Odette à Paris, elle serait peut-être devenue une star comme Dalida, t'imagines la parfumeuse en train de chanter *Mon petit bambino* en roulant les *r*!

– Vas-y, moque-toi, n'empêche que de lui avoir tapé dans l'œil, ne fût-ce qu'une soirée, ce n'était déjà pas si mal!

Si elle le dit... Et elle le dit bien, en plus, avec du subjonctif, chapeau! Même Josiane serait épatée. Si toutes les filles de la Sagesse s'expriment comme elle, on a du chemin à faire, dans mon bahut, avant de rattraper le niveau.

– Tu sais, Gill, sous l'Occupation les gens avaient besoin de se distraire, on tournait des films, il y avait des spectacles, les restaurants et les dancings étaient pleins. Enfin, la vie continuait.

– Qu'est-ce que t'en sais!

– Mon père m'a raconté.

– Je croyais qu'il était prisonnier en Allemagne, ton père!

– Bien sûr! Mais il s'est renseigné et puis, il y a Odette.

Odette, Odette... elle en a plein la bouche d'Odette! En tout cas, si elle dit vrai, ça signifie qu'à l'époque des tickets de rationnement et du couvre-feu, pendant qu'on fusillait les résistants et que mon père mangeait du pain sec et des rutabagas dans son stalag, il y en avait qui se payaient du bon temps! Théâtre, ciné, music-hall, paillettes, champagne et dédicaces... merde alors, voilà des faits historiques que Zeler n'a encore jamais mentionnés!

Une série de grésillements interrompt mes réflexions indignées. Cela provient d'une colonne en acajou dont le couvercle soulevé est orné sur l'envers d'une décalcomanie publicitaire montrant un petit chien, genre corniaud sympa, la truffe pointée vers un phonographe préhistorique. Celui d'Odette doit être d'une espèce plus récente, pas encore adapté à l'électricité toutefois puisqu'il est équipé d'une manivelle latérale, mais l'imposant pavillon en cuivre est remplacé ici par une caisse de résonance installée sous la platine. Framboise n'a pas suffisamment remonté le mécanisme de sorte que le disque ne tournant pas à la bonne vitesse ne produit qu'une épouvantable bouillie de sons criards.

– Odette devrait changer plus souvent les aiguilles, note Framboise.

Eh oui, ces binious à manivelle, ça s'enrhume pour un rien! Idem les tacots d'avant l'invention des bougies ou les biplans de l'aéropostale dont il fallait lancer l'hélice à la main.

– Pour tout arranger, s'énerve Framboise, ces vieux 78 tours sont lourds, cassent comme un rien et se rayent encore plus facilement...

Tranquillisez-vous, mademoiselle, je n'ai pas l'intention d'y poser mes sales pattes! Tout en la laissant se débrouiller, j'avise la pochette en papier bleu sur laquelle un type aux cheveux gominés exhibe une denture de lavabo récuré au Vim. Sa chanson s'intitule: *Tout en flânant.* Avec un titre pareil, aujourd'hui, on lui balancerait des tomates.

Cette fois la platine semble avoir trouvé son régime de croisière et après quelques ratés, les craquements se transforment en une musique nasillarde. Ça commence par un chœur de joyeux sifflements qui me rappelle la bande sonore de *Blanche-Neige* quand les nains entonnent *Siffler en travaillant.* Ensuite, sur une orchestration où dominent les cuivres en sourdine, le gars se met à roucouler d'une voix veloutée.

– Pourquoi tu nous passes cette guimauve?

– Parce qu'elle figurait au répertoire d'Odette. Mais elle interprétait surtout des chansons plus romantiques. Attends, je vais te montrer...

Tout en farfouillant dans la commode, elle sélectionne une série d'enregistrements dont elle déclame les titres avec enthousiasme:

– *Mon amant de Saint-Jean*, de Lucienne Delyle; *Le Bar de l'escadrille*, de Marie-José; *Un souvenir*, de Damia...

Cette fille me sidère, je me demande si elle a jamais branché son transistor sur Europe 1 à l'heure de *Salut les copains* ni écouté un seul succès de Johnny ou d'Eddy Mitchell! A-t-elle seulement entendu parler de l'émission d'Albert Raisner: *Âge tendre et tête de bois*? Admettons qu'à la Sagesse les sœurs mettent leur veto, mais chez elle, rien ne l'empêcherait de combler ses lacunes!

Soudain elle pousse un cri de triomphe:

– Ah le voilà, je l'ai! *Paradis perdu*, de Marie-José, tu ne connais pas évidemment...

Framboise pose la galette sur la platine. Aïe, l'enregistrement de Marie-José est aussi dégueulasse que celui d'André Claveau mais ça ne semble pas la gêner, au contraire; tout en esquissant un pas de valse, elle se met à fredonner:

Rêêêve d'aaamour
Rêêêve trop court
Au paaaraadis peeerdu...

Les bras écartés du corps, le buste légèrement incliné de côté, elle tourne sur elle-même. On dirait qu'elle glisse, que son corps ne pèse rien, qu'elle va s'envoler comme

Mary Poppins! Toute ironie vaincue, je la bouffe des yeux, transi d'admiration, ébouriffé par tant de grâce. Quelques larmes perlent dans ses yeux bleus.

– Quand j'étais petite, maman me berçait avec cette chanson.

Gagné par l'émotion de Framboise, je pense à sa mère qui repose au cimetière, au monument funéraire érodé par les retombées de la cimenterie toute proche, à cette écervelée de Violette qui a peut-être même déjà joué à la marelle sur sa tombe. Je voudrais que Framboise se jette dans mes bras, qu'elle pose sa tête sur mon épaule, je partagerais avec elle cette bouffée d'amour et de tristesse. Il suffirait d'un pas. Mais elle ne bouge pas, bien sûr, et moi, benêt comme jamais, je ne prends pas d'autre initiative que de tortiller la bretelle de ma sacoche. Je l'observe en silence puis je lève les yeux comme si je voulais capturer au vol les mots qui m'échappent.

– Allons, dit-elle en secouant la tête, suffit pour aujourd'hui, la nostalgie, de toute façon les chansons ne disent que des bêtises. Ce que ma mère a perdu, c'est la vie.

Elle relève le bras du phonographe avant la fin du morceau puis s'installe au piano comme si elle faisait exprès de tourner le dos pour me cacher ses yeux rougis. Après quelques gammes égrenées du bout des doigts, Framboise attaque les premières notes d'une mélodie qui ne m'est pas tout à fait inconnue. J'ai dû l'entendre dans un film de guerre, il y avait des soldats, anglais ou allemands, je ne sais plus, ils étaient regroupés autour d'un poste de radio et… oui, il s'agit bien de cette chanson-là. Si mes souvenirs sont bons, c'était une voix de femme, mais très grave.

Vor der Kaserne
Vor dem grossen Tor
Stand eine Laterne…

Laterne et *Kaserne* sont les seules paroles que j'accroche au passage, et aussi un nom, *Lili Marleen,* qui revient régulièrement. Le refrain, sans doute, mais le reste se noie dans une suite de sonorités gutturales très hermétiques. Je n'en suis qu'à ma première année d'allemand et mes performances sont à peu près aussi spectaculaires qu'en anglais. Peu importe, je ne comprends rien non plus à ce que disent les Beatles, ce qui ne m'empêche pas d'apprécier.

Mit dir Lili Marleen
Mit dir Lili Marleen

Quand Framboise se retourne vers moi, ses yeux sont secs.
— Tu as aimé?
Beaucoup! Enfin… la chanson par elle-même, bof, c'est surtout Framboise que j'aime. J'aime tout ce qu'elle fait, sa façon de se déplacer, de danser, de chanter. J'ai adoré regarder ses doigts souples courir sur les touches noires et blanches, je suis ébahi par sa distinction, son immense savoir, son aptitude à parler les langues étrangères. En comparaison, je suis capable de quoi, moi? De pas grand-chose, je ne joue d'aucun instrument, mes connaissances historiques se bornent aux leçons de Zeler dont j'oublie la moitié au fur et à mesure, quant à mes compétences linguistiques, n'insistons pas! Je n'en

reviens pas qu'elle me témoigne un peu d'intérêt. Elle doit fichtrement s'ennuyer pour avoir accepté de se laisser approcher par un individu aussi terne et insignifiant que moi. Désabusé, je demande :

— Elle chantait aussi en allemand, madame Leroux ?

— Bien sûr, pas seulement *Lili Marleen* mais aussi *Der Wind hat mirein Lied erzält* et beaucoup d'autres, elle devait satisfaire son public.

— Des Allemands ?

— Mais oui, des Allemands !

Ce qui expliquerait pourquoi on l'a tondue. Pas parce qu'elle était chanteuse mais peut-être que pour se consoler du dédain de Sacha Guitry, elle a vécu une aventure romantique avec un bel officier de la Wehrmacht. Ou un nazi, carrément, uniforme noir et tête de mort à la casquette...

Non, pas possible, ces mecs-là n'étaient pas capables d'aimer.

L'homme en colère

– Vous avez vraiment rejoint les unités françaises de la Waffen-SS?

– J'avais pas le choix.

La question n'est pas anodine et Zeler regrette aussitôt le ton réprobateur sur lequel il l'a posée. Depuis le début de leurs entretiens, il s'est efforcé de ne jamais rien laisser transparaître de ses émotions, mais l'aveu du meurtre suivi des circonstances dans lesquelles son interlocuteur s'est engagé dans la LVF, tout cela commence à peser très lourd. Ce soir, pour la première fois, sa vigilance s'est relâchée et il s'est autorisé à intervenir. Qui est-il pour juger? Il savait que cet homme n'était pas un ange, en acceptant de devenir son secrétaire et confident, il s'engageait à l'impartialité la plus stricte.

– Je vous prie de m'excuser, souffle-t-il.

– Y a pas d'mal.

Le prof glisse une nouvelle feuille entre les cylindres de la vieille Underwood, mais ses doigts restent immobiles au-dessus du clavier.

– Vous auriez pu essayer de passer en zone libre et de vous faire oublier dans un trou perdu.

– Au premier contrôle, je me serais fait pincer.

– Vous avez peut-être raison, reprenons.

«Donc, j'avais signé. On me confisqua mes papiers et les clés de mon appartement dont je n'aurais plus besoin avant longtemps. Le petit connard de fonctionnaire qui s'occupait de la paperasse, un cloporte que je croisais tous les jours dans les escaliers de l'immeuble, se crut obligé de préciser que le Reich allait m'offrir un beau voyage.

« "Tu vas voir du pays, mon vieux, et défendre une noble cause, je t'envie! J'aimerais bien t'accompagner, malheureusement avec ma jambe raide, je suis cloué à ce fauteuil."

«Il n'y avait rien à répondre. L'aviateur m'a souhaité bonne chance, puis il m'a félicité. Avant de me quitter, il me fit comprendre que c'était un honneur de servir l'Allemagne, surtout dans son combat contre le bolchevisme. Il espérait que je saurais me montrer digne de la confiance qu'Elle m'accordait en acceptant mon engagement. Je l'aurais volontiers envoyé se faire mettre.

«Un planton est venu me chercher, en bas, une Kübelwagen, une jeep allemande, nous attendait. On me conduisit à la caserne Vandamme réquisitionnée par la Wehrmacht, pour le traditionnel circuit d'incorporation. Enregistrement, photos d'identité, visite médicale éclair dont la radio ne révéla cette fois aucune anomalie pulmonaire, j'étais bon pour le service. Puis on m'a remis un paquetage complet, sac, casque, calot, trousseau, sans oublier l'uniforme vert-de-gris et des plaques matricules. En moins d'une matinée, j'étais devenu un *Landser*, un fantassin allemand de deuxième classe.

«Je suis resté consigné un mois. Trente jours d'instruction intensive. Maniement d'arme. Entraînement au stand de tir, une discipline où je ne m'avérais pas trop mauvais. Gymnastique à cinq heures du matin et parcours du combattant quotidien, épreuve au-dessus de mes forces que je n'arrivais jamais à terminer. Mes camarades de chambrée me charriaient, ils me répétaient à longueur de journée qu'on n'était pas dans l'armée française, ici, et que pour mériter de devenir l'un des leurs, je devais me remuer le cul. Le soir, je m'effondrais sur ma paillasse en pensant à Denise qui se décomposait lentement au fond de son canal, tandis que ta sale gueule, Verdonck, pourrissait mes insomnies. Je te voyais en train de fouiller mon appartement. Tu te livrais à un pillage en règle comme n'importe quel malfrat. J'ai aujourd'hui la certitude que tu as fait fracturer mon coffre. Comment? Tu vas savoir.

« En bon paysan, je ne faisais aucune confiance à la monnaie de papier, aussi, tout le fric que je gagnais, je le convertissais en or et en bijoux. En un peu plus d'un an, je m'étais constitué un petit trésor, un viatique qui me permettrait, quelle que soit l'évolution des événements, de tirer mon épingle du jeu et de me refaire n'importe où. Je me souviens en particulier d'un collier de diamants que j'avais racheté très en dessous de sa valeur à un avocat juif pressé de convertir ses souvenirs de famille en liquidités avant de se faire la malle. Ces pierres précieuses, je les contemplais chaque soir, elles brillaient comme des galaxies, elles étaient mes bonnes étoiles, elles me protégeaient, j'en connaissais chaque facette, je les caressais, je polissais leur monture de platine en rêvant à tout ce qu'elles pourraient m'offrir un jour. Denise ignorait l'existence de cette merveille et pour rien au monde je lui aurais confié la combinaison de mon coffre.

« Pourquoi, une fois ma sinistre besogne accomplie, ne suis-je pas repassé chez moi? J'en suis encore à me le demander. Je n'avais pourtant qu'un détour à faire pour récupérer mon magot afin de le planquer en lieu sûr. Négligence aussi stupide qu'invraisemblable. Mais je n'étais plus à une connerie près.

«Bref, ce collier, je l'ai reconnu, il y a deux ans, au cou de ton épouse qui avait daigné t'accompagner au bal du 14 juillet. Le docteur Verdier et madame commençaient à se montrer en public. Le futur homme politique qui soignait son image de marque se commettait dans les festivités prolos où sa petite garce de femme jouait les aristos.

«Un collier de diamants, crétin, au P'tit Belgique... Crois-tu vraiment que c'était un endroit bien choisi pour exhiber un tel bijou? Heureusement que le bon peuple n'était pas capable d'en estimer la valeur, ça t'aurait desservi. Moi, en revanche, je ne pouvais plus en détacher mes yeux. On aurait dit que les pierres m'appelaient, elles avaient reconnu leur propriétaire, elles scintillaient de tout leur éclat et me suppliaient de les reprendre. J'ai essayé, j'ai joué des coudes pour me rapprocher de vous, à la faveur d'une bousculade j'aurais pu les arracher, me fondre dans la foule et disparaître. Vous ne m'en avez pas laissé le temps. Votre apparition fut brève, le maire vous attendait pour finir la soirée ailleurs, je suppose dans un endroit plus sélect.

«Voilà, Verdonck, comment j'ai eu la preuve que tu m'avais volé. J'espère que le moment venu, on ajoutera ce délit à la longue liste de tes forfaitures. Dans l'immédiat, tout ce que je peux espérer, c'est que ton épouse, un soir de débauche, oublie de l'enlever avant de se coucher et qu'elle s'étrangle avec.

«Mais revenons à ce mois de mars 1942. Mes premières classes faites, on m'envoya dans un camp de perfectionnement en Forêt-Noire. J'y ai passé cinq mois. Vie au grand air et bourrage de crâne permanent, il fallait chanter à tue-tête les louanges du Führer. Il n'y avait là que des volontaires étrangers, Hongrois, Roumains, Bulgares et pas mal de Français, surtout des Flamands et des Bretons à qui j'étais chargé d'apprendre les rudiments de la langue allemande. En dehors de la propagande officielle, nous n'étions informés de rien. L'essentiel était de savoir que le Reich avait conquis l'Europe et que bientôt il dominerait le monde. Il était question de nous répartir dans divers corps d'infanterie, certains d'entre nous auraient préféré servir dans des unités blindées, mais on nous objectait qu'il était trop tard pour nous donner la formation suffisante.

«Fin juillet, j'ai reçu ma feuille d'affectation dans la 94e division d'infanterie de la sixième armée commandée par le général Paulus. Nous étions une centaine dans ce cas, on nous transféra à Berlin, puis à Varsovie et enfin à Kiev. Nous ne connaissions toujours pas notre destination finale. Enfin, un officier nous expliqua, carte à l'appui, que l'Allemagne occupait toute la partie occidentale de l'URSS selon une ligne allant de Leningrad au nord de Rostov, et qu'une grande offensive se préparait pour enfoncer le front russe. L'objectif consistait à repousser les Rouges au-delà de la Volga, quand Stalingrad serait pris, «le bolchevisme s'écroulerait comme un château de cartes». Un engagé breton, un intellectuel, se permit de me faire remarquer discrètement que cette phrase avait déjà été prononcée par Goebbels en juin 1941 au début de l'opération Barberousse. Or, Staline n'avait toujours pas capitulé et apparemment, on comptait sur Paulus pour le mettre au tapis. La sixième armée comptait trois millions d'hommes, je n'étais qu'un misérable insecte perdu dans la masse.

« Si tu veux connaître la suite, Verdonck, tu n'as qu'à te documenter, la bataille de Stalingrad a fait couler beaucoup d'encre depuis la Libération, les historiens s'en sont donné à cœur joie. Sache simplement que j'y étais et que je m'en suis pris plein la gueule. Mon crime, docteur, je l'ai expié mille fois. Je me suis battu au corps à corps dans la neige et les gravats, et encore, je ne suis pas resté jusqu'à la fin ! J'ai chopé un éclat d'obus providentiel avant l'encerclement, à un moment où il était encore possible de m'évacuer sur l'arrière.

« Les Russes résistaient comme tu ne peux pas l'imaginer, ils avaient jeté toutes leurs forces dans la mêlée, civils, femmes, enfants, ils se défendaient quartier par quartier, rue par rue, maison par maison. J'ai encore dans la tête les hurlements de bête de leurs *Katioucha*, ces lance-fusées de l'enfer auxquels répondaient les braiments de nos *Nebelwerfer*, ces non moins redoutables "lanceurs de brouillard". Mais rien à faire, ils ne cédaient pas.

« Oui monsieur, j'ai appartenu à cette division d'élite qui s'est emparée du fameux silo à grain, un bloc de béton reconverti en bastion imprenable où nous avons laissé des centaines d'hommes. J'en conçois une légitime fierté. Ensuite nous avons pris la gare centrale, puis l'embarcadère, puis l'usine Octobre rouge.

« Tout cela ne t'évoque rien, bien entendu, alors renseigne-toi, je ne suis pas en mesure de te recommander les meilleurs ouvrages sur la question, tu comprendras aisément que je n'ai jamais voulu en ouvrir un seul. Je n'ai pas besoin d'analyses développées sur papier, j'ai eu ma dose sur le terrain. J'ai à mon actif des faits d'armes dont tu ne soupçonnes pas la bravoure. Je m'étonnais moi-même. Mais quand on te plonge dans un océan de sang, tu barbotes sans réfléchir. Le plus abruti des troufions français qui n'aurait vécu que le centième de ce que j'ai enduré serait aujourd'hui honoré d'une brouette de médailles. Moi, que dalle, rien que la honte!

«J'en suis sorti, oui, et je bénis le Popov qui a tiré cet obus m'ayant mis hors combat. Les brancardiers m'ont trimbalé dans une infirmerie de fortune installée chez un paysan cosaque, un ancien Garde blanc qui avait accueilli les Allemands à bras ouverts. Puis on m'a ramené à Kiev, dans un hôpital digne de ce nom. J'étais touché à la hanche et à la cuisse, les chirurgiens qui m'ont rafistolé étaient des as! Je suis resté en convalescence dans cette ville jusqu'en février 1943, c'est là qu'un jeune docteur au bord des larmes m'apprit la capitulation du général Paulus. Des rumeurs contradictoires circulaient; selon certaines, les pertes se soldaient par cent cinquante mille tués, d'autres prétendaient qu'il y en avait le double. On parlait de quatre-vingt-onze mille prisonniers dont vingt-sept généraux. Des chiffres énormes! Hitler était tombé dans le même piège que Napoléon, il ne s'en remettrait pas. J'ai compris que c'était cuit.

«La suite des événements me donna raison, dès septembre commença la course-poursuite. Mon état étant jugé satisfaisant, on m'affecta, après quelques leçons de conduite, dans une unité du train des équipages. Comme l'avait prédit le petit cloporte de la LVF, je voyais du pays. Au volant de mon bahut, je transportais des cargaisons de pauvres gars sur tous les points chauds où ils se faisaient décimer. Cette sauvagerie a duré jusqu'en août 1944. Une agonie qui n'en finissait plus.

«Là, j'ai retrouvé des Français, des recrutés de la dernière heure regroupés dans une division SS, la 33e, mieux connue sous le nom de division Charlemagne. Elle regroupait des rescapés de la LVF, des francs-gardes de la Milice, des volontaires de la *Kriegsmarine* et des *Schultzkommandos* de l'organisation Todt, le Reich raclait les fonds de tiroirs. Ces types qui m'apprirent que les Américains avaient débarqué en Normandie et que les Alliés nous repoussaient par l'Ouest y croyaient encore! Quel lavage de cerveau leur avait-on fait subir? Ils en voulaient, incroyable! Ils tenaient les mêmes propos que le frère de Denise avant guerre, à l'époque où il s'enivrait des paroles de l'abbé Gantois. Ils étaient résolus à se sacrifier pour la Germanie qui se relèverait de ses cendres, comme le Phénix. J'ai appris beaucoup plus tard qu'ils s'étaient battus jusqu'au bout et que les derniers survivants défendirent le bunker de Hitler. Mais nous n'en étions pas encore là, les divisions de l'Est les attendaient. Je les ai amenés quelque part entre Stettin et Dantzig en Poméranie, je devais ensuite rejoindre un convoi descendant sur Bromberg au bord de la Vistule. Mission, évacuer un stalag et acheminer les prisonniers sur la capitale pour des travaux de déblaiement.

« Les territoires de l'Est se fissuraient, ça craquait de partout, l'horizon était rouge. Quand je suis arrivé au point de ravitaillement, les citernes de carburant flambaient. C'était le sauve-qui-peut général, plus personne ne savait quels étaient les ordres. Puis il y eut une nouvelle attaque aérienne, suivie d'une terrible explosion, ensuite, je ne me souviens plus de rien. Aucun souvenir de choc ni de douleur, rien, aucune image, le vide. Rien d'autre qu'un mugissement lointain et tenace, comme une sirène bloquée sur sa note la plus stridente qui fulgurait dans mon crâne.

« Quand j'ai émergé, j'étais allongé sur un lit d'hôpital, les bras et la tête bandés. Les sifflements continuaient, j'entendais à peine. J'avais subi une commotion cérébrale et je souffrais de diverses brûlures au second degré. On m'apprit que je me trouvais à Potsdam. Le médecin-chef, qui connaissait mon dossier, savait que j'étais un rescapé de Stalingrad, il estimait que j'avais beaucoup de chance de m'en être tiré cette fois encore car il n'y avait aucun survivant parmi les autres conducteurs du convoi. Je passais les jours à compter les alvéoles de stuc qui gaufraient le plafond de la salle commune sans jamais répondre à mes voisins de lit qui cherchaient du réconfort. Le personnel soignant m'adressait la parole d'une façon bizarre, très lentement, avec beaucoup de douceur. Ils me considéraient comme sérieusement ébranlé et j'ai vite compris les avantages que je pouvais tirer de cette situation.

« Deux mois plus tard, la cicatrisation de mes brûlures était en bonne voie mais je persistais dans mon mutisme et mon apathie. On me transféra à l'arrière dans un centre de convalescence de la région de Hanovre. L'ambiance était morose, les Allemands avaient le moral sous zéro. Chaque soir, à 21 h 57 exactement, ils écoutaient à la radio *Lili Marleen* diffusé par l'émetteur de Belgrade. Tu connais, je suppose, cette romance pleine de nostalgie que Goebbels avait voulu censurer parce qu'il la jugeait démobilisatrice et complètement incompatible avec l'esprit martial. Mais il y avait belle lurette que les petits soldats de la race supérieure ne croyaient plus aux sornettes de la propagande.

« La pression des Alliés se resserrait, les bombardements s'intensifiaient. Il n'était pas question apparemment de me renvoyer au front, mais on pouvait m'affecter à la défense passive sur une batterie de DCA. Sauf si je continuais à jouer les idiots, un rôle dans lequel je commençais à exceller. Tant et si bien qu'après examen, le psychiatre convint que j'étais désormais inapte à toute activité militaire.

« On me plaça aux cuisines où j'essayais de me rendre utile ; le soir, je dormais sur un lit de camp qu'on m'avait installé dans la chaufferie. Les mois passaient, les blessés civils et militaires affluaient de partout, on les entassait dans les couloirs, dans les bureaux, dans les garages et les sous-sols, on manquait de personnel et de médicaments, les chirurgiens débordés travaillaient jour et nuit dans des conditions hallucinantes. À cause des coupures régulières de courant, la plupart des opérations devaient être interrompues.

« En 45 ce fut la débandade, les gens évacuaient sans savoir dans quelle direction fuir. Les Russes à l'Est, les Américains à l'Ouest, l'étau se resserrait. Je ne voulais tomber ni sous les griffes des uns ni dans les pattes des autres. Alors j'ai fait mon sac et je me suis tiré. Fini, j'en avais ma claque ! Pendant une semaine, j'ai marché plein sud. Je traversais un paysage de fin du monde, tout n'était que ruines et désolation. Pilonnées par la RAF, les villes s'effondraient. Je traversais des labyrinthes de murs et d'arbres calcinés. Je ne me déplaçais que de nuit, me reposant le jour, n'importe où, dans des caves, des fossés, sous des décombres, parfois je dénichais un peu de nourriture, mais la plupart du temps je m'endormais le ventre vide.

« Un beau matin, après une nuit de marche, je suis arrivé aux environs d'Osnabrück, dans une petite ferme dont les bâtiments étaient encore intacts. Je n'ai pas essayé de savoir si elle était ou non abandonnée, j'étais crevé, affamé, il y avait une grange, de la paille, du foin, je n'en demandais pas plus. Je fus réveillé sans ménagement par une vieille femme qui me menaçait de sa fourche. Elle me prenait pour un prisonnier évadé. Quand je lui répondis en allemand, elle se détendit et accepta de m'écouter. En passant sur les détails de mon existence dorée de collabo, je lui dis que j'étais un volontaire français engagé par conviction politique dans la légion des volontaires contre le bolchevisme. Elle me demanda où j'avais combattu, je répondis Stalingrad en lui montrant mes blessures. Elle laissa tomber sa fourche et répéta:

« *"Ach, Schtalingrad! Schtalingrad!"*

«Elle ne me regardait plus, son visage se crispait comme si elle allait pleurer mais ses yeux restaient secs. Je ne savais pas si je devais continuer.

«Brusquement, elle tourna les talons et me fit signe de la suivre. Mon histoire ne l'intéressait plus, elle m'offrit de la soupe au chou, du pain gris et un peu de lard salé. Pendant que je me jetais sur la nourriture, elle me dévisageait sans desserrer les dents. Quand je fus rassasié, elle m'expliqua que ses deux petits-fils étaient morts à Stalingrad, l'aîné avait vingt-trois ans et son frère dix-neuf. Elle était sans nouvelles de leur père, rappelé dès l'Anschluss pour servir dans les blindés, elle me montra sa photo sur le manteau de la cheminée; Klaus, son fils unique, une bougie brûlait devant le cadre. Sans nouvelles non plus de leur mère, infirmière volontaire pour le front. Comme la vieille était veuve, elle n'avait plus personne et tentait de subsister avec les produits de son jardin. L'armée avait réquisitionné ses deux chevaux et raflé les animaux de boucherie. Elle me débitait tout cela d'une voix sans timbre comme elle m'aurait relaté des faits ne la concernant pas. Sur le même ton, elle me dit que si je voulais rester, le travail ne manquerait pas.

«J'ai accepté. Elle s'appelait Margarete, c'était une brave femme. Au mois de mai, on apprit par la radio que l'Allemagne avait capitulé, ça ne lui fit ni chaud ni froid. Elle guettait le facteur. Moi aussi, j'avais écrit à mes parents, aucune réponse, alors j'attendais. Nous cohabitions comme deux naufragés. En septembre 1946, Margarete déterra une dizaine de pièces d'or, ses dernières, m'expliqua-t-elle, de maigres économies qu'elle avait gardées malgré tout pendant les années de misère où le mark ne valait plus rien. Elle acheta un cheval de trait, une truie et quelques volailles. Je me suis retroussé les manches. Deux ans plus tard, elle apprit enfin que Klaus et sa femme avaient été portés disparus. Elle est morte l'hiver suivant.

«Je n'avais plus rien à faire là, j'ai confié les animaux à un voisin qui promit de régler les formalités et je suis allé à Hambourg. La ville entière était à reconstruire. J'y ai exercé tous les métiers, démolisseur, manœuvre, maçon, docker. Je ne savais toujours rien de mes parents. Plusieurs fois j'ai songé à m'embarquer sur des cargos comme beaucoup de pauvres gars brisés qui espéraient retrouver le goût de vivre à l'autre bout du monde. Mais j'y ai renoncé le jour où, dans un bar, j'ai rencontré des types qui pouvaient me procurer de faux papiers. C'était en 53.

«Alors je suis rentré en France sous une nouvelle identité. Ma mère acceptait encore de me voir en cachette mais mon père ne voulait plus me parler, j'étais définitivement seul.

«Voilà, docteur, tu sais tout. S'il t'arrive parfois de flâner sur le chemin de halage, tu auras peut-être été intrigué par des fleurs flottant, certains soirs, à la surface de l'eau; sache que c'est moi qui les y ai jetées. Quand le remords me tenaille, je les offre à Denise.»

22

Pourquoi Framboise ne m'a-t-elle pas dit qu'elle devait accompagner son père à la réception de la délégation allemande ? Je l'ai aperçue par hasard dans le cortège officiel qui se rendait au jardin public pour la traditionnelle minute de silence devant le monument aux morts. Qu'est-ce qu'elle fabrique avec tous ces vieux schnoques ?

– Monsieur le consul d'Allemagne, monsieur le Bürgermeister, monsieur le directeur du Gymnasium Max Planck...

La voix de crécelle du proviseur, promu monsieur Loyal de la grande parade unificatrice, sème dans la sono municipale des effets larsen qui me feraient presque regretter les grésillements du phono en acajou. Beaucoup de nos profs ont tenu à y participer. Choucroute s'est mise sur son trente et un, Betty Boop a chaussé des escarpins qui l'obligent à faire les pointes. Sans sa blouse blanche, je reconnais à peine Grimaud. Un peu en retrait du groupe, Zeler affiche son célèbre sourire de sphinx, je pense qu'il m'a vu. Rien d'étonnant, avec ce vélo, même un jour de carnaval, je passerais pour un hurluberlu !

Je prends le large, direction les nouvelles pissotières. En me hissant sur le toit, je pourrais peut-être repérer Framboise noyée quelque part dans les rangs compacts des personnalités. Facile, une fois perché sur la selle, je suis à bonne hauteur pour un rétablissement. Zut, voilà un flic! C'est Martial, un voisin de Fred, le Géo Trouvetout de la brigade locale, inventeur d'un système non encore breveté permettant de picoler en douce pendant les heures de service. Une flasque de gnôle planquée sous la doublure de sa veste et reliée au sifflet réglementaire par un fin tuyau cousu dans la manche. Ni vu ni connu.

– Kess tu fous là?

– Je regarde la cérémonie.

– Descends d'là tout de suite.

Martial applique les ordres: surveiller le périmètre et appréhender les individus susceptibles de troubler l'ordre public. Revanchards cherchant l'incident diplomatique, anarchistes désireux de faire capoter nos accords internationaux, communistes ulcérés que le jumelage ne se soit pas fait avec une ville de RDA ou de Pologne. Tout est possible, même un dernier soubresaut d'une faction dure de l'OAS.

– Alors, c'est pour aujourd'hui ou pour demain?

Service service, Martial fait les gros yeux, puis il se lisse la moustache d'un revers de main et met son sifflet à la bouche. Va-t-il me striduler dans les oreilles? Non, il aspire une lichette de genièvre. J'obtempère.

– J't'ai à l'œil, mon gars! Tu ferais mieux de finir ta tournée.

– Y a rien qui urge, m'sieur l'agent, je m'offre une pause.

Tout en suçotant son sifflet, Martial émet un petit borborygme conciliant. C'est bon, je peux rester dans le coin à condition de ne pas rester perché sur le toit des «vécés municipaux». Recommandations faites, il réajuste son ceinturon et retourne à sa mission.

– Monsieur le préfet, monsieur le maire, mesdames et messieurs les conseillers...

Comment signaler ma présence? Je cligne des paupières, une longue, une brève, point, trait, point, point, trait... mes souvenirs d'alphabet morse s'effilochent en pointillés. Je confonds les consonnes et les voyelles, je ne me souviens que de «SOS», ça fera l'affaire, transmettre en continu mon appel au secours, obstinément, y croire, elle va capter le message, répondre, s'esquiver, fausser compagnie aux remparts d'abdomens protubérants qui l'étouffent et me rejoindre. Nous chercherons refuge derrière le kiosque à musique. Et là, mes yeux d'écureuil dans ses yeux de mer tropicale, nous ferons des projets d'océan Pacifique, d'îles paradisiaques, de pays de Cocagne et de châteaux en Espagne. Sur le tronc d'un chêne centenaire nous graverons nos initiales dans un cœur que le soleil transpercera d'une flèche d'or.

– Monsieur le directeur du Goethe Institut de Lille, monsieur le président de l'Association France-RFA...

Loin des palabres et des paroles hypocrites crachotées dans le micro de la tribune, nous balbutierons des mots sincères en respirant le chant des oiseaux. Nous liquiderons le passé cafardeux de nos parents, nous jetterons aux oubliettes nos suspicions et nos défiances, tu me parleras de la pampa et du rio de la Plata, tu m'apprendras à prononcer Montevideo, Buenos-Aires ou Asunción, je te raconterai le Mékong et les nuits chaudes de Saigon.

– Monsieur le président de l'Association des anciens combattants, chers administrés, chers collègues professeurs, chers élèves, il conviendrait de souligner en rouge cette date qui...

Ça y est, là-bas, Framboise, au troisième rang, entre son

père et l'abbé Bitrou! L'uniforme bleu marine de la Sagesse la vieillit un peu mais bon sang, elle porte des bas, de vrais bas de femme, fins, vaporeux, qui teintent ses jambes d'un hâle soutenu. Je ne pouvais pas deviner qu'ils étaient aussi bien modelés, ses mollets, jusqu'ici, elle les cachait sous des pantalons, de grosses chaussettes ou des bottes de cheval. Avec son béret et ses petits souliers à demi-talons, on dirait une hôtesse de l'air. Elle a le masque des premiers de la classe un jour de distribution des prix qui attendent, le minois imperméable aux éloges, la couronne de laurier et la pile de bouquins enrubannés. Les palabres se succèdent, confuses, les souffles chuintent comme le bruit de la mer au fond des coquillages.

«Framboise, oh, Framboise, bip-bip, tu me reçois?»

Concentré sur le réseau des ondes paranormales, je diffuse à tout-va mes SOS télépathiques, mais rien à faire, la communication ne passe pas. Alors, tous mes nerfs tendus comme les baleines d'un pavillon de radar, j'essaie encore. Ça devrait fonctionner, y a pas de raison, j'ai vu une fois un fakir au cirque Rancy qui pliait des petites cuillères à distance, époustouflant! Pour Marie-Rose il y avait forcément un truc comme avec les lapins blancs et les pigeons qui sortent des chapeaux gibus, sauf que là, ça n'avait rien à voir. Le gars se tenait au milieu de la piste à deux mètres d'un guéridon où étaient posés les couverts et tout le monde pouvait constater qu'ils se tordaient tout seuls. En tout cas, mon fluide à moi manque sérieusement d'efficacité parce que j'ai beau fixer Framboise, la caler dans le viseur de ma transmission de pensée, elle n'a toujours rien capté.

– Car la jeunesse de nos deux pays, instruite de l'expérience du passé, n'aspire qu'à...

Qu'est-ce qu'il connaît des aspirations de la jeunesse, Hary? Qui l'a mandaté pour s'exprimer en son nom? Heureusement que le speech s'achève. Il s'effiloche. Son verbe titube. Les effets de manches battent de l'aile en métaphores congestives et platitudes boursouflées: *Le feu sacré de l'espoir. Le flambeau de la jeunesse. Les colombes de la paix. Nous traverserons cette seconde moitié de siècle sur le vaisseau de l'Europe...* Redondances et synonymes: *La paix, la concorde, l'entente, l'union, la réconciliation.* Aphorismes foireux: *Au jour d'aujourd'hui tout est possible parce qu'à l'impossible nul n'est tenu. Le passé est révolu, l'avenir est devant nous.*

Il remercie l'auditoire, ce n'est pas trop tôt! Et passe la parole à son homologue allemand, un petit bonhomme rondouillard boudiné dans un costard croisé. La traduction est assurée par mademoiselle Depestelle, une institutrice à la retraite qui s'occupe de la chorale paroissiale.

Je sursaute aux premiers coups de cymbales de *La Marseillaise.* Tiens, ce n'est plus le vieux Maurice qui dirige la fanfare mais un nouveau venu, très élégant dans sa veste gris souris aux revers ornés de lyres brodées, il fait de son mieux pour ressembler à Gérard Philipe. Tout le monde est au garde-à-vous. On tient la pose pour l'hymne allemand. Je ne sais pas si les paroles invitent aussi à abreuver leurs sillons d'un sang impur, en tout cas la musique est plus jolie que celle de Rouget de Lisle, ce n'est même pas comparable. Puis la fanfare cède la place à la chorale qui entonne: *Si tous les gars du monde voulaient se donner la main...*

La cérémonie s'achève, le préfet a déjà pris congé, la foule se disperse. Je n'ai plus qu'à descendre de mon perchoir. Quelques officiels rejoignent le maire et prennent le chemin de l'hôtel de ville, un remous entraîne à leur suite le docteur et sa fille. À moins de foncer bille en tête dans le cortège, je ne vois plus de quelle manière je pourrais encore accrocher le regard de Framboise. Protégée par son escorte de notables, elle s'éloigne, digne, allure de mannequin en défilé, un pas devant l'autre, bien placé, en funambule. Elle imagine une ligne blanche tracée sur le tapis rouge d'une estrade, et ne dévie pas d'un orteil.

Au moment où je démarre, un merle vient frôler ma roue avant, la petite trapue aux rayons renforcés, un centimètre de plus et il passait au mixer. Crétins de merles, toujours à décoller à l'horizontale, un de ces jours, je vais m'en faire un pour de bon! Celui-là est sauvé, perché sur un lampadaire, avec sa tête agitée de tics et son bec jaune entrouvert, on dirait qu'il ricane. C'est ça, l'oiseau, foustoi de ma gueule! Le devoir m'appelle. Rue Pasteur, une pétoire lancée à toute allure me double en vrombissant. Queue de poisson, coup de frein strident, trace de gomme sur l'asphalte. Le pilote coupe les gaz, pose son bolide sur la béquille et m'interpelle, c'est Béru.

– Salut Gill, tu roulais en plein milieu de la route, qu'est-ce qui t'arrive?

– Je suis dans le rata.

– Tu pensais à tes amours?

La bouche qu'il fait, Béru, quand il dit *amour*! En plus il prononce *amuur*, comme Johnny, ça fait vulgaire. Il m'apprend que ce matin, les cours sont supprimés pour cause de cérémonie et d'échanges culturels. Vers onze heures, une réception est prévue au bahut avec mousseux, apéritif concert et buffet campagnard, à l'issue de laquelle les élèves du lycée Max-Planck seront répartis dans leurs familles d'accueil.

– Tu vas y aller? je demande.

– Ça me ferait mal!

Ma question l'a atteint dans son honneur. Qu'est-ce qu'il irait se commettre, lui, avec cette bande de fayots? D'un coup de talon rageur sur la pédale, il écrase les petites gueules satisfaites de tous les lèche-bottes, et pousse son deux-temps à fond les manettes. Puis il enclenche la première et démarre en trombe après m'avoir lancé un dédaigneux salut. Ce frimeur arrive à faire cabrer son engin aussi bien que Moreto.

En passant devant l'établissement, je note que le portail est pavoisé aux couleurs des deux pays. Bannières tricolores, bandes verticales pour nous, horizontales pour eux, nous avons le rouge en commun. Folcoche a dû mettre les petits plats dans les grands. Ce matin, pendant que je garnissais mon panier, Fred m'a dit que son père faisait la gueule parce que le proviseur n'avait pas fait appel à ses services pour le buffet.

– Avec ce qui s'est passé la dernière fois tu penses bien que nous sommes rayés des listes.

L'événement remonte au mois d'octobre. Ses parents cherchaient à se faire bien voir de l'intendance du lycée, rapport à la cantine qui représente un gros marché. Aussi, dès que les profs s'étaient mis en quête de familles volontaires, madame Simone avait répondu présent. Cette agitation laissait Fred indifférent. Depuis que la prof lui avait brisé son rêve d'avoir une jolie correspondante, il se désintéressait complètement de tout ce qui touchait de près ou de loin à l'Allemagne. Mais sa mère ne lui avait pas demandé son avis et il se retrouvait contraint non seulement de faire bonne figure au jeune invité qui allait débarquer mais aussi d'organiser ses loisirs. Que de corvées pour de basses combines commerciales! Un moment, il pensa avoir trouvé le moyen de mettre les plans de sa mère en échec. Se faire un allié de son grand-père en l'avertissant de ce qui se tramait. Le terrible Adalbert, héros de la Grande Guerre, figure locale tout en coups de gueule et moustache de Gaulois, était revenu loger chez son fils sous prétexte que de gros travaux de voirie devant sa maison l'empêchaient de faire la sieste. Or, le vieux déteste les Teutons, sa haine est viscérale, irraisonnée, fanatique. Tous les habitués de *Chez Florisse* ont entendu cent fois les propos violents qu'il tient dès qu'il est question de nos impétueux voisins. Il répète à qui veut l'entendre que si un jour un Boche venait à mettre les pieds chez lui, il lui couperait le cou comme à un poulet. Serment fait devant témoins, cochon qui s'en dédit. Fred tenait là un argument suffisamment solide pour affronter sa mère. Était-ce bien responsable de risquer la vie d'un innocent? Avait-elle songé aux répercussions désastreuses d'un meurtre sur la réputation de son commerce? Il était encore temps de se désister, la prof trouverait une autre famille… Rien à faire, madame Simone ne voulait rien entendre.

– J'étais mort de trouille, la seule solution était de faire passer le mec pour un Anglais. Mon grand-père n'était pas au courant du jumelage avec Max-Planck, je pouvais tenter le coup.

Sauf que le sujet britannique en question s'appelait Helmut et mesurait un mètre quatre-vingts, costaud, tout en muscles, torse trapézoïdal, visage carré, rose et blond, sourcils compris. Terrorisé, Fred nous demande le droit d'asile pour cet invité plein de confiance qui ne soupçonne pas le sort qu'on lui réserve. Fernand refuse.

Et voilà Helmut qui débarque avec sa petite valise. Il faut coûte que coûte éviter de le mettre en présence du grand-père. Leur maison est grande, le vieux se couche en même temps que les poules, c'est jouable. Mais difficile, il faudra occuper le garçon le plus longtemps possible à l'extérieur. Le problème c'est qu'à Bourdain, il n'y a pas grand-chose pour les jeunes. Le Ciné-Vog n'est ouvert que les week-ends et les jeudis après-midi. La piscine la plus proche est à Lille.

Dix-huit bornes aller-retour, t'imagines, ajoute à ça la séance de natation à rallonge, moi qui ne supporte pas le chlore !

Fred emprunte mon vélo et prête le sien à Helmut. Arrivés aux Bains lillois, il n'en peut déjà plus. En revanche, Helmut est à peine échauffé ; la petitesse du grand bassin le surprend : « *À Jülich, nous avons une biscine olumpique !* »

— Eh oui, camarade, que je lui ai dit, la France a du retard dans beaucoup de domaines ! Donc il a fait des longueurs et encore des longueurs sans jamais s'arrêter pour souffler. J'en ai compté trente, après j'ai arrêté, écœuré. Le mec, il voulait plus sortir de la flotte. Un crawl impeccable, cadence régulière, battement de jambes vigoureux, pirouette en bout de bassin, le grand jeu, quoi ! On est restés jusqu'à la fermeture, ensuite, arrêt buffet dans une boulangerie, il s'est envoyé deux baguettes et une plaque de chocolat. Sur le chemin du retour, boulevard Victor-Hugo, il m'a proposé de faire la course, ce con !

Ce qui contrarie les plans de mon copain ; à cette vitesse ils seront rentrés plus tôt que prévu et le papi germanicide ne sera pas encore couché.

— Alors, j'ai rallongé l'itinéraire. Direction centre-ville

et visite touristique. Grand-Place, la vieille bourse, l'opéra. Le Vieux Lille, rue de la Monnaie, les petites rues cradingues autour de la place aux Oignons. Tout droit on courait aux abattoirs, j'ai préféré éviter, tu t'en doutes... Donc crochet à gauche par la rue Princesse où se situe la maison natale du général De Gaulle. Ensuite l'esplanade, la citadelle construite par Vauban : « *Kolossal !* »

Helmut en redemande, Fred a des crampes dans les mollets. Dix-neuf heures enfin, les magasins ont baissé leurs volets ; à Bourdain, Adalbert doit être sur le point de se coucher. Ils repassent chez moi pour rendre le vélo, Helmut n'a jamais vu un atelier de maréchal-ferrant, parfait, on va pouvoir le retenir encore un moment, je lui montre les outils et les avions de mon père.

« *Wunderbach !* »

Un peu étonné toutefois qu'il n'y ait aucun Messerschmitt dans la collection. On change de sujet. Marcel se prend de sympathie pour lui et lui offre un *turlute* comme il l'inviterait à fumer le calumet de la paix. Retour au gîte.

— Ma mère avait fait des steaks au poivre, il s'en est bouffé deux, et des gros, avec un saladier de pommes frites, tarte poire frangipane comme dessert. Ensuite, *Schlaffen*. Dodo. « *Warum zi tôt* », qu'il a demandé.

Coutume française, lui répond Fred qui ne tient plus debout. Il a laissé sa chambre à l'invité d'honneur en lui conseillant de s'enfermer à double tour.

« *Warum ?* »

Tradition locale, Helmut !

— Toute la nuit, j'ai monté la garde devant sa porte. Mon grand-père ronflait à l'étage au-dessus, mais à tout moment il pouvait se réveiller, descendre jusqu'au magasin, choisir un couteau et mettre sa menace à exécution. Un peu avant l'aube j'ai abandonné mon poste et je suis allé m'allonger sur le lit de ma marraine dans la chambre qui lui est réservée. Elle ne vient qu'une fois l'an mais faut lui garder sa piaule. J'y ai fait des rêves horribles, les anecdotes de guerre les plus épouvantables me hantaient, tout ce que m'avait raconté mon grand-père, les blessés agonisants, les nettoyeurs de tranchées, les râles des mourants, les cadavres entassés, les hôpitaux boucheries, l'enfer! À six heures, Helmut m'a tiré des draps, reposé, douché, propre, il pétait la forme et sentait l'eau de Cologne : «*Ez que nous fézons encore aujourd'hui zinquante kilomètres à bicyclette, bitte?*» Et dire que je me décarcassais pour protéger ce salaud qui voulait ma peau!

Je me mets à la place de mon copain, il arrive à peine à tenir ses yeux ouverts et l'autre vient le provoquer avec ses projets de tour des Flandres. Il avait même enfilé la tenue *ad hoc*, short noir collant, maillot moulant avec les publicités cousues devant et derrière comme un vrai pro, chaussures spéciales, mitaines en peau et crochet, prêt au départ.

– Tu sais que mon grand-père est passionné de cyclisme, le football ça le fait doucement rigoler, mais le vélo, ah ça, le vélo, c'est sacré. Dans sa jeunesse il faisait parti d'un club de pistards, l'un des premiers de la région ; encore aujourd'hui, à soixante-dix-sept ans, il n'a pas raccroché.

C'est vrai, tout le monde est témoin que par tous les temps, il est en selle, Adalbert, il fait la tournée des bistrots et des copains, même aux enterrements, il emmène son biclou! Donc, ce matin-là, il est en train de petit-déjeuner.

– Lard salé, terrine de lapin, saucisson à l'ail et tartines au saindoux trempées dans le café noir sans sucre. Parfois des œufs battus avec une échalote pour relever le goût. J'ai jamais pu m'y faire!

Helmut si. Entre les tartines à la confiture de Simone et le menu de l'ancêtre, il n'hésite pas une minute. Il vient de débarquer dans la cuisine en beuglant un joyeux : « *Gutten Morgen!* » Surpris en plein casse-croûte, Adalbert manque de s'étrangler. Un Boche, chez lui et sans déclaration de guerre, milliard de bordels de nom de Dieu, ils ont remis ça, aux armes citoyens! Déjà il serre le manche de son Opinel.

– C'est à ce moment-là que je suis arrivé, j'ai bien failli hurler, je voyais déjà Helmut saigné comme un goret entre le pot de saindoux et le lard salé quand un miracle s'est produit!

Adalbert repose son couteau et regarde, éberlué, ce jeune et vigoureux cycliste. Lequel se confectionne un épais sandwich tout en expliquant, moitié français, moitié allemand, combien il se régale. Il fait le plein de calories, emmagasine de l'énergie, excellent, il va rouler jusqu'à Dunkerque!

Le vieux poilu est ébranlé, il demande à son petit-fils pourquoi on ne l'a pas prévenu qu'un coureur devait loger sous son toit. Sans préambules inutiles, on passe aux questions sérieuses : quelles sont ses performances, quelles distances parcourt-il par semaine, a-t-il déjà participé en équipe junior à des courses importantes, a-t-il l'intention de passer professionnel? Et puisqu'il tient un auditeur complaisant, il lui raconte ses exploits qui remontent à l'époque où les as de la piste portaient des moustaches rappelant la forme de leurs guidons. En ce temps-là, les bécanes pesaient des tonnes, ce qu'il fallait appuyer nom de Dieu! Pas comme maintenant avec les dérailleurs automatiques et les voitures-balais qui te ramassent dès que tu perds les pédales... Les poursuites au vélodrome de Roubaix, les critériums en Belgique, la boue, les pavés, la trouée d'Arenberg, tout y passe. Oublié Ypres, la Marne, Verdun, Douaumont et le Chemin des Dames, à la poubelle, les vieilles rancunes! Helmut n'est plus un Boche mais un cycliste, ce qui change tout. Adalbert est conquis.

Ils parlent des derniers Tours de France, échangent des pronostics pour celui de cet été. Adalbert aimerait bien avoir l'avis d'un jeune sur le dopage dont on commence à parler dans les journaux, il en pense quoi de ces salades, Helmut? Lequel ne comprend pas un mot sur deux mais répond entre deux bouchées: « *Ya, ya!* » Quand même, c'est moche tous ces types qui se gonflent les guibolles aux médicaments, est-ce qu'ils se droguaient aussi les Bartali, Fausto Coppi et Bahamontes?

– Il lui a versé un verre de beaujolais. À huit heures du matin ça peut surprendre, mais Helmut était plutôt pour. Puis ils sont partis en balade sans plus se soucier de moi, légèrement éméchés, joyeux. Mon grand-père sur sa fidèle *Hirondelle*, Helmut sur mon randonneur. À midi, ils n'avaient toujours pas donné signe de vie. Ils sont rentrés tard dans la soirée, bras dessus bras dessous, incapables de pédaler, s'appuyant sur leurs vélos pour ne pas tomber. Où avaient-ils dîné? Ils n'ont rien dit. Le vieux a éclaté de rire en donnant de vigoureux coups de coude dans les côtes de son copain avant de répondre évasivement qu'ils avaient été invités par ses *marquises*... C'est ainsi qu'il appelle ses copines, tenancières de bistrot pour la plupart.

Ils en tenaient une sévère, les trottoirs n'étaient pas assez larges pour eux, ils avaient traversé toute la ville en braillant des chansons paillardes chacun dans sa langue. Les professeurs allemands ont été se plaindre auprès des organisateurs. Que signifiait ce comportement irresponsable de certaines familles françaises ? C'était inadmissible, un scandale ! Et ainsi s'étaient envolés les espoirs de Madame Simone...

Dans l'indifférence générale, place du Marché, une banderole tendue entre deux lampadaires annonce la semaine de l'amitié franco-allemande. Parfois, quelques badauds lèvent furtivement la tête, intrigués par ce calicot dont les caractères simili gothiques ne leur rappellent rien de bon. Au lieu de recoller les pots cassés avec les Boches, les grosses têtes du gouvernement feraient mieux de trouver une solution à la hausse du coût de la vie. Depuis que le franc est lourd, les prix n'en finissent plus de s'envoler, c'est à n'y rien comprendre !

Mon encombrant vélo à la main, je me faufile entre les filets à provisions, les paniers d'osier, les cabas à roulettes. Il fait doux, les ménagères s'attardent, comparent, s'indignent, marchandent et discutent le bout de gras. À vol de merle, nous ne sommes qu'à quelques centaines de mètres du jardin public, mais c'est à peine si on a prêté l'oreille aux flonflons des hymnes nationaux.

– Tout ça c'est d'la politique !

– C'est d'l'hypocrisie, j'te dis !

Dans le camion confiserie *Ici on se sert soi-même*, Nadège s'active derrière une batterie de bacs débordant de bonbons multicolores. Avant elle travaillait à l'usine. Quand on fait les marchés il faut se lever aux aurores, mais il y a le contact humain, les enfants surtout. Elle adore les gosses, Nadège, mais je doute que Moreto soit le père idéal. À moins qu'elle ne soit avec lui juste pour s'entraîner. Quand ses patrons préparent le sirop rouge des pommes d'amour et qu'elle est seule à la balance, elle ne rate jamais l'occasion de glisser en douce aux gamins une petite poignée de Lutti, de Michoko ou de souris caramel enrobées de chocolat.

Elle fait très sage avec sa blouse blanche et ses gants en plastique transparent, c'est pour l'hygiène qu'elle m'a expliqué, mais je sais bien qu'en dessous elle porte ses tenues habituelles de pin-up, minijupe et chemisier décolleté. Je lui souhaite de rencontrer un jour un gentil garçon avec qui elle aura des bébés, ce sera l'occasion d'utiliser le stock de layettes que sa grand-mère tricote depuis des siècles.

C'était quoi, déjà, la commande du marchand de bonbons? Ah oui, une livre de boudin, la spécialité d'Émile.

– Nadège, occupe-toi du gamin, crie le patron aux prises avec un bloc de nougat qu'il est en train de débiter en petits morceaux.

Le geste cérémonieux, je tends le paquet à ma jolie voisine comme si je lui offrais un bouquet de roses.

– Alors, Gill, pas trop dur ton boulot?

– Y a des bons moments.

En me donnant le compte juste, elle me refile deux Carambars. Franchement, elle mérite mieux que cette brute épaisse de Moreto. Elle s'en sortira, j'en suis sûr, tout est possible, la chance a bien souri à Sheila, pourquoi pas à elle?

– À ce soir!

Sur le stand voisin, le camelot du *Tout à un franc* virevolte dans son bric-à-brac d'articles en plastique, ustensiles de cuisine, récipients divers, jouets *made in Taiwan*, sabres, mitraillettes, chapeaux de Zorro, pistolets à eau, godets d'eau savonneuse pour faire des bulles, voitures de police, camions de pompiers. Il interpelle les gosses :

— Pleure, mon p'tit quinquin, pleure min p'tiot, plus fort, t'auras une bricole à maman !

En face, un démonstrateur clame les vertus de sa pâte magique, un nettoyant universel qui décape, récure, remet à neuf et fait briller cuivre, émail, inox et plaques de cuisinière.

— Sans frotter, sans mal ni douleur, suffit de caresser !

L'œil grivois, il ajoute :

— Toujours caresser, mesdames, en souplesse pour faire reluire !

Les spectatrices échangent des mimiques faussement gênées.

— Il a tout dans l'poignet, c't'homme-là, lance une petite boulotte, s'femme a dû s'encourir avec eul'ramoneur !

Un attroupement vient d'obstruer l'extrémité de l'allée. Tout excités à la perspective de découvrir l'aubaine du jour, les curieux se précipitent. Treize œufs à la douzaine, vente directe du producteur au consommateur, prix de gros, prix d'usine ? Pris d'assaut par le courant, je me replie entre deux stands.

— T'ention ton vélo, p'tit boucher, t'écrases mes pieds !

J'adresse mes plus plates excuses à la dame qui marche en canard. Témoin de la scène, le marchand de disques se marre, je lui demande la permission de garer mon vélocipède derrière sa camionnette, pas d'objection.

— Qu'est-ce qui se passe ?

– Visite officielle, répond le gars en baissant le volume de sa sono, les huiles sont de sortie, paraît qu'il y a le maire et toute la smala.

Il ne s'agit pas du maire mais du candidat gaulliste aux législatives partielles, le docteur Verdier accompagné de deux types qui assistaient tout à l'heure à la cérémonie, des membres de la délégation allemande, je crois, et de Grimaud, mon prof de maths. Allons bon, il fait de la politique aussi, celui-là ! J'ignorais, faut dire que je ne m'intéresse déjà pas trop à sa matière, alors sa vie privée... Pour la traduction des banalités qui s'échangeront au cours de la promenade, mademoiselle Depestelle a cédé la place à Framboise. Qui semble s'en tirer fort bien d'ailleurs, et avec une aisance qui ne manque pas de surprendre les badauds.

– Elle est sacrément instruite cette petite !
– T'as raison, elle en a dans la cervelle !
– Et mignonne avec ça !
– Et surtout pas fière...

Le docteur distribue des poignées de main, fait la bise aux mamies, prend des fillettes dans ses bras. Il plaisante par ici, entame une conversation par là, s'enquiert des affaires, affiche une mine tantôt grave, tantôt enjouée. Il soupèse un artichaut, croque un radis et félicite le maraîcher qui remercie, un doigt au béret, le sourire gauche. Une crémière savoure les compliments ampoulés qu'il lui adresse, la délégation étrangère ne veut pas être en reste, Framboise traduit, la dame se rengorge un peu plus derrière sa motte de beurre fermier.

Par Toutatis, le ciel vient de me tomber sur la tête !

Un garçon d'une quinzaine d'années vient de rejoindre l'équipe et fait la bise à Framboise. Comme ça, sans aucun préliminaire ! Il a surgi de derrière une pile de cageots et hop, vas-y que je te joue des coudes et ôte-toi de là que je m'y mette ! Mon cri de douleur a dû franchir le mur des ultrasons car personne ne s'est retourné. Il lui prend la main. En une poignée de secondes, il s'autorise des familiarités que je ne me suis pas permises en plusieurs jours. Coiffé au poteau, Gill l'espiègle ! Espiègle mais pas téméraire, voilà l'erreur, car c'est aux audacieux que sourit la fortune. La preuve, subjuguée, hypnotisée, Framboise tend l'autre joue. Je pourrais faire irruption au beau milieu du cortège qu'elle ne me remarquerait même pas. Je suis muet, invisible, inexistant ! L'éphèbe blond m'a définitivement évincé, les écureuils ont croqué mes yeux noisette dont il reste à peine quelques coquilles brisées. Il porte au revers de sa veste le badge noir, rouge, jaune de la délégation allemande. C'est sans doute le représentant des élèves du lycée Max-Planck, brillant dans toutes les matières, je suppose, y compris les disciplines sportives. Framboise doit correspondre avec lui depuis des années, ils se sont écrit des montagnes de lettres pleines de déclarations d'amour. Parce qu'il est beau en plus, l'animal ! Beau comme le Lohengrin de notre manuel Bodevin et Isler, ce héros de la mythologie germanique qui fait son entrée à la leçon cinq juste après Wotan et les Walkyries. Une espèce de chevalier teutonique qui se balade sur le Rhin dans une nacelle tirée par un cygne, rien que ça ! Tiens, il a un brin de persil dans les cheveux, ridicule ! Personne n'avait remarqué, moi non plus. C'est en se faufilant entre les cageots que le truc se sera accroché, il n'a pas dû faire gaffe. Framboise s'en avise en même temps que moi et s'empresse de réparer. Avec cette délicatesse dans le geste que je lui connais bien, elle glisse ses doigts entre les mèches blondes où ils s'attardent plus que nécessaire. Ah, cette caresse ! Même à distance, je peux en ressentir les effets électrisants, mais pour moi c'est un coup de griffe, un frisson qui me lacère le dos. Du persil, vite ! Du thym, du romarin, de la sauge, de l'estragon, de la ciboulette… Je veux me jeter au cou de Framboise tous mes épis parsemés d'un milliard de brindilles parfumées d'herbes sauvages de la garrigue dont elle m'épouillerait jusqu'à la fin du monde.

Étranglé de jalousie, je balbutie des propos sans suite, mon cerveau fait des ruades et désarçonne les mots qui se dispersent en déroute comme les billes d'un sac éventré. Ils roulent, tournent, cabriolent et rebondissent entre les alvéoles de mon pauvre crâne transformé en cuvette de roulette emballée, sans trouver leurs places. Je regrette que le conseil de discipline ne m'ait pas collé un mois de cachot au pain sec et à l'eau, Framboise serait restée dans mes rêves, bien à l'abri, intouchable, sous globe comme une statue de madone. Les idoles ne doivent pas quitter leur niche.

Ah mais non, je ne vais pas rendre les armes comme ça ! Je ne vais pas assister passivement au saccage de toutes mes espérances, ce serait immoral de laisser ce Goth piétiner mes plates-bandes de Gaulois sous prétexte qu'il a des allures de prince charmant. Erreur, mon vieux, renseigne-toi dans les aventures d'Astérix si toutefois elles sont traduites dans ton jargon et tu verras de quel bois on se chauffe dans nos contrées quand il s'agit de repousser les légions du Kaiser ! Révise tes cours d'histoire, en 14-18, Guillaume a pris sa pâtée et si en 39 vous avez gagné la première mi-temps, on a fini par vous avoir à l'usure avec les remplaçants. Viens me voir, je te parlerai de la

Résistance, de Jean Moulin et du général De Gaulle. Tu ne vas pas séduire Framboise et risquer que les idiots du village aillent la scalper dès que tu seras retourné auprès de ta Lorelei.

Certes, pour moi la partie est mal emmanchée, mais il me reste une carte, une arme secrète, une potion magique, un combattant de l'ombre, un vieux teigneux germanophobe dont l'habileté au couteau pourrait bien te surprendre. Tu n'es pas cycliste, toi, tu n'as aucune chance d'embobiner le vieillard.

Si je le lâche, t'es mort!

23

J'ai refait le circuit des bistrots en sens inverse, de *La Bascule* au *Plat d'étain*. J'ai même poussé jusqu'aux territoires inconnus dans des bouges tenus par les marquises qui sentent la friture ou le poireau. J'espérais trouver Adalbert, histoire de le chauffer contre les Boches, j'avais suffisamment de pourboires en poche pour lui raviver la hargne et la doper à coups de muscadet, mais l'ancêtre était introuvable.

La perspective de devoir affronter l'ennemi en solo a un peu refroidi ma fougue. Dans le ciel, aussi plombé que mon crâne, le soleil ne passera plus pour aujourd'hui. Les nuages font blocus, j'imagine les cataractes imminentes, les trombes qui vont rincer les festivités de plein air organisées par la ville. J'espère que Folcoche avait prévu un buffet campagnard sous les tilleuls de la cour de récré, je la vois harcelant le petit personnel qui emporte dans la plus totale désorganisation les pains surprise, les terrines du chef, les salades composées, les plateaux de canapés et de petits-fours jusqu'à une base de repli improvisée.

Transporté d'une joie mauvaise, je scrute l'armée de cumulus, j'interroge les signes, j'invoque les dieux de la pluie de toutes les mythologies, je guette la première goutte, que le Déluge soit! Levez-vous vite orages désirés, vous qui devez emporter Lohengrin dans les espaces d'une autre vie! Du large, imposteur, hors de mes frontières, retourne à tes forêts noires.

Bien sûr le passage à niveau est fermé, un train passe, puis un autre, je l'entends siffler avec désinvolture au moment où il attaque la longue ligne droite qui file vers l'est. Je me dis que Framboise y est montée, elle est installée dans un compartiment de première avec son amoureux, ils ont pu s'échapper à temps, fuir les cérémonies comme deux jeunes mariés pressés de partir en lune de miel. La lanterne rouge du wagon de queue me nargue tandis que l'odeur poisseuse du maïs fermenté me colle aux narines, je cherche dans ma poche de pantalon un mouchoir pour faire tampon, mes doigts s'engluent dans un Carambar coincé dans la doublure trempée de sueur. Je voudrais m'enfuir au bout du monde, me réfugier sur cette île de palmes et de vanille que j'avais bâtie dans mon rêve pour y emmener Framboise, le paradis où Marcel devait être roi. Elle a disparu de la carte, emportée par la dérive des continents dans un tourbillon de blizzard jusqu'à l'extrême nord. Ce n'est plus qu'une désolation neigeuse pour phoques dépressifs et pingouins neurasthéniques.

À la boucherie, Fred m'attend, il a appris de source sûre qu'un camion d'Omo était en route pour «les gadoues», il a ses indics à l'usine, des espions qui échangent les bons tuyaux contre des sauciflards. Que m'importe son détergent premier choix! Il n'a pas besoin de moi pour exploiter le filon. Il devrait même se grouiller avant que l'averse ne fasse la grande lessive sur la décharge. Je n'ai même plus envie de lui régler son compte comme je me l'étais promis rapport à madame *Chat Beauté*. J'ai une flèche plantée dans le dos et comme un animal blessé, je vais me battre jusqu'à mon dernier souffle.

– Il est où, ton grand-père?

Soufflé par mon rugissement, il répète d'une voix pâle:

– Mon grand-père?

– Lui-même, en personne, l'artilleur décoré de la croix de guerre et de l'ordre de Léopold.

Il n'en sait rien, chez lui, peut-être. En cette saison, il y a toujours du boulot au jardin. Ou alors en vadrouille, comme d'habitude, chez ses marquises... avec lui, on ne peut jamais savoir.

Chaleureuse comme une banquise, madame Simone vient mettre son grain de sel. Qu'est-ce qu'elle nous veut encore? À moi rien, jusqu'à l'heure de la plonge, je peux aller jouer avec les gosses de mon âge. Mais Fred doit faire ses bains de bouche.

– On t'a dit trois fois par jour pour désinfecter l'abcès!

Je ne trouve pas qu'il ait la joue enflée, peut-être que le dentiste lui a déjà crevé sa chique au bistouri ou à la lancette dans la grande tradition des saignées. Le pauvre, il a dû déguster, et en plus il y est allé tout seul! Moi, l'unique fois où je suis passé sur le fauteuil à cause d'une canine qui poussait de travers, on avait dû pratiquement me passer la camisole de force. Persuadé qu'on allait me refaire le coup des points de suture à vif, j'étais tendu comme un arc et je me cramponnais au bras de ma mère.

– Qu'est-ce qui t'arrive, Gill? On dirait que tu m'évites.

Il n'a pas tort, je le néglige. Parce que je deviens con, parce que plus rien ne compte dans ma vie hormis Framboise. L'amour rend odieux; centré sur mon nombril, je ne pense plus qu'à mes peines de cœur dont je n'ai même pas envie de parler. Pour m'en sortir je n'aurais qu'un mot à dire et Fred mettrait son bras sur mon épaule, il dirait: «Allez, viens, on va faire un tour», et comme ce n'est pas dans les habitudes des garçons de s'épancher sur leurs états d'âme, il me montrerait les nouvelles photos de pin-up que lui a refilées Francis. On retournerait aux gadoues comme avant, on se ferait plein de pognon. Au lieu de ça, je m'enferme dans le silence.

— Excuse-moi, je ne vais pas très bien en ce moment, je dois couver quelque chose mais t'en fais pas, t'es toujours mon meilleur copain.

— Tu parles, on ne s'est jamais aussi peu vus depuis que tu travailles chez moi!

Il a raison mais je n'y peux rien. Les histoires de filles ont toujours semé la zizanie dans les amitiés viriles.

À la maison le repas m'attend. Marie-Rose est pressée, elle a décidé de faire un saut à Lille pour renouveler son stock de mercerie. Marcel a déjà mangé, ce matin il a refusé d'accompagner papa, il voulait voir Yolande. L'amour, encore et toujours l'amour... Il n'est pas très malin de s'embarquer dans cette histoire, mon frangin, je devrais lui faire comprendre qu'il vaut mieux ne pas tout miser sur les filles.

— Dépêche-toi, Gill, s'il te plaît.

La colère et le dépit m'étranglent. Ce hachis Parmentier me soulève le cœur, le paquet de gruyère râpé a dû tomber dans le plat et le gratin baigne dans l'huile. Je déteste le fromage et les laitages en général. Mais maman s'obstine, c'est dans l'air du temps à cause du calcium et de je ne sais quoi d'autre pour prévenir la décalcification des os, la polio et tout un tas d'autres trucs dangereux. Déjà à l'école primaire pendant les récrés, on nous forçait à ingurgiter de grands verres de lait pour la croissance et le reste. Il fallait en outre transformer dès le plus jeune âge nos sales habitudes de Français buveurs de vin. Dans chaque classe, une affiche montrait un foie d'alcoolique tout gris et pustuleux pour nous en dissuader à tout jamais.

Petits-suisses pour le dessert.

– Tu ne racles pas le fond de ta soucoupe?

Autre grand principe, ne jamais rien laisser dans son assiette. Il faut penser à ceux qui ont faim, à ceux qui ont connu la misère, songer avec respect à tout le mal qu'on se donne pour assurer le pain quotidien.

– Pas le temps, Émile a besoin de moi cet après-midi!

L'argument fait mouche, maman s'incline, quand il est question de travail, on ne discute plus.

Je traverse la cour en interrogeant le ciel du regard, il est bleu ardoise, d'un velours profond moiré de meurtrissures violacées, un ciel malade, pourri, qui va éclater et lâcher ses déluges. Pompez, Seigneur, la terre a soif! À vélo je peux arriver chez le vieux avant la pluie. Papa a redressé mon garde-boue, ainsi que le timon de la carriole, elle est entièrement réparée, je n'avais vraiment aucune excuse valable pour ne pas aider Fred à transporter sa marchandise. C'est moche ce qui nous arrive.

Je fonce rue de la Canteraine, Adalbert habite par là dans une ancienne chaumière où Émile a fait installer l'eau et l'électricité. Fred m'a dit que le vieux ne voulait pas, il estimait que son puits et quelques lampes à pétrole suffisaient amplement à son confort de retraité. En revanche, il a commandé à mon père la reproduction d'un canon de 75, grandeur réelle, qui trône devant sa façade au milieu des hortensias. Pour éviter la corrosion, il le repeint au minium gris au moins deux fois par an, ça fait argenté. Je sonne, je frappe aux volets, je fais le tour par le potager, personne.

Découragé, je me laisse choir sur le seuil. Mes pensées s'affolent, je perds la boule. Je me dis qu'Adalbert est en train de préparer un mauvais coup contre la délégation allemande, qu'il s'est acoquiné avec le vieux bandit qui planque dans sa cave des munitions piquées à la Wehrmacht. Les deux rescapés des tranchées veulent me doubler, confisquer ma vengeance, sortir l'arsenal et déclencher les hostilités. La revanche, une frappe surprise, un attentat en grandiose, ils ne feront pas dans le détail et Framboise va y passer comme les autres... Trop tard pour les arrêter, le compte à rebours a commencé, ils vont balancer leurs grenades à manche comme on joue aux fléchettes et badaboum!

Tout explose dans ma tête et j'éclate en sanglots avec les premières trombes. Tièdes, enrobantes, qui rebondissent en gerbes sur le fût du canon et font plier les hortensias. Le ciel a fini par craquer, je ne cherche même pas à m'abriter, au contraire. Recroquevillé sur la pierre bleue usée, adossé à la porte et les cuisses repliées, le front sur mes genoux, je laisse l'eau me transpercer. Elle dissout le sel de mes larmes, mes vêtements deviennent transparents, j'attends la noyade.

Quand j'ai redressé la tête, un morceau d'arc-en-ciel mélangeait ses couleurs dans un lavis de brume. Un rouge-gorge sautillait au bord d'une flaque. Une compagnie d'hirondelles a refait le printemps.

Surgissant de la haie d'aubépines, un merle a décollé en rase-mottes, j'ai sauté en selle et je l'ai suivi jusqu'à la maison. S'il niche dans les noisetiers, ses plumes doivent sentir le muguet. Je repense à ce petit brin porte-bonheur que Framboise voulait m'offrir l'autre jour et que j'ai stupidement refusé.

Maman n'est pas rentrée, les autres non plus. Je passe un coup de serpillière sur le carrelage de la cuisine pour effacer les traces de boue que j'ai semées en entrant. Hop, du balai! Gommer la mémoire, étouffer les regrets, ce qui est fait est fait. La pluie m'a lavé la tête, je passe des vêtements secs, je voudrais sécher mon cœur à l'essoreuse. La douleur m'offre une trêve, je vais en profiter pour écrire une lettre à Framboise. Une lettre d'adieu, c'est décidé, je ne veux plus jamais la revoir.

Chère Françoise, virgule, à la ligne.

Ensuite, rien. Je n'ai pas l'habitude d'écrire aux filles. Peut-être que dans le *Traité pratique de la correspondance,* je pourrais trouver un modèle. C'est un bouquin dont maman se sert quand elle doit rédiger du courrier officiel. Il doit être rangé au-dessus du bureau à cylindre dans la salle à manger avec les bottins et les registres de comptes. Le voilà! La date de parution remonte aux années vingt, une époque où même ceux qui avaient quitté l'école à treize ans ne faisaient pas de fautes d'orthographe et connaissaient par cœur les poèmes républicains de Victor Hugo.

Je consulte la table des matières, une mine! Lettres de vœux, d'anniversaire, de condoléances. Remerciements pour les baptêmes, les mariages, les décès. Pétitions, requêtes, demandes de faveurs aux préfets, généraux, archevêques. Rien d'intéressant, voyons plus loin: *Lettre d'une mère au président de la République pour demander la grâce de son fils condamné à mort.* Bigre!

Je saute une trentaine de pages jusqu'à la rubrique consacrée aux *Lettres à des personnes haut placées ou influentes par leur fortune pour demander leur protection.* Un jour peut-être, quand j'aurai besoin de piston, je ne dis pas... mais en la circonstance c'est sans intérêt.

Tiens, voilà un truc pas ordinaire de nos jours: *Comment demander la main d'une jeune fille à son père.* Et si j'essayais? Mauvais plan, si mademoiselle Verdier devait déjà être promise à quelqu'un, ce serait à Lohengrin ou à un individu de même espèce. Inutile d'insister, la reine m'a mis à la porte, pourquoi essayer de revenir par le soupirail, je ne suis pas un rat! À m'obstiner, comme ça, je vais perdre ce qui me reste de dignité. Il faut arrêter de tergiverser, on a dit lettre d'adieu, alors on s'y tient. Ce manuel de correspondance ne m'est finalement d'aucune utilité, on n'est jamais si bien servi que par soi-même. Au travail!

Une demi-heure plus tard j'ai déchiré la moitié du cahier de brouillon et cassé une dizaine de fois la mine de mon crayon, *H-B Comté à Paris*, belle camelote! Je recommence: *Chère Framboise, je t'ai vue ce matin, tu étais suspendue au cou d'un garçon et...* Et après? Dire que ça m'a fait mal, que je me sens comme cette petite malheureuse dans la chanson d'Édith Piaf qui essuie des verres au fond du café. Dès la deuxième phrase, on va basculer dans le mélo, les pleurnicheries et les reniflements. Elle va me prendre en pitié. Ah non, tout sauf ça! Je souffre trop des regards compatissants de ces gens dans le tramway lorsque nous allons à Lille avec Marcel, ils s'efforcent de ne pas regarder mon frère mais je sens bien qu'ils ne voient que lui. Puis ils posent sur ma mère leurs yeux bovins humides de charité. Derrière leur moue admirative, je lis leur mansuétude, ils plaignent cette pauvre femme qui a bien du mérite et ça me donne envie de les gifler.

Ouf, ça va mieux, ce sursaut de fierté m'a tout ragaillardi. Après tout, que je sois plus moche et moins distingué que Lohengrin ne fait pas pour autant de moi un monstre de foire ! Framboise le préfère, grand bien lui fasse, j'aurais au moins tenté ma chance. Certes je m'y suis pris comme un manche, j'ai accumulé les gaffes, mais elle doit quand même savoir que j'étais prêt à vivre avec elle une immense aventure. Ce qui pourrait peut-être l'amener à reconsidérer son choix... Elle ferait marche arrière et reviendrait vers moi, je saurais alors me montrer bon et magnanime comme Raimu interprétant le boulanger de Marcel Pagnol quand sa femme revient à la maison. Il faudrait trouver une petite chatte vers qui détourner mes reproches afin que Framboise ne se sente pas trop écrasée mais qu'elle les comprenne bien quand même, entre les lignes, soit, mais avec les points sur les i. Elle comprendrait alors que je suis le meilleur et qu'elle a été bien sotte de se laisser éblouir par son bel aryen.

Et voilà que je m'embarque encore une fois vers un *happy end* de roman-photo ! À croire que Josiane m'a refilé le virus des bluettes. Je ne suis pas là, en train de transpirer sur mon cahier, pour organiser un dénouement heureux mais pour prendre congé. Il faudrait cesser une bonne fois de tergiverser, on a dit adieu, alors, salut, *goodbye, auf Wiedersehen* !

Et si je lui écrivais un poème à couper le souffle, elle serait bien forcée de m'admirer ! Pas des vers de mirliton, quelque chose de profond et de sublime qui la prendrait à l'estomac comme un tord-boyaux servi dans un verre de cristal. C'est quitte ou double, soit elle craque, soit elle me rit au nez. *Why not*, je n'ai plus rien à perdre. Je reprends mon cahier et mon bout de crayon. Fichtre, c'est pas gagné! Surtout avec les rimes et le rythme. Attention pas d'éloquence ni d'envolées bouffies! Rien que de l'allusion, des mots en demi-teinte, du clair-obscur, trouver l'union idéale entre l'indécis et le précis. Quand on récite Verlaine, ça coule tout seul, ça paraît si facile qu'on a l'impression de pouvoir faire pareil, comme avec les peintures de Joan Miró. À défaut de composer tout seul le sonnet qui fait mouche, je pourrais déjà essayer d'en plagier un, d'assez loin pour masquer l'imposture, en espérant que Framboise n'ait jamais lu l'original. J'attrape mon Lagarde et Michard du XIXe siècle.

Écoutez la chanson bien douce
Qui ne pleure que pour vous plaire.
Elle est discrète, elle est légère:
Un frisson d'eau sur de la mousse.

Magnifique, exactement ce qu'il me faut! *Un frisson d'eau sur de la mousse...* Ce n'est pas désespéré, c'est léger, doux-amer, palpitant, un bijou! Vendu!

De ma plus belle écriture, je recopie les deux premiers vers pour m'arrêter aussitôt. Je viens de lire le nom du recueil d'où ils sont extraits: *Sagesse*. Et ce nom fait tilt! Toutes les lumières s'éteignent. *Sagesse*, comme le pensionnat, je suis un âne, le Lagarde et Michard est un manuel universel, même chez les bonnes sœurs. Framboise n'aura aucune difficulté à remonter jusqu'aux sources de mon inspiration.

Dégoûté, je repousse mon bouquin qui dégringole, grand ouvert.

24

Marcel déboule dans la chambre, hagard, submergé d'épouvante, les vêtements fumant de pluie et de transpiration.

– Gill, p'tit frère, viens vite… Nadège!

Il souffle comme un cheval éreinté, le teint brique, du jus de chique plein les lèvres. Sans me laisser le temps de finir la lettre, il arrache ma chaise, m'agrippe par la chemise et m'entraîne dans une gigue trépidante.

– Nadège… oh, Nadège, elle est… vite, faut venir!

Il me lâche, gémit en se frappant la tête avec le poing. Je lui prends la main, doucement, comme parfois, la nuit, quand il fait des cauchemars. J'essaie de capter son regard, pas possible, ses yeux jouent au bilboquet.

– Qu'est-ce qu'elle a fait, Nadège?

– L'est morte par terre!

Morte… *morte par terre*, qu'est-ce qu'il me chante là? Ce matin, elle vendait ses bonbons, on ne casse pas sa pipe comme ça! C'est vrai qu'il a pu s'en passer des choses depuis la fermeture du marché. Quelle heure est-il, au fait? Six heures, à cause de cette lettre je n'ai pas vu le temps passer et j'ai raté la plonge. Un accident peut-être, renversée par une voiture? Ou alors, tellement pressée de retrouver son chéri, elle n'aura pas eu la patience d'attendre que la barrière du passage à niveau se relève et se sera faufilée en dessous en oubliant qu'un train peut en cacher un autre... Non, dans l'un ou l'autre cas, j'aurais entendu la sirène des pompiers. Et puis la nouvelle se serait propagée à la vitesse de la poudre. Le P'tit Belgique en état d'alerte maximum, délégation des bonnes âmes qui seraient déjà accourues auprès de Victorine apporter leur soutien moral. Mais rien de tout cela ne s'est produit. Je dramatise pour rien, Marcel rêve debout, il me livre ses hallucinations en vrac, ça ne l'arrange pas de chiquer.

– Où elle est, explique-toi donc !

Agacé par ma lenteur à réagir, il trépigne, se colle à la fenêtre, pointe un doigt vers la Canteraine. J'y étais après dîner, je n'ai vu personne. Il secoue la tête comme pour prévenir mes objections, Marcel lit dans mes pensées, si on lui apprenait la cartomancie, il en remontrerait à Odette *Chat Beauté*, la preuve :

– Pas Adalbert vieux boucher, là-bas, le moulin !

– *Le Moulin de la guinguette ?*

Heureux de s'être fait enfin comprendre, il ouvre de grands yeux flamboyants.

– Ouais ! triomphe-t-il. Guinguette, le moulin là-bas, ouais !

Pourquoi serait-elle allée traîner du côté des gadoues ? Je l'imagine mal en train de marauder du détergent. Cueillir des pissenlits, à la rigueur, ou de l'herbe pour les lapins, mais avec cette pluie... non, ça ne va pas. Reste l'éventualité d'une visite éclair chez le médecin, une urgence pour elle ou sa grand-mère... Ça ne colle pas non plus, elle a vu comme moi que le docteur Verdier ne pouvait pas assurer ses consultations aujourd'hui, il était trop occupé ailleurs.

Toutes les éventualités se bousculent mais Marcel ne me laisse plus le temps de réfléchir, il me pousse hors de la chambre. Nous dévalons les escaliers; s'il a dit la vérité, cette histoire n'est pas de notre ressort. Et les parents qui ne sont toujours pas rentrés, bon sang, les adultes ne sont jamais là quand on a besoin d'eux!

L'idée de découvrir cette fois un vrai cadavre me fiche une trouille bleue. Parce qu'il ne peut s'agir que d'un meurtre, Nadège n'a pas l'âge des infarctus. Primo, ce matin, elle était en pleine forme, deuzio, même en supposant qu'il puisse exister des maladies encore plus foudroyantes que la crise cardiaque, ça n'expliquerait toujours pas pourquoi la mort l'aurait fauchée précisément dans ce coin cradingue et paumé où, j'en mettrais ma main au feu, elle n'a jamais mis les pieds auparavant.

Nous traversons la cour à petites foulées en évitant les flaques, la pluie a cessé mais les pavés restent glissants. Marcel m'entraîne, sa main moite glisse dans la mienne. Quand nous passons devant chez Victorine, tout semble tranquille, si une catastrophe s'est vraiment produite, personne ne l'a encore prévenue. Marcel m'a réservé l'exclusivité de sa découverte, nous allons arriver les premiers sur les lieux du drame, les ruines de ce bistrot maudit où on faisait la traite des blanches.

Coupant à travers les prés, nous suivons le chemin des escapades nocturnes le long des haies dégoulinantes. La terre grasse ralentit notre allure, on patauge, l'herbe mouillée inonde mes godasses, Marcel est couvert de boue. Marie-Rose va encore chanter.

— Vite, p'tit frère, vite!
— Fais gaffe, Marcel, il y a des pièges!

Mise en garde superflue, le frangin sait exactement où

l'Américain tend ses collets, il lui arrive même de l'aider à les poser; quand les prises sont bonnes, Bill lui offre un garenne et nous mangeons du civet. Au fait, il a peut-être été témoin du meurtre, le braconnier... J'en doute, si tel était le cas, moins par bonté d'âme que pour se faire valoir, il serait intervenu. Et puis il aurait déjà donné l'alerte.

Lorsque nous quittons le couvert des talus, j'aperçois le John Deere tout au bout du champ de colza de l'autre côté de la route. Trop loin pour que je puisse identifier le conducteur, trop loin aussi pour appeler à l'aide. De toute façon nous sommes arrivés et tout se bloque, je pile, cassé en deux comme si quelqu'un venait de me donner un coup de boule dans le ventre. Marcel n'a pas menti.

– L'est morte par terre!

La première chose que je constate c'est qu'il n'y a pas de sang. Elle est étendue sur le dos, dans sa robe à papillons, jambes écartées. Moreto en avait marre des Platters, il voulait batifoler dans l'herbe tendre à la hussarde. La pluie a dû le surprendre dans le feu de l'action sans rien éteindre de ses ardeurs. Nadège se débattait, elle regrettait sa petite chambre douillette avec l'ambiance, le romantisme et la lumière tamisée, alors il l'a assommée, quel monstre!

– L'est morte Nadège!

Dominant ma peur, je me penche sur elle, les paupières sont closes, elle n'a pas de blessure à la tête, seulement un gros bleu autour du cou, comme un collier. Marques caractéristiques de strangulation, diagnostiquerait Bourel sans l'aide du légiste. Je pose mon oreille contre sa poitrine. C'est doux et ferme... et tiède. Je perçois un battement, lointain, rapide, éperdu. Crétin que je suis, il s'agit de mes propres pulsations, et en plus je me suis gouré de côté, le cœur se situe à gauche, bordel, pas à droite ! Il me faudrait un petit miroir que je poserais au-dessus de ses lèvres, la buée est le signe que tout va bien, je n'en ai pas. Alors je prends son pouls comme je l'ai vu faire dans une centaine de films, poignet gauche, battements plats, faibles soubresauts comme un moteur qui va caler, mais ça bouge, elle vit, il faut la réveiller, relancer la machine.

– Nadège, c'est moi, Gill, allez... respire !

Aucune réaction, elle est complètement dans les vapes. Une odeur d'hôpital me frôle la narine, je colle mon nez dans ses cheveux, ils sentent l'éther.

– Allez Nadège, reviens !

Je la secoue plus fort, les papillons de la robe font mine de s'envoler. Je voudrais les attraper, les tenir dans le creux de ma main, les caresser, leur dire que jamais je ne les transpercerai d'une épingle pour les clouer dans une vitrine en salle de sciences nat. Tout s'embrouille, Nadège est belle, je peux la prendre dans mes bras, lui crier que le printemps n'est pas une saison pour mourir.

Quand je redresse la tête, je réalise que nous ne sommes plus seuls. Les méchants de l'histoire sont là, Moreto et sa bande, quatre en tout, ils ont dû laisser leurs pétoires suffisamment loin pour qu'on ne les entende pas s'approcher. L'assassin revient toujours sur les lieux de son crime. Le grand rouquin que mon père a esquinté la nuit de l'expédition punitive boitille encore un peu mais il tient sa revanche, il a déjà ceinturé Marcel et plaque une main contre sa bouche. Mon frère se débat en ruades aussi frénétiques qu'inutiles car l'autre l'a chopé en traître, une clé derrière la nuque, il ne peut rien faire.

– On l'emmène chez les flics, gueule le chef, il l'a violée, on l'a vu cavaler tout à l'heure, complètement paniqué !

Marcel? Ce serait donc lui qui...

– Violé, tu sais c'que ça veut dire, p'tit con? Depuis le temps qu'il la matait, ce débile, ça devait le démanger.

Ah non, trop facile d'accuser les autres, Marcel ne ferait pas de mal à une mouche, sauf si on m'attaque! À moins que sa libido, comme disait l'autre jour le docteur Verdier à Fernand, l'exceptionnelle libido des trisomiques... Je ne peux pas le croire, et puis c'est mon frère, merde!

– Enlève tout de suite tes mains de ma femme, crapule!

Ma femme... qu'il dit, et puis quoi encore? Comme si c'était le genre de mec à s'engager pour la vie après serment solennel devant le maire et le curé avec l'alliance, les témoins et le vin d'honneur! Nadège, je la retiens, je viens à peine de rétablir le contact, je suis le dernier cordon qui la relie encore à la vie, si je l'abandonne, elle va sombrer dans le coma. Une plongée dans le noir profond sans périscope ni date précise de retour à la surface. Elle a besoin de soins intensifs, de piqûres, de transfusions, de massages cardiaques, il faut vite courir chercher l'ambulance. Qu'est-ce qu'il attend, Moreto, pour sauter sur sa Malagutti au lieu de nous emmerder? Il ne l'aime pas, c'est évident.

– Mais remue-toi, crétin, tu ne vois pas qu'elle va mourir?

Je n'en reviens pas de ma hardiesse, lui non plus. En temps ordinaire, il se donnerait un coup de peigne en ricanant, histoire de sauver la face, puis il m'étalerait au tapis d'un bon crochet du gauche, mais là, contre toute attente, il me tourne le dos. Imité par ses potes qu'un bruit de ferraille vient d'alerter. Que se passe-t-il? Je lève la tête, une bagnole toute rouillée s'est engagée sur le chemin creux. C'est la 2 CV camionnette de la ferme, elle freine aux pieds du rouquin. Qui est le premier à reconnaître le conducteur :

– Dégage de là, Paulo, c'est pas tes affaires !

Paulo, nous sommes sauvés !

– Ça suffit, les gars, foutez la paix aux gosses, les pompiers arrivent.

Je réfléchis à toute vitesse, ça veut dire qu'il a découvert Nadège avant Marcel, et qu'après avoir constaté qu'elle vivait encore et remis un peu d'ordre dans sa tenue, il a foncé jusqu'au téléphone le plus proche pour prévenir les pompiers. Moreto aussi a compris et ça dérange ses plans.

– Qu'est-ce que tu racontes, petzouille ?

– Lâchez ce garçon tout de suite, il n'a rien fait !

– Kess t'en sais ?

– Je connais le coupable, j'ai une preuve !

– Ah oui, finaude le chef de bande, ce serait pas toi par hasard ?

Et sans attendre la réponse, il lui vole dans les plumes. Ses copains s'y mettent et là, tout s'accélère, sauf le pouls de Nadège, toujours faiblard. D'une violente bourrade, le grand rouquin expédie mon frère dans les ronces et rejoint ses potes, ils sont à quatre sur Paulo qui disparaît dans un enchevêtrement de bras et de jambes, on dirait une mêlée de rugby.

Quel pauvre mec, ce Moreto, sa copine est à terre, complètement sonnée, et ce qu'il trouve de mieux à faire c'est de casser la gueule du type venu lui expliquer le fin mot de l'histoire !

J'entends des coups, des cris, des chocs de mâchoire. Il se défend bien, Paulo, il en a déjà envoyé un valser dans les orties, le brun court sur pattes avec le menton en galoche, l'esclave du chef, un petit teigneux qui ressemble à Joe Dalton. Ce qui redouble la hargne des autres, le combat est inégal, pas difficile d'en deviner l'issue. Nous ne sommes pas sortis de l'auberge. Les insultes pleuvent, le blond sort de la verdure et revient à la charge, pressé de laver l'affront.

Qu'est-ce que j'attends pour intervenir? La frousse, pardi! Elle me paralyse, à part serrer Nadège contre moi je ne suis bon à rien. Je dois ressembler à une mère poule qui cache ses poussins sous son aile pour les protéger d'un commando de renards. Très beau geste, superbe abnégation, mais tu parles d'une efficacité! Pas la peine de me raconter de salades comme quoi je ne fais pas le poids, je ne suis qu'un poltron. Je pourrais au moins faire diversion et accepter de prendre une ou deux baffes; dès qu'il me verrait en danger, Marcel foncerait dans le tas. À condition de se dégager des mûriers, sa chemise est déjà bien déchirée, plus il gesticule plus il s'empêtre. Il regarde les accrocs, tout penaud, étranger à tout, il a déjà oublié Nadège et la bagarre et ne pense plus qu'à l'engueulade qu'il va prendre en rentrant pour avoir mis ses vêtements en loques.

Ah, nous faisons une fine équipe, tous les deux, lui, ligoté dans les ronces, et moi, par la lâcheté, si Framboise nous voyait! Paulo n'appelle même pas à l'aide. Pourtant, bien que ce ne soit pas le genre de type à réclamer, je pense que là, il ne cracherait pas sur un petit coup de main, mais il a sans doute compris qu'il ne pouvait pas compter sur nous. Et c'est ça qui me fait le plus mal!

Alors, dans un sursaut de dignité, je me relève, pas trop d'aplomb sur mes guibolles ankylosées, et, comme un robot aux engrenages mal graissés, m'éloignant de Nadège, je marche au casse-pipe.

– Gill, p'tit frère, tu vas où?

Marcel a réagi, je savais que mon plan fonctionnerait. Trop tard!

Je viens d'entendre un claquement sec. J'ai d'abord cru que Moreto avait dégagé la lame de son couteau à cran d'arrêt, mais il ne s'agit pas d'un son métallique. Les lascars se sont écartés comme s'ils venaient de recevoir quelques centaines de volts dans les poings et forment un cercle approximatif dont le centre ressemble à une fleur géante. Les pétales s'épanouissent en accéléré, le pistil est rouge, c'est le crâne de Paulo, éclaté contre une pierre. Du sang coule de ses oreilles, ses yeux se sont élargis comme des flaques d'eau croupie fixant le ciel sans le refléter, quelques tremblements agitent encore ses jambes tandis qu'un sifflement de mort sort de ses lèvres écrasées. Moreto et ses hommes ne bougent plus, ils s'interrogent du regard, le menton en chute libre. Terrifiés par l'évidence, ils ne pensent même pas à fuir.

– C'est un accident, répète Moreto, un accident...

Il cherche à nier, évidemment. Il fuit sa propre sauvagerie, jette un linceul d'hypocrite pudeur sur les conséquences de sa folie.

Marcel m'a rejoint, livide.

– Mort par terre, Paulo!

Cette fois, il a raison, le frangin. Je ne quitte pas Paulo des yeux. Je n'arrive même pas à hurler. Mon premier mort! Quand je suis né, mes grands-parents étaient déjà au cimetière, on m'a raconté qu'ils s'étaient éteints dans leur lit, sans violence, après une longue maladie, ou de vieillesse, tout simplement. Mais Paulo n'était ni vieux ni malade, il a l'âge de mon père, ce n'était pas son heure. Et Nadège qui n'a toujours pas repris connaissance! Je suis anéanti, j'ai un point de côté comme après dix tours de terrain de foot, un vide atroce descend en moi, ma vision s'égare dans les ténèbres. Il fait froid tout d'un coup, glacial, le printemps refuse d'encadrer une seconde de plus tout ce désastre.

– L'a mis du sang partout, Paulo !

Autour de son visage tuméfié, lacéré, l'herbe est toute tachée. Quelque chose brille entre ses doigts entrouverts, on dirait un briquet, sans doute la preuve dont il parlait, la pièce à conviction qui devait innocenter mon frère. Un Zippo nickelé avec l'aigle américain doré gravé dessus.

Les pompiers suivis d'un fourgon de police et d'une Dauphine pie à gyrophare sont arrivés avant que la bande ne réagisse. Je n'étais pas le seul à être en état de choc. Ils étaient venus pour une seule victime, ils sont repartis avec deux civières, Paulo, une couverture rabattue sur la tête, Nadège, un masque à oxygène sur le visage. Un secouriste m'a demandé si je me sentais bien, comme je ne répondais pas, il a sorti un petit flacon de rhum de sa poche en me recommandant de boire un bon coup. Rien que l'odeur m'a donné la nausée et, secoué par le remords, rongé de culpabilité, j'ai vomi sur ses bottes.

– C'est rien, p'tit gars, t'en fais pas, c'est pas ta faute.

Personne n'est jamais coupable de rien, même pas cet assassin de Moreto qui se laissait menotter en protestant de son innocence.

Le policier en civil m'a dit qu'il m'attendait au commissariat le lendemain avec mon père pour entendre ma déposition. Il s'adressait à moi comme à une grande personne, sérieux, aussi vrai qu'au cinéma. Puis il a proposé de nous ramener à la maison, Marcel et moi. En chemin, il m'a montré le Zippo, ça lui semblait curieux qu'un type sorte son briquet en pleine bagarre.

– Cet objet appartenait à la victime?

Sans desserrer les dents, j'ai secoué négativement la tête. Et puis ma langue s'est déliée et j'ai tout raconté, le viol dont mon frère avait été témoin, les accusations de Moreto, l'arrivée de Paulo qui connaissait l'agresseur, la preuve qu'il détenait, ce briquet, le Zippo de Bill, l'Américain...

– *L'Américain...* c'est marrant comme pseudo.

Évidemment, il ne pouvait pas connaître les personnages pittoresques du P'tit Belgique.

– Et Paulo, je suppose qu'il s'agit encore d'un surnom?

J'ai émis un petit prout labial histoire de signifier que je ne savais rien de plus... «Paulo», ça suffisait à tout le monde. Puis j'ai demandé à l'inspecteur de nous déposer au coin de la rue, ensuite on se débrouillerait.

– N'oublie pas, mon garçon, demain, avec ton père!

J'ai promis. Une grande agitation régnait dans les rues. Notre arrivée dans une voiture de police a produit son petit effet, nous étions un peu les héros du jour, les gens qui connaissaient déjà l'essentiel des événements étaient avides de précisions et d'anecdotes. J'ai laissé Marcel leur raconter nos exploits et je suis rentré. Maman et Josiane s'occupaient de Victorine. En apprenant la nouvelle, la vieille dame avait fait un malaise. Elle ne cessait de répéter dans son mouchoir que tout cela ne l'étonnait pas, qu'elle savait depuis toujours que cette petite finirait mal. On avait beau lui répéter que Nadège était saine et sauve, elle s'obstinait:

– Ça devait arriver... cette gamine a le diable dans le ventre!

Un peu plus tard, les gendarmes sont venus en renfort, ils cherchaient Norbert Verstraet dont la culpabilité n'était plus un secret pour personne. Les habitués du café insistaient pour leur prêter main forte, ils voulaient organiser une battue, deux chasseurs étaient même venus avec leur fusil. Tout cela faisait amèrement rigoler mon père.

Bill, qui avait conservé dans ses poches les sous-vêtements de sa victime, s'était planqué dans les caves du château Beaupré, mais des locataires l'ont dénoncé et il s'est rendu sans résistance. Le lendemain, Martial a raconté comment, en fouillant les affaires personnelles de Paulo, les enquêteurs avaient trouvé des cartes d'identité françaises et allemandes datant de l'Occupation.

— Il y avait même un uniforme de la Wehrmacht, s'est exclamé Florisse, qu'est-ce qu'il pouvait bien foutre de cette saloperie?

Tout le monde semblait très bouleversé, pas moi. Certains collectionnent des grenades à manche, d'autres des baïonnettes ou des douilles d'obus dont ils font des vases ou des pieds de lampes, alors, pourquoi pas des vêtements militaires? Comme dit monsieur Zeler, les hommes ne parviennent jamais à se libérer vraiment de la guerre. Peut-être parce qu'elle leur rappelle leur jeunesse, peut-être aussi parce qu'ils aiment ça, tout simplement. Ça ne m'étonne pas que Paulo ait conservé cette tenue, il avait dû passer quelques années en captivité, comme mon père et tous les autres, sauf qu'il avait réussi son évasion, lui, déguisé en soldat allemand, voilà tout. Ce costume-vert-de gris lui avait servi de laissez-passer pour rentrer en France, il lui devait sa liberté, pourquoi s'en serait-il débarrassé? Un sacré gaillard, celui-là! Rien ne lui faisait peur, pas même la mort.

25

Alain Zeler
Professeur d'histoire
au
Docteur Jacques Verdier

Docteur,

Vous trouverez ici une série de lettres dont je n'ai été que le rédacteur. L'auteur qui devait vous les faire parvenir avant le scrutin de dimanche prochain vient de trouver la mort dans des circonstances tragiques. Si vous le souhaitez, vous pourrez lire tous les détails du drame dans les numéros de La Voix du Nord parus ces derniers jours à la rubrique des faits divers. La victime, officiellement enregistrée sous le nom de Paul Leurant, s'appelait en réalité Lucien Bauwens, un homme que vous avez fréquenté autrefois en une période assez trouble où des intérêts communs vous liaient. Je me permets donc de vous les adresser car, bien que nous n'ayons jamais été amenés lui et moi à évoquer la procédure à tenir en cas de décès prématuré, je crois qu'il est de mon devoir de respecter ce qu'auraient été de toute évidence ses dernières volontés.

Le passé de Lucien Bauwens est lourd, aussi chargé que le vôtre, il ne m'appartient pas de le juger, cependant la rédaction détaillée de ses souvenirs dans lesquels vous tenez un rôle crucial lui aura permis de se soulager la conscience tout en accomplissant un acte de civisme que je ne puis qu'approuver. Monsieur Bauwens vivait et travaillait dans cette ville depuis 1953, le hasard a voulu qu'il vous reconnaisse, mais si vous ne vous étiez pas engagé en politique sous l'étiquette que nous savons, il ne se serait jamais manifesté. Estimant que vous ne méritiez pas de briguer les suffrages des électeurs dans ces législatives partielles, il a pris la décision de vous faire obstacle. Il n'ignorait pas les graves conséquences que ne manqueraient pas d'entraîner pour lui-même de telles révélations, pourtant, quel que fût le prix à payer, il était prêt à assumer l'entière responsabilité de ses erreurs à la condition expresse de ne pas être seul à en répondre.

Je reprends donc à mon compte sa proposition, ultimatum, chantage, appelez cela comme vous voudrez mais je me sens tenu de vous la soumettre, non seulement pour honorer la mémoire de Lucien Bauwens mais au nom de tous les citoyens que vous vous apprêtez à berner.

L'histoire vous a rattrapé, docteur Verdonck, je pense qu'une démission discrète constituerait un très petit sacrifice au regard des choix idéologiques qui furent les vôtres naguère.

J'ajoute que toutes les pièces du dossier, originaux des lettres, photos, articles de presse et autres documents accablants, ont été sur mon conseil enregistrées et déposées chez un huissier de justice et qu'elles resteront confidentielles tant que vous vous tiendrez éloigné de la scène politique, je vous en donne ma parole. Il ne tient qu'à vous désormais d'éviter un *scandale dont les retombées éclabousseraient à la fois votre parti et votre famille. Je reste à votre disposition pour toute information supplémentaire.*

Je ne doute pas, Docteur, que vous saurez prendre les dispositions qui s'imposent.

Alain Zeler

26

Le quartier a la gueule de bois. On commente le drame, bouche pâteuse, langue engourdie. C'est le premier homicide depuis la Libération. Les poètes de comptoir forcent le trémolo épique. On corse les péripéties, on se pimente l'imagination et puis on en revient aux faits, à la réalité, le nez plongé dans le journal. Moreto était un blouson noir mais de là à s'imaginer qu'il en viendrait à trucider quelqu'un... Et dire qu'on le croisait tous les jours. Brrr! Trempés de sueurs froides rétroactives, certains claquent des dents, d'autres, plus démonstratifs, s'époumonent d'indignation. Beaucoup s'asphyxient en onomatopées avant de compatir à la peine de ses parents. Des Italiens, certes, mais qui ne méritaient quand même pas une épreuve aussi cruelle.

Et l'Américain, qui aurait pu se douter? Il n'avait pas inventé l'eau tiède, Norbert, mais il tenait sa place, toujours prêt à rendre service par-ci par-là pour trois francs six sous, il dépannait, fournissait du gibier premier choix au prix du hareng saur. On pouvait se foutre de lui, il laissait faire, prêtait même volontiers le flanc aux galéjades, suffisait de déboucher un litre de rouge et il vous débitait ses sornettes avec l'accent de Laurel et Hardy. Encore un qui cachait bien son jeu, un satyre, vous vous rendez compte, il aurait pu s'en prendre à nos épouses, nos filles et nos compagnes! Pauvre Nadège, un coup pareil, ça vous marque les sens et le cœur au fer rouge. On ne peut décidément jamais rien attendre de bon de la part des hommes! Les femmes se sont mises à les regarder de travers, surtout ceux qui ont l'air trop polis pour être honnêtes, les papas gâteaux et les grands-pères verts.

J'ai retrouvé le lycée, pas fâché de changer d'air car la fièvre n'épargne aucun foyer, chez nous aussi on agite les grelots de la panique. Maman et Josiane n'en finissent plus de s'effrayer mutuellement. Pour ma cousine, le viol est un acte aussi grave que le meurtre et ceux qui le commettent devraient passer aux assises. Tout le monde ne partage pas son opinion, certains prétendent même que Nadège ne l'a pas volé.

– P't-être bien qu'elle y a trouvé son compte, la garce! ont ricané de douteux plaisantins.

Ma cousine a sorti ses griffes et si mon père ne s'était pas interposé, je crois bien qu'elle en aurait éborgné quelques-uns.

Un vent mauvais a soufflé sur le quartier, écorchant vif les sensibilités, on règle de vieux comptes, on vide son sac, les querelles oubliées ressurgissent, les voisins qu'on croyait en bons termes s'envoient à la figure leurs quatre vérités, on réchauffe, on souffle sur les braises et on jette les huiles rances sur le bûcher des sorcières.

Seul Paulo échappe au grand déballage, paix à son âme, et puis ça porte la poisse de parler des morts. Il y a quand même quelques sceptiques pour poser des questions qui dérangent:

– Pourquoi conservait-il chez lui cet uniforme allemand?

– Et tous ces papiers d'identité boches aux photos décollées? On ne m'enlèvera pas de la tête que dans le passé de ce type-là, y a comme un trou noir...

Et un trou noir c'est troublant... Mais tout le monde tombe d'accord pour saluer son intervention héroïque, nul doute que Marcel et moi lui devons la vie. Malgré les suspicions, une collecte a été organisée afin de couvrir en partie les frais de l'enterrement.

Nadège jure qu'elle n'a pas vu son agresseur, tout ce dont elle se souvient c'est qu'un passe-montagne de grosse laine grise cachait son visage et qu'il sentait la vinasse et le chewing-gum à la chlorophylle. Comme elle n'avait jamais approché l'Américain de près, elle n'a pas reconnu son odeur. Ça n'explique toujours pas pourquoi elle traînait du côté de l'ancienne guinguette par ce temps pourri! Je sais maintenant qu'elle n'avait aucune raison d'aller cueillir de l'herbe pour les lapins, j'ai vérifié dans la cour de Victorine, les clapiers sont vides. Et puis, les balades en solitaire, ce n'est pas son genre, elle préfère la ville, l'animation, les bals et les cafés chics. Si c'était arrivé à ma cousine qui adore rêvasser dans la nature, je ne dis pas, ou à Framboise, pendant une promenade à cheval... Quelle horreur! Je suis tout bouleversé à l'idée qu'elle aurait pu tomber entre les griffes du grand méchant loup. Se serait-elle comportée comme cette idiote de Petit Chaperon rouge incapable de reconnaître un fauve affamé sous un bonnet de dentelles, ou bien aurait-elle résisté toute la nuit aussi vaillamment que la chèvre de monsieur Seguin?

À la surprise générale, deux jours avant le scrutin et sans aucune explication, le docteur Verdier s'est désisté en faveur de son suppléant qui n'a pas fait dix pour cent des voix. Une fois encore le radical l'a emporté loin devant le candidat communiste, sauf dans le quartier.

– L'honneur est sauf, s'est consolé Robert Debas.

– On prend les mêmes et on recommence, a commenté Fernand qui envisage sérieusement de rendre sa carte d'électeur.

Je n'ai plus revu Framboise, ses parents ont déménagé au cours de l'été. D'après Léon, ils sont allés s'établir du côté de Saint-Raphaël où le docteur possède des parts dans un centre de thalassothérapie. J'ai consulté la carte Michelin, Framboise a bien de la chance d'aller vivre au soleil près de la mer. Le soir, je vais souvent traîner autour de la grande maison blanche, les grenouilles ont de nouveau envahi les nénuphars de l'étang mais la maison est vide, les volets sont fermés, un panneau *À Vendre* a été cloué sur le mur d'enceinte à côté du portail. Comme il n'a pas voulu quitter sa région, Léon continue d'entretenir le jardin, le docteur lui a laissé une lettre de recommandation pour les futurs propriétaires. Je lui ai demandé ce qu'était devenue Ouria.

– Elle était du voyage qu'est-ce que tu crois, pour elle, c'est la vie de château qui continue ! Là-bas, il y a un parc de cinq hectares avec des écuries, un manège couvert et même un golf… Faut bien occuper la clientèle, c'est une sorte de clinique où on ne soigne que les riches et les malades imaginaires qui veulent perdre du poids.

Je pense qu'en privilégiant sa famille à ses ambitions politiques, le docteur a pris une sage décision. Il ne passera plus ses nuits à boire du whisky pendant que sa femme va chercher l'aventure au volant de sa Morgan décapotable, et sa fille ne sera plus reléguée chez les bonnes sœurs. Je me demande s'il a suivi les conseils de sa cartomancienne préférée… Il faudra qu'un de ces jours, je me paie le culot d'aller la consulter, moi aussi. Un avenir radieux me sera prédit et qui sait, si madame *Chat Beauté* se laisse aller aux confidences, peut-être dévoilera-t-elle les secrets du ténébreux passé d'Odette Lamour.

Les vacances sont finies. Quelques balades au cap Blanc-Nez, un peu de bricolage avec mon père, rien de spécial. L'état de Marie-Rose s'améliore, en deux mois, elle ne nous a fait qu'une seule crise vite maîtrisée grâce aux talents de Marcel. Fred vient de rentrer d'Angleterre, ses parents lui ont offert un séjour linguistique dans le Kent; il ne prononce pas encore «Salisbury» aussi bien que Framboise mais quand même, il va pouvoir épater notre nouvelle prof. En apprenant que nous n'avions plus Folcoche, toute la classe a sauté de joie.

Un peu avant Noël, le facteur m'a remis une enveloppe jaune assez épaisse postée de Lausanne. Elle contenait une carte représentant un beau paysage de montagne avec, au premier plan, des sapins enneigés et un chalet couvert de givre. framboise m'apprenait qu'elle était pensionnaire dans une institution très sélecte en Suisse, le pays du chocolat et de la crème Nestlé. Elle travaille toujours aussi bien en classe sans pour autant négliger le piano et l'équitation, d'ailleurs elle a passé avec succès son deuxième degré et s'entraîne pour des concours. Il y avait un petit brin de myosotis scotché à côté de sa signature. J'ai mentalement remercié Marcel de ne pas m'avoir laissé le temps d'écrire ma lettre de rupture. On dit comment, déjà, «myosotis» en anglais?

CET OUVRAGE A ÉTÉ ACHEVÉ D'IMPRIMER
SUR ROTO-PAGE
PAR L'IMPRIMERIE FLOCH À MAYENNE
EN FÉVRIER 2007

N° d'édition : 339. N° d'impression : 67611.
Dépôt légal : mars 2007.
(Imprimé en France)